새들이
떠나간
숲은 적막하다

法頂 명상에세이

샘터

새들이 떠나간 숲은 적막하다

法頂 명상 에세이

　세상에서 일어나고 있는 일은 우리들 각자 안에서 일어나고 있는 내적 현상의 그림자다. 우리들이 지금 어떻게 살고 있느냐 가 바로 우리 눈앞에 펼쳐지고 있는 이 세상의 상태다.

　우리 시대에 이르러 물질적인 풍요만을 추구한 나머지 인간의 심성과 생활환경이 말할 수 없이 황폐된 것은, 누구의 탓이 아 니라 바로 우리들 자신이 저지른 재앙이다. 흙과 물과 나무와 공기와 햇볕의 은혜 없이는 살아갈 수 없는 인간들이 그와 같은 고마운 자연을 끊임없이 허물고 더럽힌다.

　일찍이 동양의 신앙은 산하대지를 신성한 존재로 여겨 귀의의 대상으로 삼았었다. 그래서 인간과 환경과의 조화를 이루었다. 그러나 서양의 백인들은 자연을 정복의 대상으로 여기고 환경의 지배를 추구했다. 그 결과 과잉소비와 포식사회를 이루어 오늘 날과 같은 온갖 질병과 환경 위기를 불러들인 것이다. 삶의 원

천을 망각한 채 도시화와 산업화로 줄달음치면서 날로 인간의
설 자리가 사라져가고 있다.

　이제 새삼스럽게 삶의 질을 문제삼을 만큼, 그동안 우리들이
추구했던 그 풍요가 한낱 허구임이 드러나게 되었다. 자연에서
이탈한 인간은 그만큼 부자연스럽다. 커다란 생명체인 이 자연
에 대한 존경심을 잃으면 자연 속에 살아 있는 모든 것들이 인
간을 깔보게 된다. 우리가 어머니인 대지에 소속되려면 먼저 그
대지를 소중하게 여길 줄 알아야 한다. 우리 모두 언젠가는 돌
아가 그 품에 안길 대지를 살아 있는 생명체로 받아들일 줄 알
아야 한다.

　현재와 같은 우리들의 잘못된 생각과 생활습관이 고쳐지지 않
는다면, 머지않아 지구는 황량한 사막으로 변하고 말 것이다.
봄이 와도 꽃이 피어나지 않고 새들도 찾아들지 않을 것이다.
꽃이 피지 않고 새들이 떠나간 땅이라면 얼마나 적막하겠는가.

그런 곳에서는 생물인 인간도 살아갈 수 없다.

　새벽에 눈을 뜨면 맨 먼저 개울물소리가 귀에 들어오고, 창문을 열면 한기와 함께 영롱한 별빛이 눈에 들어오는 이 오두막에서 다섯번째 봄을 맞이하고 있다. 〈버리고 떠나기〉 이후 내 생각과 살아온 모습을 한데 모았는데, 이런 일이 이제는 재미가 덜하다. 보다 간소하고 단순하게 살고자 하는 데는 이 또한 번거로운 일이기 때문이다.

　이 책을 만드는 데 인내력과 투명한 감각으로 세심하게 교정을 보아준, 나의 길벗 장수산방 주인에게 감사를 드린다. 그리고 이번에도 책이 나오도록 마음써준 샘터사 출판부의 친구들에게도 고마움을 전한다.

1996년 5월 水流山房에서

法　頂 합장

새들이 떠나간 숲은 적막하다 ● 차례 ────────

II 산에는 꽃이 피네

Ⅲ 살아 있는 부처

I
눈 고장에서

새가 깃들지 않는 숲을 생각해 보라.
그건 이미 살아 있는 숲일 수 없다.
마찬가지로 자연의 생기와 그 화음을 대할 수 없을 때,
인간의 삶 또한 크게 병든거나 다름이 없다.
새들이 떠나간 숲은 적막하다.

ㅡ〈새들이 떠나간 숲은 적막하다〉 중에서

무엇을 읽을 것인가

    올해가 '책의 해'라고 해서 언론매체들은 전에 없이 책에 대한 관심을 불러일으키고 있다. 얼마나 책을 등지고 살기에 따로 '독서주간'을 마련해야 하고 '책의 해'까지 선정해야 하는가. 독서를 한낱 취미쯤으로 여기고 있는 풍토이고 보면 그럴 법도 하다. 취미란 본업 외에 재미로 좋아하는 일을 가리킨다. 청소부나 농부가 독서를 취미로 여기고 있다면 이건 말이 된다. 청소부나 농부의 본업은 쓸고 치우는 일과 농사일이기 때문이다. 그러나 학생이나 진리를 실현하려는 탐구자가 독서를 취미로 여기고 있다면 이건 말이 안된다. 본업을 등진 소리이기 때문이다.

    배가 고프지 않더라도 사람들은 하루 세끼를 거르지 않고 꼬박꼬박 챙겨 먹는다. 육신의 건강을 지탱하기 위해 먹는 이 식사를 취미로 여기는 사람은 아마 없을 것이다. 사람에게는 육신만이 아니라 정신도 함께 깃들어 있다. 육신의 주림은 음식으로 다스릴 수 있지만, 정신의 주림은 무엇으로 다스리는가. 탐구하는 일이 없다면 우리들의 정신은 잡초로 우거진 황량한 폐전이 되고 말 것이다.

흔히 받는 질문으로, 불교를 알려면 무슨 책을 읽어야 하느냐이다. 무릇 종교의 세계는 책을 통해서만 접근할 수 있는 것은 아니지만, 처음 입문자들에게는 책이 손쉬운 길잡이가 될 수 있다. 그러나 책에만 길이 있는 것은 아니다. 우리가 무엇 때문에 책을 읽는지 그 의미를 진정으로 이해한다면, 책(종교적인 이론)을 통해서 자기 자신을 읽을 줄 알아야 한다.

경전이나 종교적인 이론은 사실 공허하고 메마르다. 그것은 참된 앎이 아니다. 참된 앎이란 타인에게서 빌려온 지식이 아니라 내 자신이 몸소 부딪쳐 체험한 것이어야 한다. 다른 무엇을 거쳐 아는 것은 기억이지 앎은 아니다. 그것은 다른 사람이 안 것을 내가 긁어 모은 것에 지나지 않는다. 그것은 '내것'이 될 수 없다.

신앙인은 영원하고 참된 것을 찾지만, 학자들은 그 해석을 찾는다. 우리들의 삶에는 해석이 필요치 않다. 삶은 몸소 사는 일과 스스로 체험하는 일과 순간 순간 누려야 할 일들이다. 이래서 삶은 수수께끼가 아니라 신비다. 종교적인 이론은 그 어떤 종파의 것일지라도 생동하는 삶에서 벗어난 공허한 말일 뿐이다. 그 공허한 말의 덫에서 뛰쳐나와 스스로 당당하게 살 줄을 알아야 한다.

《장자(莊子)》 외편 천도(天道)에 이런 이야기가 실려 있다.

군주인 환공(桓公)이 방안에서 열심히 책을 읽고 있었다. 그때 수레를 만드는 목수(輪扁)가 뜰에서 수레바퀴를 깎고 있다가 문득 망치와 끌을 놓고 일어서더니 환공에게로 와서 물었다.

"좀 여쭈어보겠습니다. 왕께서 지금 읽고 계시는 것은 무엇입니까?"

환공이 대답했다.

"성인의 말씀이다."

목수는 다시 물었다.

"그러면 그 성인은 지금 어디 계십니까?"

환공이 대답했다.

"오래 전에 죽었지."

그러자 목수가 말했다.

"그렇다면 왕께서 읽으시는 것은 옛사람이 남긴 찌꺼기이군요."

환공이 화가 나서 말했다.

"한낱 수레 만드는 목수인 주제에 네가 무엇을 안다고 함부로 나불거리는거냐. 네가 지금 한 말에 대해서 이치에 맞는 설명을 하지 못하면 목숨을 부지하기 어려우리라."

수레를 만드는 목수가 말했다.

"저는 어디까지나 제 일에서 터득한 경험으로 미루어 말한 것입니다. 수레바퀴를 깎을 때 너무 깎으면 헐거워서 쉽게 빠져버립니다. 또 덜 깎으면 조여서 들어가지 않습니다. 그러므로 더 깎지도 덜 깎지도 않게 아주 정밀하게 손을 놀려야 합니다. 그래야 바퀴가 제대로 맞아 제가 원하는 대로 일이 끝납니다.

그러나 그 기술은 손으로 익혀 마음으로 짐작할 뿐 말로는 어떻게 다 설명할 수가 없습니다. 저는 그 요령을 심지어 제 자식

놈한테조차 가르쳐주지 못하고 있으며, 자식놈 역시 저한테서 배우지 못하고 있는 처지입니다. 그래서 이렇게 나이 일흔이 넘도록 저는 제 손으로 수레바퀴를 깎고 있어야 합니다.

옛날의 성인들도 마찬가지로 자신들이 분명하게 깨달은 그 사실을 아무에게도 고스란히 전하지 못한 채 죽어갔을 것입니다. 그렇다면 왕께서 지금 읽으시는 그 글이 그들이 뒤에 남기고 간 찌꺼기가 아니고 무엇이겠습니까."

권위를 앞세우는 군주보다는 자신이 하는 일에서 사물의 이치를 통달한 목수 쪽이 훨씬 현명하다. 수레를 만드는 그는 밥벌이나 돈을 벌기 위한 수단으로 직업에 종사하는 일에 그치지 않고, 자신이 하는 일을 통해서 보편적인 진리의 세계에까지 도달한 것이다. 목수의 개체적인 삶이 인간이 지향하는 전체적인 삶에 합일된 것이다. 고귀한 성인의 말씀이라 할지라도 그것이 책 속에 갇혀 있는 한, 그것은 한낱 그 사람이 남긴 찌꺼기에 불과하다는 말은 살아 있는 지혜의 가르침이다.

무슨 일을 하든지 그 일이 보편적인 진리의 세계에까지 이르지 못하면 열매를 맺기 어렵다. 신앙생활도 마찬가지다. 참선을 하건 염불을 하건 혹은 기도를 하건 남을 돕는 일을 하건 간에, 자신이 하는 일을 통해서 그 뿌리인 깨달음의 경지에까지 도달할 수 있어야 한다. 남의 눈치나 살피면서 형식적으로 혹은 타성에 젖어 건성으로 하는 체 해가지고는 억만년을 지내더라도 뿌리내릴 수 없다.

깨달음에 이르는 데에는 오로지 두 길이 있다. 자기 자신을

안으로 살피는 명상과 이웃에게 나누는 자비의 실현이다. 그것
은 곧 지혜의 길이요 헌신의 길이다.

　우리가 책을 대할 때는 한장 한장 책장을 넘길 때마다 자신을
읽는 일로 이어져야 하고, 잠든 영혼을 일깨워 보다 값있는 삶
으로 눈을 떠야 한다. 그때 우리는 비로소, 펼쳐보아도 한 글자
없지만 항상 환한 빛을 발하고 있는 그런 책까지도 읽을 수 있
다. 책 속에 길이 있다고 하는 것은 이 때문이다.

　책 속에서 그 길을 찾으라.

〈93. 3〉

눈 고장에서

며칠째 눈에 갇혀 바깥 출입을 못하고 있다. 남쪽에서는 상상하기 어려울 만큼 무지무지하게 눈이 내리고, 내리는 양만큼 그대로 쌓인다. 눈 구경이란 한가한 사람들이 할 일이고, 눈 속에 묻혀서 사는 사람들에게는 불편한 일이 한두 가지가 아니다.

우선 길이 막히니 나갈 수도 없고 또한 돌아올 수도 없다. 허리께나 어깨 높이로 쌓인 눈을 뚫고 나갈 엄두가 나지 않는다. 나무들도 잔뜩 눈을 뒤집어쓰고 있다. 이따금 바람이 지나가면 나무에 쌓인 눈이 부옇게 눈보라를 일으키며 무너져내린다. 눈 쌓인 산은 온통 깊은 침묵 속에 잠겨 있다.

그런 가운데서도 시냇물만은 두터운 얼음장 속에서 쉬지 않고 흐른다. 세월이 잠시도 멈추지 않고 어디론지 사라져가듯이. 얼음장 속으로 차갑게 흐르는 한겨울의 이 시냇물소리는 듣는 마음을 오히려 따뜻하게 한다.

요즘 나는 고립(孤立)이라는 말을 이모저모로 생각한다. 어떤 상황에서건 외부와의 소통이 단절되면 공간적으로는 그대로 고립상태다.

그러나 정신적으로 여유 있는 자신의 의식세계를 지닌 사람들에게는 설사 외떨어진 섬에서 산다 할지라도 고립감을 느끼지 않을 것이다. 그에게는 자신의 세계가 구축되어 있기 때문이다. 고독과 고립은 비슷한 말 같지만 엄밀히 살펴보면 전혀 다른 정신상태다. 고독은 좋은 것이지만 고립은 좋은 것이 못된다.

고독은 때때로 사람의 영혼을 맑힌다. 고독을 의식하지 않는 사람은 그만큼 무디어 있거나 자신의 삶에 무감각하다. 고립은 말 그대로 이웃과 어울리지 못하고 외톨이로 처진 상태를 가리킨다.

여럿이서 복잡하게 얽히어 살아가는 직장이나 아파트단지 같은 데서, 공간적으로는 이웃과 함께 있으면서도 실제적으로는 고립된 경우가 얼마나 많은가. 그래서 고립은 좋지 않은 것이다. 그 고립은 소외감을 동반하기 때문에 건전한 정서를 이룰 수 없다.

눈고장에서 이 겨울을 나면서 문득문득 생각하는 것은, 문화가 형성되는 데는 인문사회적인 환경에 못지 않게 자연환경의 영향이 크겠다는 느낌이다. 살기 불편하고 교통 통신이 두절된 상태에서 창조의 자극이 없으면 생동하는 세계로부터 고립되기 마련이다. 그러나 우리가 또 다른 입장에서 오늘날 우리들의 삶을 되돌아볼 때, 닳아지고 지쳐 시들한 일상의 범속한 삶에서 벗어나려면 외부세계와 단절된 불편한 자연환경이 도리어 새로운 출구를 열어주지 않을까 하는 생각이다.

오늘날 우리들은 편리한 것에만 너무 길들여졌다. 그래서 조금만 불편해도 그걸 참으며 이겨내지 못한다. 그만큼 나약해져서 의지력과 창의력이 시들어진 것이다. 때로는 불편한 환경에 자신을 투신해 봄으로써 잠재된 의지력과 창의력이 움터나와 삶에 새로운 활력을 불어넣을 수도 있다.

우리들의 인생이란 누구를 막론하고 무한한 가능성을 지니고 있다. 새로운 실험과 시도를 통해서 그 가능성을 꽃피울 수 있어야 한다.

배고파 밥을 먹으니
밥맛이 좋고

자고 일어나 차를 마시니
그 맛이 더욱 향기롭다

외떨어져 사니
문 두드리는 사람 없고

빈집에 부처님과 함께 지내니
근심 걱정이 없네.

고려시대 원감(圓鑑) 충지(沖止) 스님의 글이다. 나는 요즘 이 시를 자주 음미하고 있다.

우리는 습관적으로 음식을 먹는 수가 있다. 배가 고프지 않으면서도 밥을 먹고, 잠이 오지 않는 데도 억지로 잠을 자려고 한다. 그밖에 다른 일도 전혀 마음에는 없는데 습관적으로 그 일에 손을 댄다. 이렇게 되면 그의 삶은 자연의 리듬을 거스르게 된다.

뱃속이 출출하고 시장기가 들었을 때 먹는 음식은 그 맛이 얼마나 좋은지 누구나 겪어서 익히 알고 있다. 또한 음식에 대한 고마움을 알게 되니, 먹다 남았다고 해서 함부로 버리지 않는다. 배가 고프지 않으면서도 습관적으로 먹거나 억지로 먹기 때문에 소화기에 이상이 생기고 음식 맛을 모르며 버리는 것을 아깝거나 죄스럽게 여기지 않는다. 이래서 자신 앞에 쌓인 복을 스스로 덜어내고 있는 것이다.

차는 공복에 마셔야 그 향기와 맛을 알 수 있다. 나는 올 겨울 들어 새벽으로 차를 마시고 있다. 새벽예불을 드리고 나서 좌선 끝에, 다기를 내놓고 차관에 물을 끓여 여명의 창 아래서 차를 두어 모금 마시고 있으면, 이 오두막의 생활에 잔잔한 즐거움이 피어오른다. 흔히 우리는 차를 잔 가득 부어 습관적으로 마시는데, 잔의 3분의 1이나 4분의 1쯤만 따라 두어 모금 음미해 보아야 차의 고마움과 그 진미를 알 수 있다. 공복에 마시는 차는 우리 영혼을 맑게 한다. 이 산중에서 음미할 차가 없다면 내 삶은 국이 없는 맨밥이 되고 말 것이다.

사람들에게 시달린 나는 이 산중에 들어와 살게 되면서 무엇보다도 불쑥불쑥 찾아오는 사람이 없어 좋다. 내 얼굴 표정에 어떤 변화가 있다면, 짜증스러워하던 그 그림자가 사라져서일 것이다. 위에 든 시에서 '외떨어져 사니 문 두드리는 사람 없고'라는 구절이 나는 가장 마음에 든다.

이 오두막에는 작은 내 원불(願佛)이 모셔져 있다. 불단에 향을 사르면서 예불을 드리고 좌선을 하고 글을 읽고 혹은 쓴다. 그러면서 불법을 만나 출가 수행승이 된 인연에 늘 고마워한다. 말하자면 부처님 같은 어른의 빽이 있으니 다행하고 든든하다.

이제는 새해인사를 드려야겠다.
새해 복 많이 받으세요!
복은 어느 누가 주는 것이 아니라 내가 지어서 내가 받는 것, 그렇다면 인사말을 이렇게 고쳐 해야겠네,
새해에는 복을 많이 지으십시오!

〈93. 2〉

식물도 알아듣는다

난(蘭)이 한분 나와 함께 겨울을 나고 있다. 안거에 들어가기 전 내 처지를 잘 알고 있는 도반(道伴)이, 빈 산에서 홀로 지낼 것을 생각해서 말벗이라도 하라고 기왕에 있던 분에서 포기 가름을 해서 안겨준 것이다.

나무와 꽃을 좋아하면서도 나는 방안에 화분을 들여놓는 일을 별로 내켜 하지 않았다. 벌써 오래 전, 다래헌(茶來軒) 시절에 난을 기르면서 터득한 지독한 집착의 체험이 있었기 때문이다. 그후로도 아는 분들이 나를 찾아올 때면 화분을 가지고 오는 일이 더러 있었다. 면전에서는 흔연스럽게 받아들이지만 그들이 산을 내려가고 나면 즉시로 새 인연터를 골라 떠나보내곤 했다. 까닭은 어디에도 얽매이지 않고 모든 것으로부터 자유로워지고 싶어서였다.

그러던 고집이 이 겨울 이 오두막에서는 난과 함께 지내게 되었다. 말벗이라도 삼으라고 하던 도반의 살뜰한 뜻이 요 며칠 전부터 꽃대가 되어 솟아오르고 있다. 어느 날 밤 꿈에 난초분에 꽃대가 올라오는 걸 보았는데, 다음날 유심히 살펴보니 과연

꽃대가 두 군데서 솟아올랐다. 그 뒤부터는 말벗뿐이 아니라 눈길의 벗이 되어 한결 가까이 보살피게 된다.

　모든 살아 있는 생물이 다 그렇듯이 식물도 마음을 기울여 보살펴주면 건강하게 잘 자란다. 낮에는 햇볕이 드는 밝은 창 아래 두고 눈길을 보내면서 두런두런 말도 걸다가, 밤에는 방안의 온도가 난에게는 답답할 것 같아 마루에 내놓고 잘 자라고 밤인사를 나눈다.

　차(녹차)를 마시고 난 찌꺼기를 찻잔을 씻은 물과 함께 버리지 않고 오지그릇에 담아 두었다가, 한참 삭힌 뒤에 암갈색으로 우러난 그 물을 한 닷새에 한번꼴로 서너 숟갈씩 화분에 주면 난은 아주 좋아라 한다. 윤기가 도는 그 청청한 잎을 보면 난의 마음을 이내 알아차릴 수 있다.

　식물에도 마음이 있느냐고? 암, 있고 말고. 모든 살아 있는 생명체에는 저마다 형태가 달라서이지 영(靈)이, 그 마음이 깃들어 있다. 산 것과 죽은 것의 구분은 영이 깃들어 있느냐 나가 버렸느냐에 달렸다고 나는 믿는다. 우리가 사람이기 때문에 모든 것을 우리 기준으로만 속단하기 쉬운데, 인간은 이 무변광대한 우주의 큰 생명체에서 나누어진 한 지체라는 사실을 상기해야 한다.

　최근에 나는 흥미 있는 책을 한권 읽었는데, 정신세계사에서 펴낸 〈식물의 신비생활〉(피터 톰킨스·크리스토퍼 버드 공저)이다.

　거기 보면 식물도 우리 인간처럼 생각하고 느끼고 기뻐하고 슬퍼한다는 것이다. 예쁘다는 말을 들은 난초는 더욱 아름답게 자라고, 볼품없다는 말을 들은 장미는 자학 끝에 시들어버린다는 실험결과를 싣고 있다. 또 어떤 식물은 바흐나 모차르트 같은 클래식을 좋아하고, 어떤 식물은 시끄러운 록음악을 좋아한다고도 했다.

'식물도 생각한다' '인간의 마음을 읽는 식물' '식물과의 의사소통' '우주와 교신하는 식물들의 초감각적 지각' 등 식물의 초감각적 지각에 대한 최근의 연구를 소개하고 있다.

저자도 머리말에서 언급하고 있듯이, 우리가 산에 가거나 나무나 꽃과 함께 있을 때 우리 마음은 차분해지고 아늑한 기분을 느낀다. 그것은 영적인 충만감에 젖어 있는 식물들의 심미적 진동을 인간이 본능적으로 느끼기 때문이다.

더 말할 것도 없이 식물은 우리가 함께 기대고 있는 이 우주에 뿌리를 내린 감정이 있는 생명체다. 인간의 처지에서만 보려고 하기 때문에 식물이 지닌 영적인 영역을 놓치고 있는 것이다. 식물은 우리 인간에게 양식과 맑은 공기를 비롯해서 헤아릴 수도 없이 많고 유익한 에너지를 무상으로 공급해 주고 있다.

자연과 교감을 하면서 살아온 미국 인디언들은 과로해서 기운이 달리게 되면 숲속으로 들어가 양팔을 활짝 벌린 채 소나무에 등을 기대고 그 나무의 기운을 받아들인다고 한다. 내가 잘 아는 한 친구도 도시생활에 지치면 시골집에 내려가 집 뒤 소나무 숲을 찾아간다. 정정한 한 소나무에게 안부를 묻고 거기 한참을 기대어 속말을 털어놓고 나면 마음이 투명해지고 기운이 솟는다고 했다.

나도 불일암의 뜰에 있는 후박나무를, 잎이 다 지고 난 후 아무것도 걸치지 않은 그 나무를 쓰다듬고 안아주면서 볼을 부비기도 하고 속엣말을 건네기도 하는데, 그때마다 말할 수 없는 신뢰와 친근감을 우리는 서로 나눈다. 아, 이 겨울에 우리 후박나무는 별고없이 잘 있는가?

이 책에서 가장 감동적인 대목은, '제2부 식물의 왕국에 문을 연 선구자'들에 대한 기록이다. 인도의 뛰어난 식물 연구가 찬드라 보스는 한 학술모임에서 자신의 철학을 다음과 같은 말로 표현하고 있다.

"진리가 머물고 있는 이 광막한 자연이라는 거주지에는 각기의 문이 달린 수많은 통로들이 있다. 물리학자, 화학자, 생리학자들은 자신들만의 전문지식을 가지고 이 각기 다른 문을 통해 그 안으로 들어간다. 그것이 다른 분야와는 관계가 없는 자기들만의 고유한 영역이라고 고집하면서. 이렇게 하여 우리는 지금 광물의 세계니, 식물의 세계니, 동물의 세계니 하면서 분야를 나누게 된 것이다. 그러나 이러한 태도들은 깨뜨려져야 한다. 우리는 이 모든 탐색의 목표가 전체적인 앎에 도달하기 위한 것임을 유념해야 한다."

어떤 특수 전문분야라 할지라도 인간의 삶을 위한 궁극적이고 보편적인 영역에까지 이르지 않으면 그것은 한 곁가지를 붙드는 일에 그치고 말 것이다.

식물에도 영혼이 있다고 주장한 전세기 독일의 철학자이며 심리학자인 페히너는 이렇게 말한다.

"인간들이 어둠 속에서 목소리로 서로를 분간하듯이 꽃들은 향기로써 서로를 분간하며 대화한다. 꽃들은 인간들보다 훨씬 우아한 방법으로 서로를 확인한다. 사실 인간의 말이나 숨결은 사랑하는 연인끼리를 제외하고는 꽃만큼 미묘한 감정과 좋은 향기를 풍기지 않는다."

금세기 최고의 식물 재배가로 일컬어진 캘리포니아의 루터 버뱅크는 한 친구에게 이런 말을 한다.

"식물을 독특하게 길러내고자 할 때면, 나는 무릎을 꿇고 그 식물에게 말을 건넵니다. 식물에게는 스무 가지도 넘는 지각능력이 있는데 인간의 그것과는 형태가 다르기 때문에 우리는 그들에게 그런 능력이 있는지 알지 못합니다.

선인장에 관한 실험 이야기인데, 나는 처음 집게로 선인장의 가시를 뽑아주면서 선인장에게 수시로 말을 걸어 사랑의 진동을 일으켜보라고 했습니다. 아무것도 두려워할 게 없다. 그러니 너는 이제 가시 따위는 필요없어. 내가 너를 잘 보살펴줄테니까."

그 결과 마침내 가시 없는 선인장이 이 세상에 태어나게 된 것이다. 그는 식물들이 어떤 종류의 텔레파시를 통해 자신이 뜻하는 바를 감지하는 게 분명하다고 확신한다.

그는 학부모들에게 말한다.

"어린이들에게는 책에 실린 지식을 강요하는 것보다 건강한 정신을 갖게 하는 것이 더 중요합니다. 어린이들은 고통을 통해서가 아니라 놀이나 자연과의 교류 등 기쁨을 통해서 배워야 합니다."

버뱅크는 자신의 성공은 어린아이와 같은 태도로 주위의 모든 것에 대해 경이로움을 느낀 데서 비롯된 것으로 알고 있다. 그는 자신의 생애를 기록한 전기작가에게 다음과 같이 말한다.

"나는 이제 77세에 가까운 나이지만 아직도 대문을 뛰어넘고 달리기 시합을 하고 샹들리에를 걷어차기도 한다오. 그것은 아직도 청춘인 내 마음과 마찬가지로 육체도 늙지 않았기 때문이오. 나는 지금껏 어른이 된 적이 한번도 없고 앞으로도 영원히 그랬으면 싶소."

이 글을 쓰고 있는 나를 물끄러미 지켜보고 있는 난(蘭). 꽃대를 재어보았더니 11.5센티미터. 어제보다 5밀리미터가 더 자랐다. 기특하다.

〈93. 2〉

섣달 그믐밤

　임신년 한해가 끝나는 섣달 그믐날. 지나온 기억을 더듬어보아도 오늘밤처럼 멋지고 호사스런 그믐밤은 내 생애에서 일찍이 없었다. 이 오두막에 들어와 머문 지 꼬박 아홉 달이 되는데, 특히 이 겨울철이 내게는 고마운 시절이다.

　오늘 아침도 영하 13도가 넘었다. 닷새째 강추위. 그래서 요즘은 아침저녁으로 군불을 지핀다. 기온이 내려갈수록 불은 잘 들인다. 한동안은 굴뚝으로 나가는 연기보다 아궁이로 거슬러 나오는 연기가 많아 애를 먹었는데, 아궁이의 이맛돌을 낮추고 굴뚝 밑을 파내어 그 위에 굴뚝을 세웠더니 그 뒤부터는 순순히 잘 들인다.

　영하의 날씨지만 바람기 없이 햇볕이 나면 한결 포근하게 느껴진다. 오후의 부드러운 햇살을 받으면서 오두막 안팎을 쓸고 닦았다. 향로에 타고 남은 향끌텅이도 걸러 받았고 난초분에 물도 듬뿍 주었다. 휴지통에 쓰레기도 말끔히 치우고, 아궁이에 쌓인 재를 쳐내고 장작을 한아름 지폈다. 그리고 마루방에 있는 난로에도 재를 치고 불쏘시개와 땔감을 미리 넣어두었다.

방에 들어와 언 몸을 녹이느라 아랫목 방석 밑에 발을 넣고, 얼음장 밑으로 흐르는 개울물소리에 귀를 모으고 있었더니 스르르 잠이 들었던 모양이다. 눈을 뜨니 창호에 비친 햇살이 엷어져 있었다.

출출한 김에 차를 한잔 마셨다. 오전에 녹차를 마셨으니, 이번에는 홍차를 마시기로 했다. 인도 다질링에서 나온 부드럽고 향기로운 차다. 나는 오후 늦게나 밤에 홍차를 마시면 머리가 맑아져 잠을 제대로 이루지 못하지만, 오늘은 밤이 깊도록 맑은 정신으로 지내고 싶어 일부러 홍차를 마셨다.

홍차는 그 빛깔과 맛이 여느 차와는 다른 격을 지니고 있기 때문에 그릇도 아주 얇고 흰 고급스런 잔이 어울린다. 홍차에는 레몬을 한쪽 넣거나 혹은 꼬냑을 두어 방울 떨어뜨리면 향기롭게 마실 수 있다. 소프트 케이크를 곁들이면 더욱 좋겠지만, 이 산중이 어디라고.

이제는 저녁 먹은 이야기를 좀 해야겠다. 다른 때 같으면 해 떨어지기 전에 일찍 저녁을 먹고 치우는데, 오늘은 이것저것 치다꺼리를 하다보니 늦게 되었다. 뭘 먹을까 하다가 이미 물에 불려놓은 떡살이 눈에 띄어 떡국을 끓여 먹기로 했다. 저녁은 간편하고 가볍게 먹는 것이 내 전래의 식성이다.

'티 라이트(Tea light)'로 쓰이는 초를 흰 사발에 담아 몇군데 켜놓았다. 난로에 불도 지폈다. 식탁에는 수선화가 담긴 유리컵을 올려놓았다. 이쯤 되면 풍악이 울려야 제격이리라. '소리통'에 베토벤의 피아노 소나타를 넣었다. 월광과 열정과 고별이 함께 녹음된 것.

자, 이만하면 어느 재벌이나 제왕의 식탁만 못하겠는가. 짐승스럽게 음식만 퍼먹는 게 아니라, 빛과 소리와 향기를 함께 음미하면서 조촐한 삶의 운치를 누리는 것이다. 혼자서 먹을 때일수록 더러는 이런 품격과 호사가 필요하다. 먹는 일도 그날 하루 삶의 한 몫이기 때문에 주유소에서 기름 담듯이 할 수가 없다. 더구나 한해를 마감하는 오늘 같은 밤임에랴.

며칠 전에 들추어본 고려시대 원감 충지 스님의 시가 떠오른다.

날마다 산을 봐도
볼수록 좋고

물소리 노상 들어도
들을수록 좋다

저절로 귀와 눈
맑게 트이니

소리와 빛 가운데
평안이 있네.

베토벤의 피아노 소나타 23번 '열정'을 듣고 있으면 스위스의 제네바 수현이네 집이 떠오른다. 재작년 늦가을 유럽 나그네길에 빨래 거리를 잔뜩 가지고 수현이네 집을 찾아갔었다. 수현이네 아버지 김창엽 님은 외교관으로 그때 유엔 우리 대표부에 근무중이었는데, 음악을 아주 좋아해서 나그네의 귀를 즐겁게 해주었다.

바카우스의 연주로 오랜만에 귀에 익은 음악을 듣고 있을 때, 나는 문득 베토벤을 다시 만난 감동을 받았었다. 그동안 나는 잡스런 음악에 귀를 어지럽히며 외도를 했구나 하는 자책이 뒤따랐었다.

수현이네 아버지를 따라 아름다운 호반의 도시 인터라켄을 거쳐 '융프라우 요흐'를 다녀올 때도 차 안에서 베토벤의 열정 소나타와 소피 뮤터의 협연으로 바이올린 협주곡 D단조를 감미롭게 들었었다. 만년설에 뒤덮인 해발 3,454고지의 청량한 알프스의 정기와 산상의 눈부신 햇살이 베토벤의 영혼과 어울려 나그네 가슴을 한껏 부풀게 했다.

그때 받은 베토벤에 대한 감동으로 안개의 도시 뮌헨에 들르자마자 바카우스의 연주로 소나타 전집과 소피 뮤터가 협연하는 바이올린 협주곡을 콤팩트 디스크로 구했었다.

좋은 음악은 무디어지거나 녹슬기 쉬운 인간의 감성을 맑고 투명하게 다스려준다. 진짜 예술가는 시간과 공간의 벽을 넘어 수많은 사람들에게 위로와 기쁨을 나누어주는 영원히 살아 숨쉬는 불멸의 혼이다. 이래서 인생은 덧없고 짧지만 예술은 길다고 했는가.

출가 수행승에게는 마음붙여 몸담아 사는 곳이 제 집이요 제

고향이다. 명절이라고 해서 찾아나설 집과 고향이 따로 있지 않다. 세월 밖에서 살고자 하기 때문에 육신의 나이 또한 헤아리지 않는다. 날마다 새롭게 시작하면서 지금 이 자리에서 이렇게 살아갈 뿐이다.

거처만 하더라도 기댈 만하면 인연따라 기대어 산다. 세상에서처럼 개인의 소유가 아니기 때문에, 천하가 다 내 것이 아니면서도 또한 내 것일 수 있다. 구름이나 물처럼 흐르다가 잠시 멈추어 쉰다. 내 것을 지니게 되면 집착의 늪에 갇혀 흐름이 멈춘다. 그때는 이미 구름도 아니고 물도 아니다. 이래서 수행자를 다른 말로 운수(雲水)라고도 한다.

무슨 인연으로 나는 이 산골의 오두막에 와서 살게 되었는지 알 수 없지만, 묵은 둥지를 떠나 새롭게 시작한 오늘의 삶을 고마워한다. 언젠가는 이 껍데기도 벗어버리고 훨훨 뿌리로 돌아갈 것이다. 내 인생의 그 섣달 그믐날이 올 것이다. 그때는 아무 미련도 없이 나그네길을 훌쩍 떠나듯 그렇게 다음 생으로 떠나고 싶다.

나는 20년 남짓 홀로 사는 일에 이골이 나서, 이런 외떨어진 산중에서 홀로 지낼 때가 가장 홀가분하다. 내 삶이 가장 충만할 때가 바로 이런 격리된 환경에서다. 물론 홀로 지내는 데는 여러 가지 불편과 어려움이 따른다. 하지만 한데 모여 살면서 서로 아옹다옹하며 시기하고 질투하고 모함하는 중생놀음에 견주면, 그 어떤 불편과 어려움도 능히 이겨낼 수 있다. 무리를 지어 어울려 살면 서로에게 도움이 되는 일도 없지 않지만, 아무런 가치도 의미도 없는 시시콜콜한 일에 시간을 탕진하고 신경을 소모하는 일이 너무 아깝다.

　나는 내 삶을 그 누구의 간섭도 받지 않고, 그 누구도 닮지 않으면서 내 식대로 살고자 한다. 자기 식대로 살려면 투철한 개인의 질서가 전제되어야 한다. 그 질서에는 게으르지 않음과 검소함과 단순함과 이웃에게 해를 끼치지 않음도 포함된다. 그리고 때로는 높이높이 솟아오르고 때로는 깊이깊이 잠기는 그 같은 삶의 리듬도 뒤따라야 한다.

　사람이 무엇 때문에 사는지, 무엇을 위해 살아야 할 것인지, 그리고 순간순간을 어떻게 살아야 할 것인지는 저마다 자신이 선택해야 할 삶의 과제다. 우리가 명심해야 할 것은, 우리들 각자가 이 세상에서 단 하나밖에 없는 독창적인 존재라는 사실이다. 단 하나뿐인 존재이기 때문에 어떤 상황에 놓여 있을지라도 자기 자신답게 사는 일이 긴요하다. 개체의 삶은 제멋대로 아무렇게나 사는 것이 아니라 전체의 삶과 조화를 이룰 때에만 그 가치를 부여할 수 있다.

　섣달 그믐밤에 너무 된소리를 했는가?

〈93. 3〉

과일을 잘 고르는 엄마

볼일이 있어 인간의 도시에 나가 머무는 기회가 있을 때, 나는 가끔 꽃시장을 찾아가 둘러보는 것을 좋아한다. 이른 아침 시장 안의 싱그러운 빛깔의 잔치와 그 풋풋한 향기도 좋지만, 꽃을 사고 파는 사람들의 그 모습 또한 꽃에 못지않게 아름답다. 비릿한 어물전이나 고기집 같은 데서 대하는, 조금은 탐욕스럽고 거칠게 보이는 그런 얼굴을 꽃시장에서는 전혀 찾아볼 수 없다.

'근묵자흑(近墨者黑)'이란 옛말이 있는데, 먹을 가까이하면 검어진다는 뜻이다. 밝은 것이 됐건 어두운 것이 됐건 어디엔가 가까이하면 그만큼 그 영향을 받는다는 교훈이다. 꽃을 가까이하는 사람은 자기 자신도 모르는 사이에 꽃 향기와 그 속성을 닮아갈 것이다. 우리말에 '꽃다운 마음씨'란 꽃과 같이 아름답고 예쁜 마음씨를 가리킨다.

벌써 오래 전 일인데, 내가 주관하는 한 경전 모임이 있었다. 일주일에 한 차례씩 주부들 10여 명이 모이는 조촐한 자리였다. 물론 종파적인 종교에서 떠난 모임이기 때문에 아무나 와서 참여할 수 있었다.

지금도 기억에 곱게 간직되어 있는 것은, 그중에 한 엄마가 교탁에 늘 새로운 꽃을 꽂아 두었었다. 꽃을 앞에 두고 경전을 읽어나가면 아무리 딱딱한 경전도 부드럽게 읽힌다는 사실을 나는 그때의 체험으로 알았었다.

그런데 그 엄마가 결석한 때에는 아무도 대신해서 꽃을 가져다 꽂는 사람이 없었다. 한두 번쯤은 그 엄마를 믿고 그런다치더라도 그 엄마가 장기간 해외에 나가 있는 줄 알면서도 꽃을 꽂는 사람이 없었다. 모르긴 해도, 평소 자신의 집에 꽃을 꽂지 않던 사람이 갑자기 남의 집에 꽃을 가져가는 일은 별로 없을 듯싶다.

그 무렵 다른 엄마한테서 들어서 안 일인데, 꽃을 가져다 꽂던 그 엄마는 밖에서 일을 보다가도 오후 세 시만 되면 서둘러 귀가한다는 것이다. 그 이유는 초등학교 3학년인가에 다니는 아이가 집에 돌아오기 전에 귀가하여 아이가 먹을 간식을 미리 준비해 두고 기다리기 위해서라고 했다. 좋은 밭에서 좋은 곡식이 자라듯이, 좋은 엄마한테서 좋은 아이가 자랄 것이다.

나는 오랫동안 자취생활을 하면서 사람을 보는 눈을 내 나름으로 지니게 되었다. 주방에 들어와 몸 놀리는 동작만 보고도 그가 음식을 제대로 만들 줄 아는 사람인지 엉터리인지를 당장 판별할 수 있다. 내 편견일지 모르지만, 과일을 잘 고르는 엄마라면 살림도 잘할 거라는 생각이 든다. 과일을 제대로 고를 줄 모르는 사람이라면 깎는 일도 시원찮을 것이고 그릇에 놓는 솜씨 또한 그저 그럴 것 같다.

우리가 손님으로 갔을 때 주인이 과일을 깎아서 내오는 것보다는 현장에 통째로 가져와 깎는 것을 보는 일은 즐겁고도 먹음직하다. 음식을 입으로만 먹는 것은 짐승스럽다. 그 빛깔과 모양을 눈으로 보면서 즐기기도 하고, 향기를 맡으면서 과일의 속뜰을 넘어다볼 줄도 알아야 한다.

몇해 전 유럽을 여행하면서 겪은 일인데, 동행자 중 한 사람은 그 고장 태생으로 우리나라에서 10년 가까이 출가 수도생활을 한 경력이 있다. 지금은 결혼해서 남편과 함께 명상 관계의 일을 보면서 지내고 있는데, 이 '아줌마'는 전혀 과일을 고를 줄을 몰랐다. 번번이 설익었거나 맛이 없는 것만을 골랐다. 그의 남편도 잘 아는 터라 그 집에 들러 하루를 쉬었는데, 그 아줌마의 주방솜씨는 예측했던 대로 앞으로 많이많이 배우고 익혀야 할 수준이었다.

과일을 제대로 고르려면 과일이 맺히기 전의 그 꽃향기까지도 맡아낼 수 있을 만큼 투명하고 섬세한 감각을 지녀야 한다. 이런 투명하고 섬세한 감각을 지닌 엄마 곁에서 좋은 아기가 자랄 것이다.

〈93. 4〉

새들이 떠나간 숲은 적막하다

달력 위의 3월은 산동백이 꽃을 피우고 있지만, 내 둘레는 아직 눈 속에 묻혀 있다. 그래도 개울가에 나가보면 얼어붙은 그 얼음장 속에서 버들강아지가 보송보송한 옷을 꺼내 입고 있다.

겨울산이 적막한 것은 추위 때문이 아니라 거기 새소리가 없어서일 것이다. 새소리는 생동하는 자연의 소리일 뿐 아니라 생명의 흐름이며 조화요 그 화음이다. 나는 오늘 아침, 겨울산의 적막 속에서 때아닌 새소리를 듣는다. 휘파람새와 뻐꾸기와 박새, 동고비, 할미새와 꾀꼬리, 밀화부리, 산비둘기. 그리고 소쩍새와 머슴새와 호반새 소리에 눈감고 숨죽이고 귀만 열어놓았었다.

어제 시내를 다녀오는 길에 한 노보살님한테서 받은 선물을 오늘 아침에 풀어보니, 어떤 조류학자가 숲과 들녘과 섬을 다니면서 채록한 '한국의 새' 소리들을 출판사에서 펴낸 녹음 테이프였다.

눈 속의 오두막에서 녹음으로 된 새소리를 듣고 있으니, 시간과 공간을 초월한 별다른 세상에 살고 있는 듯한 감흥이 일었

다. 맑게 흐르는 시냇물소리, 거기에 곁들인 아름다운 새소리에
귀기울이고 있으면, 문득 초록이 우거진 숲에서 풋풋한 숲 향기
가 풍겨오는 것 같다. 그리고 맑은 햇살이 비낀 숲속의 오솔길
에 청초한 풀꽃과 푸른 이끼가 눈에 선하게 떠오른다.

상상력이란 일찍이 자신이 겪은 기억의 그림자일 것이며, 아
직 실현되지 않은 희망사항이기도 할 것이다. 그렇다 하더라도
좋은 상상력은 그 자체만으로도 살아 있는 즐거움을 누릴 수 있
다. 이와는 달리 어둡고 불쾌한 상상력은 우리들을 음울하고 불
행하게 만든다. 생각이나 상상력도 하나의 업(業)을 이루기 때
문이다.

몇해 전 이른 봄에, 여수에서 배를 타고 남해의 외딴 섬 백도
(白島)를 다녀온 일이 있다. 백도는 지저분한 사람들에 의해 아
직은 더럽혀지지 않은 천연의 아름다운 무인 고도다. 이 백도를
다녀오는 길에 시간이 있어, 거문도의 등대와 그곳으로 가는 길
목의 동백꽃을 보기 위해 등성이 길을 올랐었다.

그때 문득 밀화부리소리가 들려 귀가 번쩍 띄었다. 동백꽃 아
래서 뜻 아닌 밀화부리소리를 들었을 때 어찌나 반가웠는지 마
냥 가슴이 설레었다. 육지의 산에서는 오뉴월이 되어야 들리는
새소리다. 그때 그곳에서 나는 그날 하루의 삶에 그지없이 고마
워했다.

오늘 아침 이 새들의 목청을 녹음으로 들으면서 한가지 사실
을 새롭게 알았다. 밀화부리와 휘파람새소리는 얼핏 들으면 비
슷한 데가 있지만, 자세히 귀기울여보면 휘파람새는 밀화부리

에 비해 성량이 빈약한 데다 조금은 딱딱하고 그 울림의 끝이 약하다. 밀화부리는 그 목청에 기름기가 잘잘 흐르는 것 같은 아주 음률적인 소리를 띠고 있다.

또 한가지 배운 것은, 숲에 신록이 번질 무렵 그 새소리는 가까이서 늘 들으면서도 이름은 알지 못했는데, 이번에 그 새가 하나는 '검은등뻐꾸기'이고 다른 하나는 '벙어리뻐꾸기'라는 걸 알고 반가웠다.

영롱한 구슬이 도르르 구르는 것 같은 호반새소리를 듣고 있으니, 불일암의 오동나무가 떠오른다. 호반새는 부리와 발과 깃털 할 것 없이 몸 전체가 붉은 색을 띤 여름 철새다. 초입의 그 오동나무에는 새집이 네 개나 아래서 위로 줄줄이 뚫려 있는데, 초여름이 되면 딱따구리가 새끼를 치기 위해 부리로 쪼아 뚫어 놓은 구멍이다. 그런데 번번이 이 호반새가 와서 남이 애써 파놓은 집을 염치없이 차지하고 집주인 행세를 한다. 사람으로 치면 뻔뻔스런 집도둑인 셈이다. 그렇다 하더라도 그 목청만은 들을 만하다.

남녘에는 지금쯤 매화가 피어나겠다. 매화가 필 무렵이면, 꼬리를 까불까불하면서 할미새가 자주 마당에 내려 종종걸음을 친다. 할미새소리를 듣고 있으니 문득 매화 소식이 궁금하다.

승주 선암사의 매화가 볼 만하다. 돌담을 끼고 늘어선 해묵은 매화가 그곳 담장과 아름다운 조화를 이루고 있다. 그 고풍스런 자태가 의연하고 기품 있는 옛 선비의 기상을 연상케 한다. 묵은 가지에서 꽃이 피어나면 그 은은한 향기가 나그네의 발길을 아쉽게 한다.

서울의 한 대학에서 국문학을 강의하고 있는 교수 한분은, 해마다 매화가 필 무렵이면 부인을 동반하고 남도의 매화를 보러 간다. 그리고 그 길에 우리 불일암에 들러 밤이 깊도록 매화에 대한 이야기를 나눈다. 꽃을 사랑하고 꽃에 대한 이야기를 하고 있으면 우리들 자신도 얼마쯤은 꽃이 되어갈 것이다. 광양 어디엔가 수만 그루의 매화나무가 있는 드넓은 농원이 있다는 말을 들었는데, 올 봄에 한번 가보고 싶다. 할미새소리를 듣다가 그 연상작용으로 매화에 이끌리고 말았다.

영 너머에선 듯 아득히 뻐꾸기소리가 들려오고 있다. 뻐꾸기소리는 듣는 사람의 가슴에 어떤 아득함을 심어주는 것 같다. 밝고 명랑한 꾀꼬리소리는 귀로 들리고, 무슨 한이 밴 것 같은 뻐꾸기소리는 가슴으로 들린다. 밤에 우는 소쩍새의 목청이 차디찬 금속성을 띤 금관악기의 소리라면, 멀리서 들려오는 뻐꾸기의 목청은 푸근한 달무리가 아련하게 감도는 목관악기의 소리일 것이다.

꾀꼬리의 목청은 여럿이서 들을 때 더욱 즐겁고, 뻐꾸기는 혼자서 벽에라도 기대고 들을 때가 좋다. 남도의 산에서는 해마다 5월 5, 6일경이면 어김없이 꾀꼬리와 뻐꾸기가 잇따라 찾아온다. 처음 그 소리를 들으면 얼마나 반가운지, 마치 앞산 마루에 막 떠오르는 보름달을 대하는 그런 반가움이다. 꾀꼬리소리는 가까이서 들을수록 좋고, 뻐꾸기는 아득하게 멀리서 들리는 소리가 더 어울린다.

오래 전 춘원의 글에서 읽은 듯싶은데, 일갓집 처녀 아이가 사랑하는 남자로부터 버림을 받고 몸져 누워 꼬치꼬치 말라간다. 어느 날 들여다보러 갔더니 그 아이가 꺼져가는 목소리로 이런 말을 하더란다.

"아저씨, 저는 죽으면 뻐꾸기가 되어 이산 저산으로 날아다니면서 내 한을 노래할래요…."

뻐꾸기 우는 소리를 듣고 있으면 어릴 적에 읽었던 이 말이 문득 떠오를 때가 있다.

산비둘기는 또 무슨 한이 있어 저리도 서럽게 서럽게 우는고. 흐느끼듯 우는 산비둘기소리를 들으면 내 가슴에까지 그 서러움이 묻어오는 것 같다.

우리 곁에서 새소리가 사라져버린다면 우리들의 삶은 얼마나 팍팍하고 메마를 것인가. 새소리는 단순한 자연의 소리가 아니라 생명이 살아서 약동하는 소리를 자연이 들려주는 아름다운 음악이다. 그런데 이 새소리가 점점 우리 곁에서 사라져가고 있다. 안타까운 일이다.

어린 참새며 까치며 희귀조류까지 사람의 손에 잡혀 먹히고, 독한 농약으로 인해 논밭이나 숲에서 새들이 무참히 죽어가고 있다. 그리고 극심한 대기오염 때문에 텃새와 철새들도 이 땅을 꺼리고 있다.

새가 깃들지 않는 숲을 생각해 보라. 그건 이미 살아 있는 숲일 수 없다. 마찬가지로 자연의 생기와 그 화음을 대할 수 없을 때, 인간의 삶 또한 크게 병든 거나 다름이 없다.

세상이 온통 입만 열면 하나같이 경제 경제 하는 세태다. 어디에 인간의 진정한 행복과 삶의 가치가 있는지 곰곰이 헤아려보아야 한다. 우리를 행복하게 해주는 것은 경제만이 아니다. 행복의 소재는 여기저기에 무수히 널려 있다. 그런데 행복해질 수 있는 그 가슴을 우리는 잃어가고 있다.

새들이 떠나간 숲은 적막하다.

〈93. 4〉

南道紀行

　서울에서 감기를 묻혀와 한 열흘 호되게 앓았다. 죽을 병이 아닌 한 앓을 만큼 앓아주면 추스르고 일어나는 것이 우리 몸의 자생력이다. 회복기의 그 여리고 투명한 상념들은 스치고 지나온 날들을 되돌아보게 하고, 앞으로 살아갈 일들을 착해진 마음으로 헤아리게 된다.

　앞산은 응달이라 아직도 눈이 허옇게 쌓여 있다. 처마끝의 풍경을 울리고 지나가는 한줄기 부드러운 바람결이, 문득 남쪽의 따뜻한 햇살과 꽃을 그립게 했다. 그날로 털고 길을 나섰다. 입맛이 없을 때는 물을 갈아 먹어야 한다.

　3월 중순 선암사(전남 승주 조계산에 있는 절)의 매화는 아직 피어나지 않았었다. 끝가지에 한두 송이 피었다가 추위에 움츠리고 있었다. 하지만, 부풀어오른 꽃봉오리도 볼만하다. 활짝 피어 혼이 나가버린 꽃보다는 잔뜩 부풀어오른 꽃망울 쪽이 어떤 충만감과 기대를 갖게 한다.

　선암사는 경내에 화목(花木)이 많고 고풍스런 옛절의 모습을 그대로 간직하고 있어 이따금 들르고 싶은 절이다. 요즘 큰 절

들은 어디라고 따로 지칭할 것도 없이 막대한 돈을 들여가면서 도리어 절을 버려놓는 일이 허다한데, 이 선암사는 옛절의 분위기와 그 모습을 그대로 간직하고 있어 찾는 이의 마음을 그윽하게 감싸준다.

도량(수도원)이란 맑음과 고요와 평온과 조화가 깃드는 곳이다. 그런데 안목 없는 사찰의 경영자들이 공명심과 과시욕에만 치중한 나머지, 도량의 맑음과 고요와 평온과 조화를 깨뜨리고 있는 안타까운 실정이다. 집들만 덩그러니 있고 그 안에 수행자가 머물지 않으면 그곳은 한낱 건물의 집합체일 뿐 수도원은 아니다.

남해고속도로를 동쪽으로 달리다가 광양을 지나면 이윽고 옥곡(玉谷) 인터체인지가 나오는데, 이 옥곡에서 내려 포장된 861번 지방도를 타고 북상하면 바른쪽에 섬진강이 흐른다. 왼쪽은 산이고 바른쪽은 강변에 군데군데 청청한 대숲이 우거져 남도 특유의 정서가 깃든 길을 따라 올라가면 길가에 활짝 피어 있는 매화가 눈길을 끈다. 더러는 토담집 너머로 허옇게 꽃이 피어 있는 산촌의 꿈결 같은 풍경이 눈에 띌 때마다 가던 길을 멈추고 바라봄직도 하다.

광양군 다압면(多鴨面) 섬진 윗마을, 왼쪽 산기슭이 온통 매화나무로 뒤덮인 것을 보고 입을 다물 수가 없다. 길가에 '매화농원'이란 표시판을 따라 올라가면 수만 그루의 만개한 매화가 은은한 꽃향기와 함께 자못 황홀하다. 선암사에서는 아직 꽃망울이었는데, 섬진 윗마을의 매화는 때맞추어 활짝 피어 있었다.

강 건너는 하동 땅. 강을 따라 한참 올라가면 화개장터가 나온다. 35년 전 쌍계사 탑전 시절, 강변의 길을 따라 구례장을 보러 다니던 그 무렵의 기억이 엊그제 일처럼 생생하게 떠오른다. 그때는 강 건너 다압면 쪽에 이처럼 드넓은 매화농원이 있다는 것은 듣지도 보지도 못했었다.

이 매화농원은 70년 전에 김오천 씨가 일본에서 돌아올 때 밤나무와 함께 가져다 심은 묘목이 자라서 이처럼 황홀한 꽃동산을 이룬 것이다. 이 매화농원을 이룬 그 분은 섬진강이 내려다보이는 언덕에 이제는 잠들어 있다. 하지만 매화를 사랑하고 애써 가꾼 그 분의 넋은 해마다 매화와 더불어 다시 피어나 이 농원이 있는 날까지 함께하리라 여겨진다. 나무를 심은 그 뜻은 수많은 세월을 두고 뒷사람들에게까지 덕화를 드리운다.

이런 매화동산 한쪽 기슭에 한칸 초막을 빌어, 매화철이 되면 섬진강을 내려다보면서 매화 향기 속에서 유유히 살았으면 좋겠다는 생각이 들었다.

봄은 더 말할 것도 없이 남쪽에서 올라온다. 이른 봄 남도 특유의 부드러운 햇살과 산들거리는 바람결과 청청한 대숲과 구수한 토담과 은은한 꽃향기 등이 남도의 정서를 빚어내는 것이로구나 하고 현지에 와보면 이내 알아차릴 수 있다.

집은 보잘것없는 토담에 둘러싸인 초옥이지만 그 뒤에 대숲이 있고 대숲머리에 살구꽃이나 매화 혹은 복숭아꽃이 피어 있으면 그 집이 결코 가난하게 보이지 않는다. 도시의 번듯한 양옥이나 아파트보다 인간의 주거환경으로서는 이런 시골집에 훨씬 마음이 끌린다. 우리네 전통적인 한국인의 푸근한 정서는 이런 주거 환경과 농경에서 형성되었을 법하다. 내가 마음붙여 살고 싶은 거처도 토담에 둘러싸인 이런 간소한 초옥이다.

'땅끝'이란 지명이 언제부턴가 나에게 그리움의 씨앗을 심어 놓았다. 땅끝이란 어감이 이 세상의 끝처럼 들리었다. 4월 초 운전면허증 갱신이 가까워져 적성검사를 받으라는 통지를 받고 순천에 가서 일을 마치고, 그 길로 땅끝을 찾아가기로 했다.

순천에서 벌교, 보성, 장흥, 강진으로 이어진 2번 국도를 따라가는 길은 산자락마다 진달래가 꽃사태를 이루고 집집마다 꽃이 환하게 피어 있었다. 강진에서 해남읍 쪽으로 가지 않고 813번 지방도를 타고 내려가다가 북평에서 13번 국도를 만나 서북쪽으로 8킬로미터쯤 달리면 왼쪽으로 땅끝(土末)으로 가는 안내판이 보인다. 송지면 소재지 갈림길에서 좌회전, 우측으로 바다를 끼고 내려가면 송호리 해수욕장이다. 고개를 하나 넘으면 더 이상 갈 데가 없는 땅끝!

땅끝이라니 바닷가는 다 육지의 끝일 텐데 어째서 이곳만이 유달리 '땅끝'이라고 불리게 됐을까 궁금했었다. 지도를 펼쳐놓고 보니 위도상 한반도의 최남단, 아하 이래서 옛사람들은 이곳을 땅끝이라고 불렀구나. 유식한 사람들을 위해 한자로는 흙 토(土) 끝 말(末) 토말이라 하고, 지도에는 갈두(葛頭)로 나와 있다.

땅끝 산 위에 등대처럼 생긴 전망대가 있는데 거기 올라가 사방을 바라보면 이곳이 이름 그대로 땅끝임을 실감할 수 있다.

해변에는 토말탑이 세워져 있다. 하루 두 차례 오전 오후로 보길도(甫吉島)로 가는 카페리가 있다. 성급한 사람은 시간마다 있는 노화도를 거쳐서 보길도로 가면 시간이 단축될 것이다.

한 10년 전 완도에 갔다가 당일치기로 보길도를 다녀온 일이 있는데, 그때는 고산(孤山)의 유적지인 부용동만을 들렀었다. 그곳은 '지국총 지국총 어사와…' 어부의 노래를 들을 수 없는 내륙이었다. 보길도의 진주는 고개 넘어 예송리(禮松里) 바닷가다. 아름드리 상록수림으로 둘러싸인 검은 조약돌 해안선은 참으로 아름다운 곳이다.

바닷가 민박집에 여장을 풀고 조약돌 밭에서 때마침 미역 말리는 일을 한참 구경했다. 짭짤한 갯바람에 묻어 풍겨오는 미역 냄새가 차안에서 밴 피로를 말끔히 씻어주었다. 해질녘 바닷가에 앉아 쏴아르륵 쏴아르륵 조약돌을 씻어내리는 물결소리에 귀기울이고 있으니 잔잔한 음악을 듣는 것 같아 마음이 아주 느긋해졌다. 이런 소리는 종일 들어도 싫증이 나지 않을 것 같다.

보길도는 요즘 어디서나 동백꽃이 한창이다. 가지마다 예전의 시골 큰애기 같은 수줍은 꽃을 달고 있고, 그 발치에는 수북이 낙화가 누워 있다. 동백꽃은 그 잎과 꽃이 조화를 이룬 아주 소박한 토속적인 꽃이다. 이 동백꽃 또한 남도의 정서를 이루는 데 한몫을 하고 있다.

남은사(南隱寺)라는 절 이름이 마음에 들어 가파르고 비좁은 길을 올라갔다. 게으른 중이 살만한 곳인데, 절은 보잘것없지만 둘레의 상록수림이 아늑하다. 절 뒤로 5분쯤 올라가면 다도해가 한눈에 보이는 전망이 일품이다. 남으로 추자도가 멀지 않

고, 진도 · 완도 · 노화도 · 소안도 · 청산도가 지척이다. 대흥사
가 있는 두륜산도 가깝게 보인다. 언제 이곳에 다시 오게 되면
바다에 펼쳐질 장엄한 일몰을 지켜보고 싶다. 남은사, 이런 곳
에 묻혀 살면 저절로 은둔(隱遁)이 되겠다.

동백의 섬 보길도를 떠나오면서 고산의 〈어부사시사〉 중 〈춘
사〉(春詞)의 한 구절을 두런두런 뇌었었다.

  우는 것이 벅구기가 푸른 것이 버들숲가
  어촌 두어 집이 냇속에 들락날락
  말가한 깊은 소에 온갖 고기 뛰노나다.

〈93. 5〉

立夏節의 편지

이 자리를 빌어 오랜만에 편지를 씁니다. 언제 우표값이 110원으로 올랐는지도 모른 채 지낼 만큼 그동안 편지와는 인연이 멀었습니다. 우편 배달의 발길이 닿지 않는 그런 곳이라 띄울 일도 받을 일도 없습니다. 무소식이 희소식이란 말이 있지만 소식을 주고받지 않더라도 사람들은 저마다 자기 세계 안에서 그때그때의 소식을 만들면서 살아갑니다. 그리고 어떤 편지든지 받는 그 순간의 감흥이 식어버리면 답장할 일이 별로 없게 됩니다.

지난 4월 하순부터 일에 묻혀 줄곧 바쁜 나날을 보냈습니다. 내일까지 더 일을 하고 나서는 우선 멈춤을 하려고 합니다. 잘 아시다시피 내가 이 오두막에 몸을 기댄 지 어느덧 한 해가 됐습니다. 어떤 인연에서였건간에 나를 받아준 이 산천의 은혜에 보답하기 위해서라도 나무를 심어야겠다고 마음먹었습니다. 백 리 밖에 있는 산림조합에 가서 묘목을 사다가 오두막 둘레의 묵은 밭에 심었습니다. 전나무 230그루, 가문비나무 30그루, 자작나무 100그루, 그리고 모란 50그루. 나무를 심고 나서 몇차례 내린 비로 묘목들은 건강하게 새로운 움을 틔우고 잎을 펼쳐내고 있습니다.

　내가 개인의 소유지도 아닌 이 산중에 나무를 심은 것은 훗날을 기약하기 위해서는 결코 아닙니다. 나무를 심는 그 일 자체가 즐겁고 좋은 일 같아서 그렇게 한 것입니다. 우리는 살아가는 동안 일찍이 선인들이 심어서 가꾸어놓은 나무와 숲의 혜택을 고맙게 누리고 있습니다. 그렇다면 우리도 마땅히 선인들의 뜻을 이어서 나무를 심고 가꾸는 것이 사람의 도리가 아닐까 싶습니다.

　자작나무의 아름다움을 나는 이곳에 와서 비로소 발견했습니다. 한겨울 눈 속에 아무것도 걸치지 않고 서 있는 모습도 좋지만, 희끗희끗한 그 줄기며 새로 피어나는 작고 여린 이파리가 바람에 팔랑거리는 모습은 아주 사랑스럽습니다. 대관령에는 방풍림으로 빽빽이 자라고 있는 전나무 숲 외곽으로 울타리삼아 키가 큰 자작나무들이 늘어서 있는데, 참으로 아름다운 빛과 형태의 조화를 이루고 있습니다. 요즘 영동고속도로 연변에는 연두빛 잎을 펼쳐내고 있는 자작나무의 아름다움을 눈이 있는 사람이면 누구나 목격할 수 있습니다.

　전나무는 뭣보다도 쭉쭉 뻗어올라가는 그 청청한 기상이 마음에 듭니다. 영동지방에 잘 어울리는 나무이지요. 얼핏보면 전나무와 비슷하게 보이는 가문비나무는 전나무의 기상에는 못 미치지만 그런대로 깔끔한 나무입니다. 묘포장에 가서 보고 그 이름이 마음에 들어 구해다 심었습니다.

　이번에 방구들장을 죄다 뜯어 새로 놓았습니다. 당초 이 오두막의 아궁이는 마룻방에 있는 마룻장을 열어제치고 무릎 꿇고 엎드려 땔감을 넣어야 하는 아주 불편한 구조였습니다. 그리고 개울가 이면서도 높은 지대라 회오리바람이 잦아 불이 잘 들이지 않습니다. 군불을 지피다가 불이 내어 연기에 쏘인 끝에 눈물을 흘린 적이 한두 번이 아닙니다. 그때마다 나는 이처럼 아궁이를 잘못 만들어놓은 알지 못하는 녀석한테 욕지거리를 퍼부어야 했습니다. 이 오두막에 온 후로 내 입이 걸어진 것도 형편없는 아궁이의 구조와 난폭하고 뻔뻔스런 운전자들 탓인지도 모르겠습니다.

수소문 끝에 멀리 타지에 있는 방 잘 놓는다는 노인을 불러다, 아궁이를 밖으로 내고 굴뚝의 위치를 바꾸어 놓았더니 이제는 잘 들이게 됐습니다. 방을 뜯어 고치는 바람에 문지방도 다시 높게 올려 달았습니다. 이 오두막에 들어온 이래 낮은 문지방 때문에 헤아릴 수도 없이 머리를 들이받아 번번이 상처를 입어야 했습니다. 이제는 수그리지 않고 어깨를 펴고 방안에 드나들 수가 있습니다.

20리 밖에서 목수를 불러다 일을 시켰는데 제대로 배운 솜씨가 아니어서, 어느것 하나 바르게 해내지를 못했습니다. 시행착오를 되풀이해 일의 진척이 더디기만 했습니다. 그렇지만 마음씨가 착한 그를 나무랄 수도 미워할 수도 없어 그때마다 우스갯소리로 그의 등을 도닥거려주어야 했습니다.

일 끝에 재목이 조금 남아 뒤꼍 산매화나무 아래 조그만 정자를 하나 세워놓았습니다. 말이 정자지 툇마루를 뜯어놓은 마룻장에 네 기둥을 세우고 싸릿대로 얼기설기 엮어놓은 원두막 같은 건조물입니다. 그렇지만 정자의 이름만은 산매정(山梅亭)이라고 그럴듯하게 지어두었습니다.

요즘 뒤꼍에서는 여남은 그루나 되는 산매화가 이 가지 저 가지에서 허옇게 꽃을 피우고 있습니다. 누가 언제 이곳에 심어놓았는지 해묵은 고목들인데, 지난 겨울 눈 때문에 가지가 많이 꺾이고 더러는 줄기도 부러졌습니다. 꽃모양은 매화와 흡사하고 향기도 매화 향기와 비슷합니다. 가지가 죽죽 뻗지 않고 꽃이 다닥다닥 붙어 있는 것이 매화와 다를 뿐입니다. 열매도 보통 매실보다 훨씬 굵게 열립니다. 이와 같은 산매화가 피어 있는 꽃가지 아래 있는 정자이기 때문에 선뜻 산매정이란 이름이 떠오른 것입니다.

요즘 이 산중에는 여기저기에서 돌배나무가 하얗게 꽃을 피워 볼만합니다. 이 고장에서는 신배나무라고도 하는데, 배꽃보다 훨씬 많은 꽃을 피웁니다. 멀리서 보면 이팝나무로 착각할 만큼 나무 전체가 하얀 꽃으로 뒤덮입니다. 그리고 산자락과 밭 기슭에 조팝나무도 한참 꽃을 피우는 계절입니다. 이팝나무며 조팝나무 혹은 밥태기나무와 같은 이름은 농경사회에서 나옴직한 명칭입니다.

얼마나 오래 살려고 산중의 오두막에 집단장을 하느냐고 물을지 모르지만, 앞에서도 이야기했듯이 나는 그 일 자체가 좋아서 하는 것이지 다른 목적을 두고 하지는 않습니다. 오늘 살다가 내일 떠날지라도 오늘 하고 싶은 일이기 때문에 하는 것입니다. 삶은 영원한 현재가 아니겠습니까. 우리는 어떤 환경이나 상황에 놓여 있건 간에 언제나 지금 이 자리에서 그리고 이렇게 살고 있습니다.

이번에 집 고치는 일을 하면서 그 사람이 지닌 여러 가지 측면을 헤아릴 수 있어 많은 것을 배웠습니다. 한 사람 한 사람의 인간이 그 자신 안에 하나의 세계를 가지고 있다는 사실도 거듭거듭 확인하게 되었습니다. 그가 덕을 지닌 성실한 사람인지, 이해타산에 밝은 이기적인 인간인지, 혹은 기능과 지능은 모자랄지라도 선량한 심성을 지닌 사람인지를 하는 일을 통해 이내 알아볼 수 있었습니다.

두 사람의 젊은이가 처음부터 끝까지 성실하고 열심히 일을 해주어 큰 감동과 함께 신뢰와 친화력을 느끼게 되었습니다. 한 사람은 좁고 경사진 산길에 다닐 수 있는 세레스(소형 짐차)를 몰고 와 수시로 자재를 날라다주면서 시원시원하게 일을 치러 나갔고, 또 한 젊은이는 경운기로 무거운 돌과 저 아래 시냇가에서 힘들게 모래를 파 나르면서도 늘 미소와 활기로 넘쳐 있었습니다. 나는 사람의 중심을 만난 것 같았습니다. 사랑과 이해는 사람의 중심을 통해서 이루어집니다. 인간의 진실은 말없이 묵묵히 일하는 그 속에서 꽃피어납니다.

무슨 일을 하든지 그것이 이웃에게 해가 되지 않는 한 전력을 기울여 전체적으로 할 수 있어야 합니다. 부분적이거나 어중간한 것은 사람을 따로따로 분리시킵니다. 분리는 궁극에 도달할 수 없습니다.

내 거처를 궁금히 여기면서 찾아나서고 싶다는 친지들의 말을 더러 듣습니다. 그때마다 나는 이런 말을 해줍니다. 만약 내 오두막이, 내 삶의 보금자리가 불행히도 친지들에게 노출되면, 그

날로 나는 짐을 싸 보다 깊숙한 데로 떠나갈 것이라고 솔직한 심경을 토로합니다. 번거로운 관계에서 벗어나 홀로 있고 싶어 하는 괴팍한 사람은 홀로 있도록 그대로 놓아두는 것이 그를 이해하고 도와주는 일이 될 것입니다.

일에 밀려 운상선원에서 보내온 지리산의 햇차도 아직 시음을 못했습니다. 해마다 거르지 않고 보내주는 현묵(玄默) 스님의 차 향기 같은 마음씨 앞에 고마움과 함께 이 사연을 띄웁니다.

〈93. 6〉

생명을 가꾸는 농사

엊그제 내린 비로 개울물이 많이 불어났다. 며칠 동안 뜸하던 산새들의 노래가 개울물소리에 실려 다시 이어지는 걸 보면 날씨가 들 모양이다.

그저께 밤에는 잠결에 빗소리를 듣고 벌떡 일어나 개울가에 채워둔 김치통을 처마 밑에 들여놓고 나서야 마음이 놓였다. 실수는 한번으로 족하다. 지난해 여름, 밤새 내린 비로 불어난 개울물에 김치통을 떠내려 보내고, 나는 한동안 허망하고 짠한 생각에 사로잡혔었다.

김치는 우리 한국인의 식생활에서는 빼놓을 수 없는 필수불가결의 부식이다. 다른 음식은 걸러도 먹고 싶은 생각이 별로 없는데, 김치는 그렇지 않다. 그것은 오랫동안 길들여진 식성에서일 것이고, 또 우리들 몸뚱이의 세포조직 일부가 김치의 성분으로 이루어졌기 때문일 것이다.

이 머나먼 두메산골에서 먹는 김치는 누구의 손을 빌렸건간에 그 은혜가 막중하다. 아직은 손수 담그지 못하고 이따금 밖에 나갔다가 돌아올 때 구해 오는 처지인데, 번거로운 그 수고와 너댓 시간 차로 싣고 와서 또 배낭에 짊어지고 산길을 한참 올라와야 한다. 날씨가 더울 때는 운반과정에서 시어지기 일쑤다.

내가 이 산중의 오두막으로 온 것은, 단순히 사람들을 피하기 위해서거나 어떤 큰 뜻이 있어서가 아니다. 될 수 있으면 누구의 신세를 지거나 방해받음 없이, 보다 간소하게 내 식대로 그리고 자연과 더불어 살고자 해서다. 어차피 홀로 지내려면 철저하게 자급자족으로 생활태도를 바꾸어야 할 것이다. 김치도 이제는 내 식대로 담가보려고 한다. 몇차례 시행착오를 거치면 익숙해질 것이다.

다행히 개울가에 비옥한 채전밭이 있어 지난번 집일을 할 때 모종을 사다가 심고 씨앗을 뿌려놓았다. 감자 세 두둑, 케일 한 두둑, 가지와 고추, 토마토, 오이, 상추도 각각 한 두둑씩, 그리고 호박 다섯 구덩이. 아욱씨는 구하지 못해 뿌리지 못했고, 배추는 이곳이 고랭지라 좀더 있다가 모종으로 심으라고 해서 그 자리를 남겨놓았다. 가지모와 고추모, 토마토모는 동상에 걸려 주저앉을 것 같더니 햇볕과 비를 받아 소생했다. 추위에 강한 케일은 며칠 전부터 뜯어먹을 만큼 잎이 무성해졌다.

채소를 가꾸어보면 먹는 맛보다도 기르는 재미가 있다. 물론 김을 매야 하고 벌레가 끼지 않도록 보살펴주어야 하는 뒷손질이 따르지만, 세상에 어디 공것이나 거저되는 일이 있으랴 싶으면 거들어줄 만하다. 채소는 사람 발자국 소리를 듣고 자란다는 말이 있는데, 그만큼 자주 보살펴주어야 한다는 말일 것이다.

채소를 손쉽게 기르려면 검은 비닐로 흙을 덮어주라고 한다. 그러나 나는 이런 방법을 따르지 않기로 했다. 검은 비닐로 흙을 덮어주면 그만큼 태양열을 많이 받아들이고 잡초가 자라지 못해 일거양득이라는 것. 그렇지만 마음대로 숨을 쉴 수도 없고 햇볕도 직접 쬘 수 없는 흙이 얼마나 답답해 할 것인가. 흙의 은덕으로 살면서 그 흙을 학대하는 것 같아 나는 차마 그럴 수가 없다. 그리고 무엇보다도 석유화학 제품인 미끌미끌한 비닐이 우리들 인간의 어머니인 대지를 뒤덮은 그 황량하고 살풍경한 모양이 싫다.

요 근래에 와서 우리 농촌에서는 효율과 경제성만을 따진 나머지, 제초제를 마구 뿌려대고 화학비료와 농약의 남용으로 토양이 무참히 죽어가고 있는 실정이다. 생태계의 파괴로 봐서도 심히 우려할 일이지만 조상 대대로 이어받아 후손에게 물려줄 이 땅을, 가꾸고 관리하는 차원에서도 국가적인 개선책이 마땅히 강구되어야 할 중대한 사항이다.

내가 정기구독하고 있는 유일한 잡지로 《녹색평론》이 있는데, 격월간으로 나오는 이 잡지는 잡지(雜誌)라고 부르기에는 미안할 정도로 좋은 글들이 가득 실려·있다. 한 젊은이가 유기농업을 하게 된 경위와 거기에서 얻은 귀중한 체험, 그리고 피땀으로 지어진 그의 농사가 소비자와의 연대를 통해 뿌리내리는 과정을 기록한 수기는 아주 감동적이다. 대지와 인간의 관계가 어떤 것인가를 머리로써가 아니라 손발과 따뜻한 가슴으로 웅변하고 있다.

'나는 현재 전라북도 부안군 변산면의 한 마을에서 유기농법으로 농사를 짓고 있는 농사꾼이다. 내가 이 마을에 정착하여 농사를 짓기 시작한 지는 10년이 된다. 다 알고 있다시피 농사는 힘겨운 일이다. 그러나 나는 그 속에서 자연과 생명의 순환 원리를 어렴풋이나마 깨달을 수 있었기 때문에 즐거운 마음으로 농사를 짓고 있다.'

이런 말로 시작된 그의 수기는, 농사를 통해 자연과 생명의 신비를 조금씩 캐내면서 인간이 형성되어 가는 모습이 믿음직스럽다. 이런 젊은이들이 우리 농촌을 지키는 한 농촌의 앞날은 어둡지만은 않다. 농사가 경제적으로는 수지타산이 맞지 않는다 할지라도 대지를 아끼고 사랑하면서 정성들여 가꾸는 그 공덕은 어떤 길을 통해서건 반드시 돌아온다.

경제성만을 따진다면 이 땅에서 농사지을 사람이 몇사람이나 될 것인가. 사람이 먹지 못하면 살아갈 수 없는 생명의 식량을 내 손으로 지어낸다는 긍지와 자부심을 가지고 땀흘려 일하는 그 자체가 그 어떤 직종보다도 거룩하고 당당하고 건강한 생업이 아닐 수 없다. 농부들은 논밭만을 가꾸는 것이 아니라 이 땅의 얼도 함께 가꾸는 몫을 하고 있다.

곡식을 먹고 사는 사람들은 그 누구를 물을 것 없이 농사일의 어려움과 힘드는 고충을 함께 이해하고 나눌 줄 알아야 한다. 한톨의 쌀을 생산하기까지 얼마나 많은 시간과 노력과 생명의 소모가 따르는지를 헤아린다면 밥알 하나라도 소홀히 말아야 한다. 음식을 함부로 버리게 되면 자신의 복이 그만큼 줄어든다는 사실을 명심할 일이다.

오늘이 음력으로는 4월 보름. 불가에서는 여름 안거(安居)가 시작되는 결제일(結制日)이다. 아침 나절 방청소하고 불전에 차

공양을 올렸다. 내 오두막에는 한뼘도 채 안되는 조그만 부처님(불상)이 모셔져 있는데, 인도에 갔을 때 구해 온 전단향나무로 된 불상이다. 작지만 아주 단아한 모습. 빈집에 이 부처님과 함께 지내니 조석으로 게으르지 않게 되는 덕이 있다.

누가 들을 사람도 없으니 아침저녁으로 목청껏 예불을 드리고 나면 속이 아주 시원하다.

이 여름철에 나는 보다 더 간소하게 지내자고 다짐했다. 그래서 서탁에도 아주 엄선해서 우선 세 권의 책만을 내놓았다.

입산 출가하여 맨 처음으로 배우고 익힌 글이 《초발심 자경문(初發心自警文)》인데, 이 글을 대할 때마다 초발심 때의 풋풋한 의지가 되돌아보인다. 간소하게 살고자 하는 뜻에 든든한 뒷받침이 되어줄 것이다. 13세기 일본의 뛰어난 수행자 도원선사(道元禪師)의 《정법안장(正法眼藏)》은 자칫 안이해지기 쉬운 수도생활에 준열한 채찍이 되어주는 구도의 서(書)다. 예전 체제로 75권이나 되는 방대하고 난해하다는 저술인데, 그중에도 내가 즐겨 읽는 대목은 제16권에 수록된 행지(行持)의 장이다. 행지란 수도생활을 게을리하지 않는 일. 옛 수행자들은 어떻게 살았는지 그 자취와 치열한 구도정신이 오늘의 나를 크게 반성하게 한다.

그리고 헨리 데이빗 소로우의 〈월든〉(강승영 번역본).

'1845년 3월 말경, 나는 도끼 한 자루를 빌려 들고 월든 호숫가의 숲속으로 들어갔다.'

소로우는 스물여덟 살 때 그곳에서 손수 오두막을 짓고 2년 동안 숲속의 생활을 했는데, 그때 체험한 기록이 이 〈월든〉이다. 몇해 전 보스턴에 들렀을 때 매사추세츠 주의 콩고드에 있는 월든 호숫가의 그 오두막을 찾아갔던 기억이 새롭다.

　중국 탕왕의 욕조에는 다음과 같은 글이 새겨져 있었다고 전한다.
　'날마다 그대 자신을 온전히 새롭게 하라. 날이면 날마다 새롭게 하고, 영원히 새롭게 하라!'
　내일은 채소밭에 김을 매줘야겠다.

〈93. 7〉

당신은 조연인가 주연인가

　장마철에 별고들 없는지. 해마다 치르는 계절적인 일이지만 겪을 때마다 새롭게 여겨지는 것은, 지금 이 자리에서 겪는 현재의 삶이 그만큼 현실적인 것이기 때문이다. 개울물이 줄어들 만하면 다시 비가 내려 그 자리를 채워주고, 넘치게 되면 날이 들어 스스로 조절한다. 이것이 자연의 리듬이고 질서인 듯싶다.

　이와 같은 리듬과 질서는 우리들의 삶에도 그대로 이어진다. 모자라면 채우기 위해 기를 쓰며 뛰게 되고, 가득 차면 넘쳐서 자신의 그릇만큼만 지니게 된다. 그 이상의 것은 과욕이며 남의 몫인 줄 알아야 한다.

　산중에서 혼자서 오래 살다보면 청각이 아주 예민해진다. 바람소리나 개울물소리 새소리만이 아니라, 숲속으로 지나가는 짐승의 발자국 소리며 벌이 붕붕거리는 소리, 곤충이 창호에 부딪치거나 기어다니는 소리, 꽃이 피어나는 소리, 한밤에 무리지어 날아가는 기러기의 날갯짓 소리까지도 낱낱이 잡힌다.

　자신을 에워싼 외부세계를 먼저 청각을 통해서 받아들이게 된다. 그러다가 날카롭거나 귀에 선 소리에는 동물적인 방어본능이 발동한다.

　산에서 신경을 곤두세우게 하는 가장 역겨운 소리는 마을에서 주인을 따라 올라온 개가 짖을 때, 경운기가 딸딸거리며 고갯길을 올라올 때, 그리고 전투기가 느닷없이 찢어지는 굉음을 내며 저공비행을 할 때 등이다.

　요즘 이곳 산골에서는 감자꽃과 싸리꽃이 한창이다. 감자꽃의 아름다움을 본 적이 있는가? 나는 이 고장에 와 살면서 그 아름다움을 비로소 알았다. 남녘에서도 감자꽃을 본 적은 있지만 스치고 지나쳤다. 대단위로 경작하는 이 고장에서 드넓은 밭에 가득 감자꽃이 피어나면 아주 볼만하다.

　연한 보라빛에 노란 꽃술을 머금고 있는 그 올망졸망한 꽃도 귀엽지만 은은한 꽃향기도 여느 꽃에 못지않다. 오두막으로 올라오는 길목에 드넓은 감자밭이 있는데, 나는 요즘 밭머리에 서서 한참씩 귀여운 그 꽃에 눈을 씻고 그 향기로 숨길을 맑히곤 한다. 감자를 먹을거리로만 여겼는데 꽃의 아름다움을 보고 나서는 고마운 농작물이라는 생각이 들었다. 유리컵에 한송이 꽂아 식탁 위에 두고 끼니 때면 마주하는 잔잔한 즐거움이 있다.

　'호박꽃도 꽃이냐?'라는 말이 있는데, 어째서 호박꽃은 꽃이 아니란 말인가. 얼마 전에 길을 가다가 한밭 그득히 호박꽃이 피어 있는 걸 보고 걸음을 멈춘 적이 있다. 이슬을 머금은 진초록 잎에 노란 꽃이 환하게 피어 있는 호박꽃은 우리 시골에 어울리는 순박한 꽃임을 실감했다.

　해질녘에 피는 박꽃의 가녀림에 비해 호박꽃은 아주 건강한 꽃이다. 둘 다 겸손한 꽃이라서 눈부신 햇볕 아래서는 그 아름다움을 안으로 거두어들인다. 그러니 호박꽃을 제대로 보려면 이슬이 걷히기 전에 보아야 한다.

우리는 굳어진 고정관념 때문에 기왕에 알려진 것만을 받아들일 뿐 새로운 세계에 대한 경험과 인식이 부족하다. 고정관념의 틀에서 벗어나 맑은 눈으로 찬찬히 살펴보면 아름다운 생명의 신비가 바로 우리 곁에 수없이 깔려 있다.

싸리꽃만 하더라도 산골 어디를 가나 지천으로 피어 있어 지나치기 일쑤인데, 걸음을 멈추고 유심히 살펴보면 홍자색을 띠어 좀 쓸쓸하게 보이는 꽃에 가을의 입김이 배어 있다. 싸리비로 마당을 쓸 때 그 가지에 달렸을 꽃을 생각한다면 뜰에 싸리꽃 향기가 번지지 않을까 싶다.

책은 그 읽는 시기와 장소에 따라 감흥이 아주 달라질 수 있다. 그리고 책을 대하는 마음가짐이 뭣보다도 중요하다. 소로우는 그의 〈월든〉에서 말한다.

'자장가를 듣듯이 심심풀이로 하는 독서는 우리의 지적 능력을 잠재우는 독서이며 따라서 참다운 독서라고 할 수 없다. 발돋움하고 서듯이 하는 독서, 우리가 가장 또렷또렷하게 깨어 있는 시간들을 바치는 독서만이 진정한 독서다.'

불일암에서 몇장 들추어보다가 시들하게 여겨져 그만둔 책을 이곳 오두막에서 다시 펼쳐보고 커다란 감동을 받는 일이 더러 있다. 나까무라 고오지의 〈청빈의 사상〉에서 그 청빈한 삶을 극구 찬양한 양관화상(良寬和尚, 1758~1831)이 있는데, 그 스님이 써놓은 시가(詩歌)를 중심으로 엮은 일화집으로 〈양관 이야기(良寬物語)〉가 있다.

그가 한 산중의 보잘것없는 초암(草庵)인 오홉암(五合庵)에서 지낼 때다. 오홉암이란 하루 다섯 홉씩 한 사람이 겨우 살아갈 만한 식량을 본사에서 대준 데서 온 이름이다. 그러나 양관이 이곳에서 지낼 때는 그 다섯 홉의 식량마저 공급이 끊겨 손수 마을에 내려가 탁발을 해다가 근근이 연명을 해야만 했다.

이런 가난한 암자에 하루는 도둑이 들었다. 낮에는 깔고 앉아 좌선을 하고 이불이 없어 밤에는 덮고 자는데, 도둑은 그 방석을 훔쳐가려고 했다. 스님은 도둑인 줄 알면서도 그가 놀랄까봐 모로 돌아누워 그 방석을 손쉽게 가져가도록 한다. 이와 같은 사실을 까맣게 잊어버리고 지나온 어느 날 한 사나이가 이불 짐을 메고 스님을 찾아온다. 사나이는 몇해 전 가난한 암자에서 방석을 훔쳐간 도둑이 바로 자신이라고 하면서 용서를 빈다.

그때 그는 스님이 일부러 자는 척하면서 방석을 손쉽게 가져가도록 한 사실을 알고 더욱 가책의 눈물을 흘렸다고 한다. 이 분이 어떤 스님인지는 알 수 없지만 이불 대신 몸에 두른 방석을 훔쳐온 자신을 두고두고 자책하면서 몇해를 두고 벼르다가 아내와 의논하고 이불을 한채 만들어 왔단다. 그의 청빈과 너그러움이 말없는 가운데 도둑을 감화시킨 것이다.

> 욕심이 없으면 모든 것이 넉넉하고
> 구하는 바 있으면 만사가 궁하다
> 담백한 나물밥으로 주림을 달래고

누더기로써 겨우 몸을 가린다
홀로 살면서 노루 사슴으로 벗하고
아이들과 어울려 노래하고 논다
바위 아래 샘물로 귀를 씻고
산마루의 소나무로 뜻을 삼는다.

양관의 시다. 수행이란 말은 곧 세속적인 욕망이 없는 상태를
가리킨다. 그리고 욕망이 없다는 것은 지금 이 순간에 사는 것
을 뜻한다. 수행자는 부분적이 아니라 전체적으로 사는 사람이
다. 그가 무엇을 하든 그는 완전히 그것에 몰입한다. 아무것도
그의 뒤에 남겨두지 않는다. 그는 결코 분리되지 않는다. 먹고
있을 때는 먹는 행위 그 자체가 된다. 일을 할 때도 또한 일 그
자체가 된다. 따라서 그는 정신적으로는 누구보다도 풍요롭게
살며, 그의 삶은 활력의 원천이기도 하다.

양관은 32세 때 스승에게서 깨달음의 인정을 받은 후로는 아
무도 살지 않는 퇴락한 빈 암자만을 골라가면서, 그 어디에도
매인 데 없이 한낱 가난한 탁발승으로서 살아간다. 이와 같은
삶의 방식은 73년의 생애를 마칠 때까지 변함이 없었다.

그가 원통사라는 절에서 스승을 모시고 수행 중일 때 그 절에
서 30년을 두고 묵묵히 일만 하는 한 스님을 보고 큰 감화를 받
는다. 그는 다른 스님들처럼 참선도 하지 않고 경전도 읽지 않
고 오로지 밥 짓는 일과 밭일만을 할 뿐이다. 묻는 말에나 마지
못해 대답을 하는 그는 아침이면 누구보다도 먼저 일어나 물을

긴고 밥을 지으며 자신이 가꾼 채소로 맛있는 찬을 만들고 국을 끓인다.

대중이 선실에 들어가 참선할 때 그는 혼자서 넓은 식당과 주방을 깨끗이 쓸고 닦는다. 남들이 싫어하는 변소청소도 자신이 맡아서 한다. 그리고 잠시 틈이 나면 밭가에서건 공양간에서건 그 자리에 앉아 꾸벅꾸벅 졸 뿐 결코 허리를 바닥에 대고 눕는 일이 없었다.

바보처럼 여기던 양관도 뒷날 그가 진정한 수행자였음을 알아차리고 그의 덕을 기린다. 양관의 의식 속에는 그의 그림자가 늘 어른거렸을 법하다.

한 사람의 인간 형성에는 이렇듯 이름없는 조연자들이 있기 마련이다. 그 조연자는 주연자의 삶을 통해서 거듭 꽃피어난다.

당신은 조연인가 주연인가.

〈93. 8〉

떠오르는 두 얼굴

　여름 동안 대부분의 시간을 나는 마루에서 지냈다. 밤에 잠을 잘 때를 제외하고는 거의 방을 쓰지 않았다. 천장이 낮고 사방이 벽으로 둘러싸인 방은 여름을 지내기에는 답답하다.

　나 혼자서 사는 오두막이라 남의 시선이 없어 정장을 할 필요가 없다. 헐렁한 속옷바람으로 맨발로 지내니 내 몸과 마음 또한 자연 그대로였다. 원래 우리 몸은 이 세상에 태어날 때부터 아무것도 걸치지 않았다. 사람끼리 한데 어울려 살다보니 남의 눈을 의식하고 필요 이상으로 겹겹이 걸치게 된 것이다.

　산을 내려올 때 양말을 신고 정장을 하면 이내 답답함을 느낀다. 온몸의 살갗이 숨막혀 한다. 오두막으로 돌아오자마자 훨훨 벗어버리고 나면 그렇게 홀가분할 수가 없다. 문명과 자연의 실체가 무엇인가를 심신이 함께 실감한다.

　나는 아직도 이런 꿈을 버리지 않고 있다. 이 다음 어딘가 물 좋고 산 좋은 곳에 집을 한채 짓고 싶다. 사람이 살기에 최소한의 공간이면 족하다. 흙과 나무와 풀과 돌 그리고 종이만으로 집의 자재를 삼을 것이다. 흙벽돌을 찍어 토담집을 짓고, 방 한 칸 마루 한 칸 부엌 한 칸이면 더 바랄 게 없다. 지붕은 물론 억새나 볏짚, 아니면 산죽으로 덮으면 된다. 일보는 집(정랑)은 저만치 떨어진 곳에 그것도 또한 흙집으로 지을 것이다.

방은 구들을 놓고 재래식 종이 장판에 지선암에서 순 닥으로 만든 '영담한지'로 도배를 할 것이다. 마루에는 넓은 들창을 달아 밝게 하고 바람과 달빛이 마음대로 드나들게 해야겠지. 토담집일지라도 천장은 높아야 한다.

그래야 실내공기를 맑게 유지할 수 있다. 방도 물론 창을 큼직하게 달아 밝게 할 것이다. 밝은 창 아래 조촐한 서탁을 두고 문방사우(文房四友)와 몇권의 책, 그리고 방석 한 장이면 된다. 벽에는 아무것도 걸거나 치장하지 않고 텅 빈 벽으로 무한한 정신공간을 삼을 것이다.

마루는 할 수 있으면 우물 마루로 하여 나무와 마루의 품격을 살리고 싶다. 마루 끝에 나무로 짠 의자를 하나 놓아두고 무료하면 거기에 앉아 책도 읽고 솔바람소리에 귀를 기울이기도 할 것이다.

부엌은 아궁이에 장작을 지피도록 하고, 부뚜막에는 크지 않은 무쇠솥을 걸어 익히거나 끓게 한다. 한쪽에 칸을 막아 간소하게 주방시설을 하고 싶다. 거기에 대나무로 홈대를 이어서 시냇물의 한 줄기가 지나가도록 하면 비바람이 치는 날에도 무방할 것이다.

아, 나는 이렇게 꿈을 지니고 있다. 이런 내 꿈이 금생에 이루어질지 아니면 내생에나 가서 이루어질지 알 수 없는 일이지만,

이런 꿈이 설사 희망사항에 그친다 할지라도 지금 나는 풋풋하게 행복하다.

불일암에서 살 때부터 정갈하고 넓은 마루가 그리웠는데, 곧 지암에 있는 보원요(寶元窯)의 넓은 마루를 보고, 우리네 주거 공간에서 마루가 얼마나 시원한 몫을 하는지 새삼스레 헤아리게 되었다. 그 마루에서 두 달에 한번씩 우리는 모임을 가지고 있다. 거기 모이는 사람들은 주로 파리 길상사 후원회 회원들인데, 회비 명목으로 돈만 거두기가 그래서 경전을 교재로 하여 내가 강론을 해오고 있다.

그 마루의 둘레는 이 집의 주인인 김기철 님이 빚어서 구워낸 백자 항아리며, 연잎을 주제로 한 그릇들이 있어 정갈한 마루의 운치를 더해 주고 있다. 사람의 손으로 만들어놓은 그릇이 오늘 우리 인간들보다 훨씬 맑고 아름답고 의젓하기까지 한 모습에 우리가 현재 서 있는 자리를 되돌아보게 한다. 우리 것과 자연을 아끼고 사랑하는 사람들 사이에 요즘 조용히 읽히고 있는 수상집 〈꽃은 흙에서 핀다〉의 산실이 바로 이 마루임을 밝혀두고 싶다.

내 오두막의 둘레는 지난해처럼 노란 마타리꽃이 피어나고 있다. 산바람에 하늘거리는 마타리꽃은 가을의 입김을 머금고 있다. 꽃이 피어나기 전에는 마치 기장조 같은 모습인데 꽃이 피어나면 밤하늘에 은하수 같은 분위기를 자아낸다. 꽃모양을 더 자세히 보기 위해 확대경을 통해 보면 비록 작은 꽃이지만 꽃

하나하나가 그대로 하나의 우주라는 생각이 든다. 꽃도 작은 꽃이 더 아름답고 사랑스럽다.

이 오두막에 와 지내면서 문득문득 두 스님의 얼굴이 떠오를 때가 있다. 내가 20년 가까이 조계산에 사는 동안 헤아릴 수도 없이 수많은 스님들과 접촉이 있었다. 자칭 무엇을 깨달았다는 큰스님을 비롯해서 풋중에 이르기까지 크고 작은 수많은 스님들과 한 산중에서 마주하고 지내기 한두 철이 아니지만 거개가 추상적인 군중의 얼굴이다. 그런데 그 많은 얼굴들 가운데서 유달리 두 얼굴이 내 기억의 언저리에 또렷이 떠오르는 것은 그들 삶의 모습이 그만큼 내게 인상이 깊었기 때문일 것이다.

한 스님의 이름은 혜담(慧潭). 그 나이 지금쯤 50의 고개를 넘었을 것이다. 송광사 선원에서 10년 가까이 지낸 스님인데 육신의 나이와는 관계없이 순수하고 부지런했다. 아름다움을 알고 탐구력 또한 강한 스님이다. 사철 누덕누덕 기운 누더기를 걸치고 정진시간이 끝나면 뜰에 돋아난 잡초를 혼자서 매고 낫으로 풀 베는 일을 즐겨 했다. 그는 풀향기에 도취되어 우리 불일암에 올라와서도 수북이 자란 풀을 베어주곤 했다.

누더기 속에 확대경을 지니고 다니면서 보잘것없는 풀꽃에서 아름다움을 캐내기도 하였다. 그는 맨발로 흙밟기를 좋아해서 일할 때는 거의 맨발인 채였다. 누가 시키지 않아도 혼자서 묵묵히 일하기를 좋아하는 그의 손은 나무등걸처럼 거칠었다. 톨스토이의 소설에 나오는 '바보 이반'의 손이 그처럼 투박했을 것 같다. 그리고 그는 밝아오는 여명을 좋아하여 새벽 좌선시간에는 전등불을 켜는 일이 없었다. 그대로 어둠 속에 앉아 점점 밝아오는 새벽을 지켜보는 일로 새벽의 정진을 삼았다.

그는 가진 것이 아무것도 없었다. 그야말로 철저한 무소유의 수행자였다. 몸에 걸친 누더기 한벌과 걸망(배낭) 하나뿐이었다. 한때는 라즈니쉬에 열중했지만 책을 간직하지는 않았다. 지금은 어디서 어떻게 사는지, 또 어떤 일에 그의 삶을 불태우고 있는지 알 수 없다. 내가 뜰이나 밭에서 잡초를 매고 있을 때면 문득문득 혜담 스님 생각이 난다. 승가의 서열로는 후배이지만 좋은 도반(道伴)으로 내 가슴속에 간직되어 있다.

또 한 얼굴은 황선(黃仙) 스님. 내가 지금까지 대했던 수많은 수행자들 중에서도 가장 맑은 스님이다. 지금쯤 아마 40줄에 들어섰을 것이다. 송광사에서 지내는 동안 관음전에서 '천일기도'를 두 번 무사히 마친 스님이다. 아는 사람은 알고 있겠지만, 장기간 기도를 하게 되면 거의 타성에 젖어 형식적인 기도에 그치고 마는데, 황선 스님은 처음 시작부터 끝까지 천일 동안을 한결같이 수행했다. 그리고 기도하는 동안은 산문 밖에 한걸음도 내놓지 않았다. 쉬는 시간에 이따금 우리 불일암에 올라와 차를 마시고 갈 정도였다.

황선 스님은 꽃을 좋아하여 노스님들의 거처인 메마른 도성당(道成堂) 뜰에 꽃을 가꾸어 항시 꽃이 끊이지 않게 하였다. 텅빈 그의 방은 방 한가운데 방석 하나와 문지방에 조그만 탁상시계, 그리고 화병에 한줄기 꽃이 꽂혀 있거나 수반에 꽃잎을 띄워놓곤 했었다.

그도 탐구력이 강해서 기도의 여가에 독서를 많이 했다. 그리고 검은 빛을 좋아해서 고무신을 비롯해서 차반도 찻잔받침도 심지어 내의까지도 먹물을 들여 입었다. 연장을 가지고 차반 같은 일용품을 손수 만들어 자신도 쓰고 남에게 나누어주기도 했는데 그 모서리가 예리해서 나 같은 사람은 그 모서리를 다듬어서 썼다. 그의 말로는 예리해야 긴장감이 있어 좋다고 했다.

그가 조계산을 떠나던 날 새벽, 그의 방 앞에 있던 오지 수반과 받침대를 지게에 지고 불일암에 올라 왔었다. 후박나무 아래 있는 오지수반이 바로 그것이다.

지금 어디서 어떻게 지내는지 문득문득 생각이 난다. 어느 산중에서 지내고들 있을까. 두 사람 다 내가 찾아가보고 싶은 그런 도반이다.

〈93. 9〉

가을바람이 불어오네

지난 밤에는 칠월 보름 백중달이 하도 좋아 몇차례 자다 깨다 했다. 창문으로 스며들어온 달빛이 내 얼굴을 쓰다듬는 바람에 자다 말고 깨어나곤 했었다. 창문을 여니 구름 한점 없는 맑은 하늘에 맷방석만한 보름달이 휘영청 떠서 묵묵히 나를 내려다보고 있었다. 이슬이 내려앉은 전나무와 해바라기 잎에도 달빛이 반짝거렸다.

칠월 보름은 승가의 여름철 안거(安居)가 끝나는 해제일(解制日). 이날 나는 경상남도 통영의 미륵산 미래사에서 중이 되었다. 이날이 오면 출가 수행자의 나이가 하나 더 보태진다. 해놓은 일도 없이 연륜만 쌓여간다는 자책이 따른다.

세월이 덧없이 흘러가는 게 아니라, 우리가 그 세월을 덧없이 흘려보내고 있다는 말이 더 적절한 듯싶다. 잠시도 멈추지 않고 밤낮없이 흘러가는 저 개울물소리에 귀를 모으고 있으면, 아하 저게 바로 세월이 지나가는 소리로구나 하고 되새기게 된다.

설렁설렁 가을바람이 불어오니 뒤뜰에서는 뚝뚝 산자두 떨어지는 소리가 들려온다. 함석지붕에 떨어지는 그 소리에 처음에는 움찔 놀라곤 했었다. 이 고장에서는 이 열매를 '꽤'라고 부르는데 어디서 유래된 말인지 알 수가 없다. 열매의 크기는 보통 자두보다 작지만 맛은 자두와 흡사하다.

제7호 태풍 로빈에 실려온 폭우로 통나무다리가 떠내려가고 온 골짝이 할켜지고 나자 심란해서 밖에 나가 며칠 동안 어정거리다 돌아왔다. 그새 산자두가 수북이 떨어져 반쯤 삭아가고 있었다. 바람이 불면 나무에서는 연방 우수수 열매가 떨어졌다. 처음에는 주워 먹다가 이내 물려서 성한 것만을 골라두었는데 그야말로 처치곤란이다. 다른 일로 뒤꼍에 갔다가도 풀섶에 새 알처럼 소복이 떨어져 있는 걸 보면 참으로 오지다.

이렇듯 자연은 우리에게 많은 것을 무상으로 끊임없이 베풀고 있다. 봄에는 꽃과 향기로 우리 눈과 숨길을 맑게 해주고, 가을이면 열매로써 먹을 거리를 선물한다. 우리가 자연에게 덕을 입힌 일이 무엇인가. 덕은 고사하고 허물고 더럽히고 빼앗기만 했을 뿐인데, 그 자연은 아무 내색도 하지 않고 말없이 나누어주고 있다. 이런 자연 앞에서, 이 영원한 모성(母性) 앞에서 지금 우리가 서 있는 자리를 되돌아보고 돌이킴이 없다면 우리는 대지의 자식이 될 수 없다.

자연의 은혜를 모른 채 파괴만 일삼는다면 인간은 그 어디에도 뿌리내릴 수 없는 우주의 망나니가 되고 말 것이다.

모든 계절의 시작이 다 그렇지만, 유달리 가을은 설렁설렁한 그 바람결에서 예감된다. 나는 어제도 몇차례인지 '가을바람이 불어오네'라고 골짝에 메아리가 울리도록 큰소리를 질렀다. 가을은 귀가 예민해지는 계절. 맑은 대기 때문에 먼데 소리도 가까이 들린다. 풀벌레소리며 짐승이 풀섶으로 버석버석 지나가는 발자국 소리도 방안에서 들을 수 있다. 다람쥐가 뽀르르 달려가는 모습도 그 소리를 통해 헤아릴 수 있다. 지금 막 뒷골에서 노루 우는 소리가 난다. 노루도 가을바람을 타는가.

바깥 마루 들보에 매달아놓은 쇠막대 풍경(Woodstock Chimes)이 설렁거리는 바람결에 부드럽고 아름다운 가락을 보내오고 있다. 처마끝에 달아놓은 재래식 우리 풍경 소리는 좀 단조로운데, 일곱 개의 길고 짧은 알미늄 파이프에 나무로 된 추가 바람결에 흔들려 내는 소리는 아주 음악적이다. 캘리포니아의 싼 페드로에 사는 친구가 얼마전에 보내준 것인데, 이 풍경 소리를 듣고 있으면 명상적인 분위기에 휩싸이게 된다.

내가 처음 이 풍경 소리를 들은 것은 태평양 연안 썬셋 거리에 있는 '요가난다 센터'에서 였다. 지금도 그렇지만, 나는 법회나 강연이 끝나면 그 자리를 즉시 떠나버린다. 모임 끝에 이 사람 저 사람 만나 이야기를 나누고 나면, 진이 빠져 피곤하고 따분해진다. 그리고 되는 소리 안되는 소리 쏟아버리고 나면 텅 빈 항아리처럼 말할 수 없이 허전하다. 군중으로부터 벗어나 혼자 있고 싶어진다.

몇해 전 캘리포니아에서 한겨울을 지내는 동안 법회 끝에 혼자이고 싶을 때면 훌쩍 찾아간 곳이 요가난다 센터였다. 차량의 통행이 많은 썬셋 거리에서 일단 문안으로 들어서면 그곳은 조용하고 그윽한 별천지다. 꽤 넓은 인공호수 둘레로 띄엄띄엄 야자수가 서 있고 화초와 수목들이 아름다운 조화를 이룬 동산.

나무 아래 앉아서 명상할 수 있는 의자가 여기저기 놓여 있다. 의자에 좌정하고 호수를 바라보고 있으면 금세 마음이 평온해진다. 이때 어디선지 아주 감미로운 소리가 은은히 들려온다. 나뭇가지에 매달아 놓은 그 풍경 소리다.

은은히 울리는 이 풍경 소리는 자칫 졸리거나 무료해서 가라앉기 쉬운 명상에 생동감을 불러일으킨다. 그 소리가 아주 음악적이기 때문에 무심히 귀를 기울이는 일 자체가 즐거운 명상이된다.

그곳 물레방앗간처럼 생긴 집에서는 아무나 들어가 의자에 앉아 명상을 할 수 있도록 개방되어 있는데, 거기에서도 은은한 명상음악이 있어 명상의 즐거움을 거들어주고 있다.

우리나라에도 일반인을 위한 이런 명상의 집이 있었으면 좋겠다고 생각했었다. 아름답고 은은한 소리는 명상을 보다 풍요롭게 한다. 그저 아무 소리도 들으려 하지 않고 긴장한 채 꼿꼿이 앉아만 있게 되면, 명상 자체가 메마르고 공허해져서 피로가 빨리 오고, 타성적이고 관념적인 나머지 무기력에 빠지기 쉽다.

명상은 깨어 있는 존재의 꽃이다. 명상은 어떤 종파의 전유물이 될 수도 없다. 존재하는 모든 것은 명상을 통해 자신을 마음껏 꽃피울 수 있다. 나무가 꽃을 피우고 열매를 맺는 것도 자연의 섭리 같지만, 그 안에는 홀로 겪는 명상의 세계가 있어 생명의 신비인 꽃을 피우고 열매를 맺는 것이다. 자기 자신을 알고자 한다면 무엇보다도 스스로를 조용히 안팎으로 지켜보라. 지켜보는 이 일이 곧 명상이다.

명상의 스승은 말한다.

"홀로 명상하라. 모든 것을 일단 놓아버리라. 이미 있었는지를 기억하려 들지 말라. 굳이 기억하려 한다면 그것은 이미 죽어 있는 것이 되리라. 그리고 기억에 매달리면 다시는 홀로일 수 없으리라. 그러므로 저 끝없는 고독, 저 사랑의 아름다움 속에서 그토록 순결하고 그토록 새롭게 명상하라. 그러면 시들지 않는 천복이 있으리라."

우리는 바깥 일에만 팔려 자기 자신을 안으로 들여다볼 줄을 모른다. 우리 시대는 나라 안팎을 가릴 것 없이 온통 경제 타령만 하면서 사람의 일을 소홀히 하고 있다. 사람으로서 삶의 최고 가치를 어디에 두고 살 것인가는 저마다 처지와 소망이 다르기 때문에 한결같을 수 없다. 하지만 어디에서 어떤 형태로 살건 간에 스스로 자기 자신을 들여다보는 일은 삶의 기초가 되어야 한다.

가을바람에 곡식과 과수의 열매가 익어가고 또 떨어지듯이, 우리들의 삶도 또한 익어가고 떨어질 것이다. 가을바람 소리에 귀를 기울이는 그 귀로 자기 자신의 소리에 귀기울여보라고 권하고 싶다. 가을은 명상하기에 가장 적합한 계절이다.

관세음(觀世音)이란 세상의 소리에 귀를 기울인다는 뜻. 즉 바깥 소리에 귀를 기울임이다. 바깥 소리가 자기 내면의 소리와 하나가 되도록 지극하게 귀를 기울이다 보면 마침내 귀가 활짝 열린다. 이를 불교용어로 이근원통(耳根圓通)이라고 한다.

송강 정철의 시조에 이런 것이 있다. 이 가을에 내가 가끔 읊
고 있다.

물 아래 그림자 지니
다리 위에 중이 간다
저 중아 게 있거라
너 가는 데 물어보자
막대로 흰구름 가리키며
돌아 아니보고 가노매라.

아, 가을바람이 불어오네.

〈93. 10〉

수행자에게 보내는 편지

묵은 편지 받고 회신이 늦었다. 마음의 길은 열려 있어 무소식이 희소식이라고 여기고 있다. 혼자서 겨울 준비를 하고 있을 처지를 생각하고 사연을 띄운다.

깊은 밤 개울물소리에 귀를 기울이고 있으면 문득 양관(良寬) 선사의 시가 떠오른다.

고요한 밤 초암(草庵) 안에서
홀로 줄 없는 거문고를 탄다
가락은 바람과 구름 속으로 사라지고
그 소리 시냇물과 어울려 깊어간다
물소리 넘칠 듯 골짝에 가득'차고
바람은 세차게 숲을 지나간다
귀머거리가 아니고서야
그 누가 이 희귀한 소리를 알아들으랴.

옛사람들도 한결같이 말했듯이, 도(진리)를 배우는 사람은 무엇보다도 먼저 가난해야 한다. 지닌 것이 많으면 도에 대한 뜻을 잃어버린다. 가난해야만 도에 가까이할 수 있다.

소유를 필요한 최소한의 것으로 제한하는 것이, 정신활동을 자유롭게 한다. 소유에 눈을 팔면 마음의 문이 열리지 않는다. 하나가 필요하면 하나로써 족할 뿐 둘을 가지려고 하지 말라. 둘을 갖게 되면 그 하나마저 잃게 될 것이다. 자기 자신으로부터 불필요한 것을 덜어내는 일이 곧 행복의 비결이라고 나는 생각한다.

가지고자 하는 소유욕을 최소한으로 줄이고, 생활을 최소한으로 단순화하라. 그리고 마음의 흐름에 정신을 집중하라. 투명한 마음의 작용이 모든 것을 창조한다. 과잉소비 사회와 포식사회가 인간을 멍들게 하고 우리 시대를 얼룩지게 만든다.

중세 독일의 신비주의 신학자 마이스터 에크하르트도 지적했듯이, 인간은 내적인 것이든 외적인 것이든 모든 사물로부터 해방되어야 한다. 우리가 무엇인가를 원한다는 그 자체가 또 다른 소유욕임을 알아야 한다.

그는 말한다. '신으로부터조차도 자유로워져야 할 만큼 자유롭게 해방된 상태를 참으로 가난하다고 할 수 있다.' 그것은 구속과 속박이 없고 집착이 없는 '완전한 자유'라고 그는 말한다. 모든 욕망과 집착에서 벗어나 어디에도 얽히거나 매이지 않고 안팎으로 홀가분하게 되었을 때, 사람은 비로소 전 우주와 하나가 될 수 있다. 개체에서 전체에 이르는 길이 여기에 있다.

요 근래 여러 곳의 선원에서 해제비(解制費)로써 막대한 돈이 주어진다는 소식을 전해 듣고, 물량으로 넘치는 선원의 분위기와 이 땅의 선풍(禪風)이 우울하게 묻어온다. 명심하라. 수행자가 진리를 실현하려는 구도자로서 자신의 순수성을 지키려면, 세속적인 사찰제도에서 벗어나 그 어디에도 예속되지 않는 독립된 개체로 존재할 수 있어야 한다.

가려보라. 무엇이 참이고 거짓인지를. 종교의 본질이 무엇이고, 어떤 것이 종교가 아닌지를 냉정히 가려보라. 이것을 가려볼 수 있다면, 승려나 사제 혹은 목사나 책들이 더 이상 우리를 속일 수 없다. 그리고 어떤 상황에 놓일지라도 믿고 따를 환상이나 허상을 만들어내지 않게 될 것이다.

절이나 교회에 종교가 있다고 잘못 알지 말아라. 어떤 종교든지 일단 조직화되고 제도화되면 종교 본래의 길에서 벗어나 위협적인 존재가 되고 만다. 그때 그 종교는 더 이상 신이나 진리로 가는 길이 아니라 독선과 아집에 대한 변명이 되어버린다. 종교의 틀 속에 갇힌 사람들은 어떤 의식이나 상징을 종교로 잘못 알고 있기 때문에, 종교가 다른 사람들끼리 서로 다투고 싸우고 죽이기까지 한다. 그러나 신은, 부처와 진리는 이런 곳에는 없다.

지켜 보라. 허리를 꼿꼿이 펴고 조용히 앉아 끝없이 움직이는 생각을 지켜보라. 그 생각을 없애려고 하지도 말라. 그것은 또 다른 생각이고 망상이다. 그저 지켜보기만 하라. 지켜보는 사람은, 언덕 위에서 골짝을 내려다보듯이 거기서 초월해 있다. 지켜보는 동안은 이러니 저러니 조금도 판단하지 말라. 강물이 흘러가듯이 그렇게 지켜보라.

그리고 받아들여라. 어느것 하나 거역하지 말고 모든 것을 받아들여라. 그러면서도 그 받아들임 안에서 어디에도 물들지 않는 본래의 자기 자신과 마주하라. 삶은 영원한 현재다. 우리는 언제나 지금 그리고 이 자리에 있을 뿐이다. 무슨 일이고 이 다음으로 미루게 되면 현재의 삶이 소멸되고 만다. 현재를 최대한으로 사는 것이 수행자의 삶임을 잊지 말라.

행여나 깨달음을 얻기 위해서 수행을 한다고 생각하지는 말라. 도대체 깨달음이란 무엇인가? 누가 깨닫는다고 했는가? 깨닫겠다고 하는 그 사람이 문제다. 깨달으려고 해서 깨달음에 이른 사람은 아무도 없다. 깨달음은, 굳이 말을 하자면 보름달처럼 떠오르는 것이고 꽃향기처럼 풍겨오는 것. 그러니 깨닫기 위해서 정진한다는 말은 옳지 않다.

옛 부처님과 조사(祖師)들은 한결같이 말한 바 있다. 본래 성불(成佛)이라고. 본래부터 다 이루어져 있고 갖추어져 있다는 말씀이다. 본래 성불이라면 어째서 다시 수행을 하는가? 우리가 수행을 하는 것은 새삼스럽게 깨닫기 위해서가 아니라 그 깨달음을 드러내기 위해서다. 닦지 않으면 때문으니까. 마치 거울처럼, 닦아야 본래부터 지니고 있는 그 빛을 발할 수 있다.

그럼 깨달음이 드러날 때는 언제인가? 우리들의 생각과 욕망이 비어 있을 때, 깨달음을 기다리는 그 마음이 사라졌을 때, 안팎으로 텅텅 비어 있을 때. 이때 문득 눈부신 햇살이 내 안에서 비쳐나온다.

깨달음을 기다리는 것은 바른 수행이 아닌 줄 알아라. 대오선

(待悟禪)은 선이 아니란 말을 기억하라. 종교적인 여행은 시작은 있어도 끝은 없다. 그저 늘 새롭게 출발할 뿐이다. 그 새로운 출발 속에서 향기로운 연꽃이 피어난다.

사람은 누구를 막론하고 자기 자신 안에 하나의 세계를 가지고 있다. 그것은 아득한 과거와 영원한 미래를 함께 지니고 있는 신비로운 세계다. 홀로 있지 않더라도 사람은 누구나 그 마음의 밑바닥에서는 고독한 존재다. 그 고독과 신비로운 세계가 하나가 되도록 거듭거듭 안으로 살피라.

무엇이든지 많이 알려고 하지 말라. 책에 너무 의존하지 말라. 성인의 가르침이라 할지라도 종교적인 이론은 공허한 것이다. 그것은 내게 있어서 진정한 앎이 될 수 없다. 남한테서 빌린 것에 지나지 않는다. 내가 겪은 것이 아니고, 내가 알아차린 것이 아니다. 남이 겪어 말해 놓은 것을 내가 아는 체할 뿐이다. 진정한 앎이란 내가 몸소 직접 체험한 것, 이것만이 참으로 내 것이 될 수 있고 나를 형성한다.

공부가 됐건 일이 됐건 전적으로 하라. 어중간한 것은 사람을 퇴보시킨다. 하다가 그만두지 말라. 안한 것만 못하다. 남에게 폐가 되지 않는 한 무슨 일이든지 전력을 기울여 하라. 그때 자기 안에서 어떤 변혁이 일어난다. 그 변혁의 과정에서 참된 자기 모습이 드러날 것이다.

규칙적인 명상의 시간을 가지라. 우리가 아무 잡념 없이 깊은 명상에 잠겨 있을 때 그때 우리는 곧 부처다. 우리 안에 있는 불성이 드러난 것이다. 깊은 명상 속에 있을수록 의문이 가라앉는다. 안으로 돌이켜 생각해 보면 남에게 물을 일이 하나도 없다. 의문이란 마음이 명상하지 않고 들떠 있을 때 일어나는 불안정한 현상이다.

　진정한 스승은 밖에 있지 않고 우리 마음 안에 있다. 밖에 있는 스승은 다만 우리 내면의 스승을 만나도록 그 길을 가리켜 줄 뿐이다. 받아들이려면 늘 깨어 있어야 한다. 잠들어 있으면 놓치고 말 것이다. 그리고 말수가 적어야 한다. 말은 생각을 어지럽힌다.

　낙엽으로 뒹구는 후박나뭇잎 치다꺼리에 수고가 많겠다. 늘어나는 빈 가지에서 새봄의 싹을 찾아보아라. 나는 다시 시작하기 위해 길 떠날 채비를 하고 있다.

〈93. 11〉

아메리카 인디언의 지혜

입동(立冬)이 지난 11월의 숲은 가을잔치를 마치고 텅 비어 있다. 나무들은 겨울을 받아들일 채비를 끝낸 채 묵묵히 서 있다. 첫눈이 내리고 개울가에는 살얼음이 얼기 시작했다. 아메리카 인디언의 달력에 의하면 '모두 다 사라진 것은 아닌' 그런 계절이다.

한동안 오두막을 비워두고 있다가 돌아와보면 오두막은 주인을 기다리며 사뭇 여위어 있다. 집 둘레에 노루와 토끼들의 배설물이 여기저기 흩어져 있는 걸 보면 그 애들이 빈집을 지켰던 모양이다. 문을 열어제치고 먼지를 털어내고 쓸고 닦고, 아궁이에 군불을 지펴 굴뚝에 허연 연기가 피어 올라오면 이때 비로소 집은 숨을 쉬기 시작한다.

집은 그 안에 사람이 살아야 집으로서 빛을 발한다. 사람이 살지 않으면 혼이 빠져나간 육신처럼 그것은 단순한 자재로 엮어진 형해(形骸)일 뿐이다. 난로에 불을 지펴 마룻방에서 냉기를 몰아내고 방안에 훈훈한 온기가 돌면, 오두막이 좋아라 하며 제 기능을 발휘한다. 집과 사람이 하나가 되어 아늑하고 편안함이 차 향기처럼 은은히 번진다.

　지난 밤에는 늦도록 책을 읽었다. 현대 문명사회의 비판서이
면서 아메리카 인디언들의 지혜를 담은 일종의 명상서적이다.
류시화 시인의 유창하고 아름다운 번역으로 펴낸 것인데, 책 이
름은 〈나는 왜 너가 아니고 나인가〉이다.
　백인추장(미국의 대통령)이 자기들에게 땅을 팔라고 하는 말
에, '어떻게 우리가 공기를 사고 팔 수 있단 말인가. 대지의 따
뜻함을 어떻게 사고 판단 말인가. 우리로선 상상조차 하기 힘든
일이다. 부드러운 공기와 재잘거리는 시냇물을 우리가 어떻게
소유할 수 있으며, 또한 소유하지도 않은 것을 어떻게 우리로부
터 사들이겠단 말인가'라고 항변한 시애틀 추장의 그 유명한 연
설문을 비롯하여, 여러 부족의 추장들이 문명사회에 던진 대지
와 인간의 관계를 역설한 글들로 엮어져 있다.
　20세기가 끝나가는 오늘의 시점에서 어째서 아메리카 인디언
의 지혜가 새롭게 주목받게 되었는가를 우리는 깊이 헤아릴 줄
알아야 한다. 물질문명의 찌꺼기인 온갖 공해와 환경오염이 날
로 극심해 가는 오늘날, 원천적으로 자연인인 인디언의 삶의 지
혜를 빌어서 극복의 문을 찾아야 한다.

　그들은 문명인들에게 말한다.
　"당신들의 아이들에게 가르치라. 발을 딛고 있는 이 땅이 조
상들의 육신과 같은 것이라고. 그래서 대지를 존중하도록 해야
한다. 대지가 풍요로울 때 우리들의 삶도 풍요롭다는 것을 가르

쳐야 한다. 사람이 땅을 더럽히면 곧 그들 자신의 삶도 더럽혀지는 것이다. 세상의 모든 것은 하나로 연결되어 있다. 우리는 대지의 일부분이며, 대지 또한 우리의 일부분이다."

그들은 문명인들의 도시 풍경에 대해서 자신들의 눈에는 하나의 고통이라고 하면서 그 증상을 신랄하게 지적하고 있다.

"당신들의 도시에는 조용한 장소라는 곳이 없다. 봄의 나뭇잎 스치는 소리를 듣거나 곤충의 날개가 부스럭거리는 소리를 들을 곳이 없다. 도시에서 들리는 소음은 우리들의 귀를 욕되게 할 뿐이다.

인디언은 호수의 수면으로 불어오는 바람의 부드러운 소리를 좋아한다. 한낮에 내린 비에 씻겨진 바람 그 자체의 향기를 좋아한다. 우리들에게 공기는 더없이 소중한 것, 그것은 동물이든 식물이든 혹은 사람이든 살아 있는 모든 것들이 똑같이 숨결을 나누어 갖기 때문이다."

백인과 인디언들은 그 삶의 방식이 어떻게 다른가를, 오글라라 수우 족의 추장 '네 자루의 총'은 이렇게 말하고 있다.

"문명인들은 뭐든지 글로 기록하며, 그래서 항상 종이를 갖고 다닌다. 그들이 오래도록 기억하기 위해서 그렇게 하는 것도 아니다. 워싱턴에는 그들이 우리 인디언들에게 했던 약속을 기록한 서류가 산더미처럼 쌓여 있지만, 그들 중 누구 하나 그걸 기억하려고 하지 않는다.

인디언은 종이에 기록할 필요가 없다. 진실이 담긴 말은 그의 가슴에 깊이 스며들어 영원히 기억된다. 인디언은 결코 그것을 잊어버리는 일이 없다. 그러나 문명인들의 경우는 일단 서류를 잊어버렸다 하면 아무 일도 하지 못한다."

네즈 페르세 족의 추장 '고산지대로 달려가는 천둥'은 인간의 말에 대해서 다음과 같이 서술하고 있다.

"진심이 담겨 있지 않는 '좋은 말'은 오래 가지 못하는 법이다. 좋은 언어가 죽은 사람을 살려내진 못한다. 문명인들은 말만 늘어놓고 아름다운 언어에 매혹되기만 할 뿐 실천하지 않는다.

아무런 결과도 없는 '말뿐인 말들'에 나는 지쳤다. 그 많은 좋은 언어들과 지켜지지 않은 약속을 생각할 때마다 내 가슴에는 찬바람이 분다. 세상에는 말할 자격이 없는 사람들이 너무도 많은 말을 떠들어대고 있다."

백인들로부터 배신을 번번이 겪은 끝에 그는 이런 말을 한 것이다.

〈아메리카 인디언의 멸망사〉를 펼쳐보면, 백인들이 원주민인 인디언에 대해서 얼마나 거짓말을 해댔는지, 그리고 얼마나 잔인하고 무자비한 만행을 저질렀는가를 소상히 알 수 있다. 같은 인간으로서 인디언에 대한 연민의 정과 함께 침략자인 백인들에 대해서 분노를 억제하기 어렵다.

천둥 추장은 이런 말도 하고 있다.

"내가 문명인들의 학교를 마다하는 이유가 있다. 학교를 세우면 그들은 교회를 세우라고 가르칠 것이다. 그리고 교회는 끝없이 하나님에 대해 왈가왈부하는 것을 가르칠 것이다. 우리는 이 땅에 있는 걸 가지고는 가끔 다투기도 하지만 위대한 정령(신)에 대해서는 건드리지 않는다.

우리는 위대한 정령이 만물을 만들어놓은 대로 세상 것에 만족하며 손대지 않는다. 그러나 문명인들은 강이나 산이라도 마음에 들지 않으면 마구 바꿔버린다. 그들은 그것을 창조라고 부르지만, 우리 눈에는 철없는 파괴로 보일 뿐이다."

그는 대지를 적시며 흐르는 강과 내가 서 있는 이 대지를 세상 어느 것보다도 사랑한다면서, 이렇게 외치고 있다.

"자기 조상이 묻힌 대지를 아끼고 사랑하지 않는 사람은 들짐승보다 못한 자이다."

우리가 몸담아 살아가는 하나뿐인 지구를 형편없이 허물며 더럽히고 있는 현대인들에게 델라웨어 족의 추장 '상처 입은 가슴'은 다음과 같은 지혜를 전하고 있다.

"우리는 대지 전체가 어머니의 품이고 그곳이 곧 학교이며 교회라고 믿는다. 대지 위의 모든 것이 책이며 스승이고 서로를 선한 세계로 인도하는 성직자들이다. 우리는 그밖의 또 다른 교회를 원치 않으며, 우리를 무조건 죄인으로 몰아세우는 것에 답답함을 느낄 따름이다.

홀로 자기 자신과 만나는 시간을 갖지 못한 사람은 그 영혼이 중심을 잃고 헤매게 된다. 인디언은 아이들을 키울 때 자주 평원이나 숲속에 들어가 홀로 있는 시간을 갖도록 배려한다. 그래서 자기 자신의 목소리에 귀를 기울이도록 한다. 문명인들은 그것을 쓸데없는 시간 낭비라고 할지 모르지만, 그것은 한 인간이 이 대지 위에서 살아가는 데 없어서는 안될 반드시 필요한 자기 확인의 과정이다.

이 과정에서 인간은 신 앞에 겸허해진다. 자연만큼 우리에게 겸허함을 가르치는 것도 없다. 자연만큼 순수의 빛을 심어주는 것은 없다. 자연과 멀어진 문명인들은 문명화되는 속도만큼 순수의 빛을 잃는다."

　이런 책을 읽고 있으면 내 영혼이 보다 투명해진다. 머리맡에 두고 수시로 펼쳐볼 지혜의 말씀은 바로 이런 책이다. 어떤 것이 진정한 문명인이고 야만인인지를 생각케 하는 감동적인 잠언이다.

〈93. 12〉

내가 사랑하는 생활

    눈이 내리려는지 먹구름이 낮게 내려앉고 골짝에서는 차가운 기류가 올라오고 있다. 서둘러 읍내 철물점에 가서 눈 치는 가래를 하나 사왔다. 이곳은 눈고장이라 다른 데에 없는 연장들이 있다. 손잡잇감이 마땅치 않아 손수 만들지 않고 가게에서 사온 것이다.

    난로에 장작을 모아놓으면 활활 타오르는 소리도 좋지만, 한참 있으면 난로 위에 올려놓은 돌솥에서 물 끓는 소리 또한 훈훈한 실내의 정취를 아늑하게 거들어준다. 산에 살면 오관 중에서도 특히 청각이 예민해지는데, 한밤중에 기러기떼 날아가는 소리를 듣고 잠에서 깰 때가 더러 있다.

    '쏴쏵 쇄쇗 소쏵 쇄쇗….'

    풀이 선 옷깃이 스치는 듯한 이 소리. 이 오밤중에 추위를 피해 남녘으로 날아가는 기러기떼의 날갯짓소리가, 마치 어떤 영혼이 허공을 지나가는 소리처럼 들려오는 것 같아 나는 퍼뜩 맑은 정신이 든다. 자신의 삶을 되돌아보고 내 영혼의 무게 같은 것을 헤아리게 된다. 그리고 남은 세월을 어떻게 보낼 것인가를 생각하면서 기러기떼를 뒤따라간다.

　눈 치는 가래를 사온 김에 눈 이야기를 마저 해야겠다. 대숲에 푸실푸실 싸락눈 내리는 소리를 나는 좋아한다. 이 싸락눈 내리는 소리를 듣고 있으면, 어린 시절 할머니의 무릎을 베고 소금장수 이야기를 듣던 기억이 문득 되살아난다. 똑같은 이야기지만 들을 때마다 가슴 조이며 새롭게 들리던 그런 옛이야기. 고전이란 바로 이런 성질의 것이 아닐까 싶다.

　며칠 동안 펑펑 눈이 쏟아져 길이 막힐 때, 오도가도 못하고 혼자서 적막강산에 갇혀 있을 때, 나는 새삼스럽게 홀로 살아 있음을 누리면서 순수한 내 자신이 되어 둘레의 사물과 일체감을 나눈다. 눈 위에 찍힌 짐승 발자국을 대하면 같은 산중에 사는 동료로서의 친근감을 느낀다.

　그리고 눈이 멎어 달이 그 얼굴을 내보일 때, 월백 설백 천지백(月白 雪白 天地白)의 그 황홀한 경계에 나는 숨을 죽인다. 달도 희고 눈도 희고 온천지가 희다고밖에 더 무엇을 표현할 수 있겠는가. 옛 시인의 감성을 넉넉히 짐작할 만하다.

　나는 한겨울 개울가에서 얼음장 속으로 흐르는 시냇물소리에 귀기울이기를 좋아한다. 뼛속까지 스며드는 그 청랭한 소리가 내 핏줄에 이어져 한없이 정화시켜 주는 것 같다. 얼음장 속에서 버들강아지가 움트는 것을 보면 잠시도 멈춤이 없는 생명의 신비 앞에 숙연해지지 않을 수 없다.

　살아 있는 모든 이웃들이 다 행복하라 태평하라 안락하라.

　여름날 땀을 흘리면서 한참 고갯길을 오르다가 고갯마루에 올라섰을 때, 가까이서 들려오는 솔바람소리는 오장육부까지 시원하게 해준다. 소나무 아래서 솔바람소리를 베고 낮잠 한숨 자고 싶어진다. 내가 좋아하는 산중의 풍류다. 제 발로 한 걸음 한 걸음 산길을 걸어 올라가는 사람만이 누릴 수 있는 맑은 복이다.

나는 또 겨울 숲을 사랑한다. 신록이 날마다 새롭게 번지는 초여름의 숲도 좋지만, 걸치적거리는 것을 훨훨 벗어버리고 알몸으로 겨울 하늘 아래 우뚝 서 있는 나무들의 당당한 기상에는 미칠 수 없다.

숲을 이루고 있는 나무들은 저마다의 특성을 지니고 있으면서 전체적인 조화를 지니고 있다. 사람이 모여사는 사회도 이런 숲의 질서를 배우고 익힌다면 넘치거나 모자람이 없을 것이다.

우리가 한 그루의 나무를 대할 때 그 앞에서 자기 자신의 모습도 함께 비춰볼 수 있다면 나무로부터 배울 바가 적지 않을 것이다. 겨울 숲에서 어정어정 거닐고 있으면 나무들끼리 속삭이는 소리를 들을 수 있다. 빈 가지에서 잎과 꽃을 볼 수 있는 그런 사람만이 그 소리를 알아들을 수 있을 것이다.

겉으로 보면 나무들은 겨울잠에 깊이 빠져 있는 것 같지만, 새봄을 위해 끊임없이 움직이고 있다. 눈 속에서도 새 움을 틔우고 있는 걸 보라. 이런 나무를 함부로 찍거나 베면 그 자신의 한 부분이 찍히거나 베어진다는 사실을 사람들은 알고 있을까? 나무에도 생명의 알맹이인 영(靈)이 깃들어 있다. 나무를 사랑하라. 사랑의 메아리가 우리 마음에 울려올 것이다.

해와 달은 모든 생명의 신비를 그대로 드러낸 것이라고 나는 생각한다. 우주를 지탱하는 음양관계뿐 아니라, 해와 달이 없다면 생명이 존속될 수 없다. 고대사회에서 해와 달을 신격화한 것도 자연스런 일이다. 불교 경전에서는 해와 달을 일광(日光)보살, 월광(月光)보살로도 표현하고 있다.

그전부터 느끼고 말해 온 바이지만(물론 주관적인 견해다), 해는 지는 해가 좋고 달은 떠오르는 달이 좋다. 해는 지평선이나 바다로 지는 해가 아름답고 장엄하다. 달은 아무래도 산마루에서 떠오르는 자태가 사랑스럽다.

내 기억의 언저리에는 아름다운 일몰(日沒)의 장면이 몇 폭 차곡차곡 간직되어 있다. 문득 지금 상기되는 것은, 태평양 연안에서 노부부가 간이의자를 차에 싣고 와서 가지런히 앉아 수평선 너머로 지는 해를 묵묵히 지켜보고 있던 장면이다. 그 지점은 나도 자주 가서 일몰을 지켜보곤 했었는데, 그날은 마침 비가 개인 날이라 붉은 해의 윤곽이 선명해서 수평선에 잠기는 순간 순간 하늘과 바다에 펼쳐지는 빛의 조화가 숨이 막히도록 아름다웠다.

인생의 황혼기에 접어든 노부부가 하루 일을 마치고 바닷가에 나와 수평선으로 지는 해를 말없이 바라보고 있던 그 모습이, 내게는 그날의 일몰과 함께 인생의 잔잔하고 아름다운 일몰로 간직되어 있다.

노을은 인도양의 진주로 불리는 스리랑카의 티크나무 숲에서 붉게 붉게 타오르던 그때의 노을보다 더 장엄한 노을을 나는 아직 만나지 못했다.

해가 지고 난 다음 하늘이 벌겋게 물드는 현상을 노을이라고 하는데, 한 인생이 살다가 간 자취도 노을처럼 남을 거라고 여겨진다. 후회없이 잘 살아야 그의 자취인 노을도 아름답게 비쳐질 것이다.

나는 또 맨발로 밭에 들어가 흙 밟는 그 감촉을 좋아한다. 여름날 산그늘이 내릴 무렵에 채소밭에서 김을 맬 때, 맨발이 되어 밭흙을 밟고 있으면 간질간질한 그 부드러운 감촉과 함께 땅기운이 내 몸에까지 스며드는 것을 느낄 수 있다. 흙이 생명의 바탕임을 알아야 한다. 마른 씨앗을 흙에 묻어두면 거기서 움이 트고 잎이 펼쳐지고 꽃을 피우다가 열매를 맺는다.

흙에서 멀수록 병원과 가까워진다는 말은 어김없는 진리다. 우리가 살 만큼 살다가 돌아가 삭아질 곳 또한 이 흙이다. 이런 흙을 더럽히면 자신의 뿌리가 그만큼 허약해진다는 사실을 우리들은 명심해야 한다.

누가 먹고 싶은 것이 뭐냐고 물어오면 나는 선뜻 대답을 못한다. 먹고 싶은 것이 별로 없다. 내 삶의 둘레를 쓸고 닦아낸 다음, 차분하고 한가로운 기분으로 마시는 차를 나는 가끔 즐기고 있다. 오 참, 요즘 물미역을 몇차례 맛있게 먹었다. 물미역은 뻐세지기 전 소금을 약간 쳐서 찬물로 씻어낸 다음, 데치지 않고 날것 그대로 초고추장에 찍어 먹으면 산중에서도 바다의 갯내와 파도소리를 들을 수 있다. 물미역은 잎은 떫고 줄기가 오들오들 씹히는 맛도 있고 달다.

밝아오는 여명의 창에 눈을 두고 꼿꼿이 앉아 소리 없는 소리에 귀를 기울이는 일을 하루의 일과 중에서도 나는 가장 사랑한다. 이런 시간에 나는 내 중심에 있다. 그리고 밝은 창 아래 앉아 옛글을 읽는 재미 또한 내게서는 빼놓을 수 없다. 그 속에 스승과 친구가 있어 내 삶을 시들지 않게 한다.

방이 식었구나. 아궁이에 먹이를 넣어주어야겠다.

〈94. 1〉

청빈의 향기

　겨울 산에서는 설화(雪花)가 볼만하다. 바람기 없이 소복소복 내린 눈이, 빈 가지만 남은 나무에 쌓여 황홀한 눈꽃을 피운다. 눈이 아니라도 안개가 피어오른 자리에는 차가운 기온 때문에 가지마다 그대로 얼어붙어 환상적인 눈꽃을 피운다. 마치 은은한 달빛에 만발한 벚꽃을 보는 것 같은 그런 느낌이다.

　잎이 져버린 빈 가지에 생겨난 설화를 보고 있으면 텅 빈 충만감이 차 오른다. 아무것도 지닌 것이 없는 빈 가지이기에 거기 아름다운 눈꽃이 피어난 것이다. 잎이 달린 상록수에서 그런 아름다움은 찾아보기 어렵다. 거기에는 이미 매달려 있는 것들이 있어 더 보탤 것이 없기 때문이다.

　내 도반인 그는 맑음을 만들어내면서 살아가는 그런 사람이다. 그의 생활공간인 방에 들어가보면, 아무것도 걸리지 않는 텅 빈 벽에 방석만 한장 달랑 방바닥에 놓여 있을 뿐이다. 그가 즐기는 차의 도구마저도 눈에 띄지 않도록 벽장 안에 넣어둔다. 가사 장삼은 아예 법당 안에 걸어두었다. 눈에 걸치적거릴 게 아무것도 없다.

불필요한 것은 깡그리 치우고 필요 불가결한 것만을 놓아둔 그의 방은 그대로가 커다란 침묵이다. 이런 방에 앉아 있으면 오고가는 말이 없어도 부담스럽지 않고 넉넉하기만 하다.

청빈(淸貧)과 빈곤(貧困)은 가난을 동반하면서도 그 뜻은 근본적으로 다르다. 한쪽은 스스로 선택한 가난이고 다른 한쪽은 결핍에서 온 주어진 가난이다.

오늘처럼 모든 것이 넘쳐나는 세상에서는 부자가 되기는 어렵지 않지만, 투철한 삶의 질서를 지니고 스스로 가난하게 살기는 참으로 어렵다. 물론 누구나 부자가 될 수도 없듯이, 아무나 가난하게 살 수도 없다. 문제는 자신이 선택한 길이냐 아니냐에 따라 삶의 가치가 평가될 것이다.

그가 몸담아 살고 있는 둘레는 늘 맑은 기운이 감돌고 있었다. 개인의 성곽이라고 할 수 있는 방안은 텅 빈 침묵으로 가득 차 있었지만, 바깥은 청결과 잔잔한 아름다움으로 가꾸어졌다. 마당은 늘 싸리비로 말끔히 쓸리고, 그의 방 앞 섬돌 위에는 오지 그릇 수반에 작은 꽃잎이 두엇 떠 있었다.

토담 밑에는 철 따라 꽃이 피어나도록 모란과 협죽도와 도라지 창포 국화가 심어져 있고, 여름철 마당 한쪽 공지에는 채송화가 온통 꽃방석을 이루었다. 담장 위로 넝쿨을 뻗어 주렁주렁 매달린 주황색 당호박이 토담 위에 덮인 개와하고 아름다운 조화를 이루었다.

그는 화목을 사랑하기 때문에 꽃나무에 대한 이름도 많이 알고 있었다. 누구나 경험한 터이지만, 그 이름을 알고 실물을 대했을 때와 이름을 모른 채 실물과 마주했을 때의 그 감흥에는 커다란 차이가 있다. 마치 별자리의 이름을 알고 밤하늘을 우러를 때 하고 전혀 백지 상태에서 별밤을 대했을 때의 그것과 마찬가지다.

그는 식물도감을 비롯해서 야생화에 관한 책자를 구입해 두고 읽으면서 뜻을 함께하는 이웃에게 나누어주기를 좋아한다. 그가 맡은 소임일로 신도들이 정재(淨財)를 내놓으면 그는 결코 그것을 사재(私財)로 쓰지 않고 새로 나온 양서를 수십권씩 구해 두고 보시하기를 좋아했다. 그가 건네 준 책들은 그의 인품처럼 하나같이 맑고 조촐한 내용으로 채워진 것들이었다.

평소에 말수가 적은 그는 타인에 대한 말은 가급적 하지 않는다. 음성의 톤이 낮은 그는 필요 이상의 말은 결코 하지 않는 성격이다. 그리고 화내는 일을 보지 못했다. 이런 그가 단 한번 몹시 언짢아 하는 것을 보았다. 다른 일에서가 아니고 이웃방에 사는 노스님 한 분이 곁방에서 몇차례 고기를 끓여 먹는 것을 코로 냄새 맡고 눈으로 볼 수 있었기 때문이다. 이 일로 해서 그는 그가 머물던 곳에서 한때 떠나갔었다.

청정한 수도도량에서 대중생활의 규범을 어기고 육식을 한다는 것은 누가 보든지 납득하기 어려운 일이다. 그는 남을 탓하지 않고 스스로 그곳을 떠나기로 한 것이다. 악화(惡貨)가 양화(良貨)를 쫓아낸다는 말은 이런 경우를 두고 하는 말일 것이다. 흐린 물에 섞이다 보면 스스로도 흐려지게 마련이다. 설득이 불가능할 경우는 그 흐림에서 벗어날 수밖에 없다.

그는 남에게 폐를 끼치는 일은 결코 범하지 않는다. 이웃의 초대를 받고 차를 마시러 갔다가도 머물 만큼만 머물고 주인에게 폐가 될세라 이내 떠나온다. 그러기 때문에 그가 머물렀던 자리에는 차향기처럼 은은한 여운이 남는다. 차를 마시는 맑은 자리에서 함부로 지껄이게 되면 모처럼 차를 대하면서도 차가 지닌 맑고 고요한 청적(淸寂)의 덕을 나누기가 어렵다.

그의 방 앞 처마끝에 달아두고 듣던 조그만 풍경을, 한 도반이 그 맑은 소리에 유심히 귀기울이는 것을 보고 그는 넌지시 그 풍경을 떼다가 도반의 거처에 달아주었다. 그 도반은 맑은 풍경 소리를 들을 때마다 그의 해맑은 인품을 연상한다는 것이다.

한 사람의 맑고 조촐한 삶은 그 자신이 의식을 하건말건 함께 살아가는 이웃에 달빛 같은 혹은 풀향기 같은 은은한 그늘을 드리우게 마련이다. 그의 삶을 가까이서 지켜본 나는 그를 생각할 때마다, 꽃가지를 스쳐오는 부드럽고 향기로운 바람결을 느낀다.

그는 이 겨울에 어느 산을 마주하고 앉아 있을까. 지난 초겨울 인편에 부쳐온 책, 아메리카 인디언의 지혜를 담은 〈나는 왜 너가 아니고 나인가〉를 읽으면서, 그가 여전히 그답게 살고 있음을 알 수 있었다.

삶의 향기란, 맑고 조촐하게 사는 그 인품에서 저절로 풍겨 나오는 기운이라고 생각된다. 향기 없는 꽃이 아름다운 꽃일 수 없듯이 향기 없는 삶 또한 온전한 삶일 수 없다.

〈94. 1〉

거룩한 가난

　새삼스런 생각이지만 불을 맨 먼저 찾아낸 사람이 누구인지 그에게 감사드리고 싶다. 수인씨(燧人氏)가 됐건 프로메테우스가 됐건, 불을 발견한 것은 오늘의 인류사회를 낳게 한 그 시발이라고 할 수 있다. 이 얼어붙은 겨울에 만약 불이 없다면 어떻게 될 것인가.

　나무를 먹고 온기를 발산하는 난롯가에 앉아 장작 타는 소리를 듣고 있으면 마음이 느긋해진다. 얼어붙은 개울에서 도끼로 얼음장을 깨고 물을 길어 와 난로 위에 올려놓는다. 솔바람소리를 내면서 차관에서는 이윽고 물이 끓는다. 어느 세상에서 꽃이 피어나는 소리인가.

　바람을 마시고 사는 처마끝의 풍경이 자기도 집안으로 좀 들어갈 수 없느냐고 이따금 오들오들 떨면서 땡그랑거린다. 업이 달라 어떻게 해줄 수 없는 처지가 안타깝다. 하지만 땡그랑거리는 그 소리가 오두막의 주인에게는 적잖은 위로와 파적(破寂)이 된다. 바람이 없는 집안에서는 풍경은 한시도 살아 있을 수가 없다.

물고기는 잘 때도 눈을 뜨고 자듯이 수행자는 늘 깨어 있어야 한다는 뜻에서, 물고기의 형상을 만들어 처마끝에 매달아 놓았다는 설이 전해진다. 혹은 바다에서 그물로 고기를 건져내듯이, 고통바다에서 괴로워하는 중생들을 법의 그물로 구제하라는 뜻에서라고도 한다.

바람이 없으면 그 존재 의미가 사라져버리는 풍경, 바람을 맞으며 살아가는 풍경은 우리들에게 명상의 소재를 끊임없이 전해주고 있다. 그러나 무딘 귀는 단지 땡그랑거리는 풍경 소리로밖에 들을 줄을 모른다.

난롯가에 앉아 예전에 읽었던 책을 다시 펼쳐보면서 눈에 묻힌 오두막의 살림살이에 고마움을 느낀다. 아씨시의 성 프란치스꼬는 수행자들에게는 그 어떤 종파를 가릴 것 없이 영원한 사표가 될 것이다. 스스로 선택한 그의 '거룩한 가난'은 현대의 우리들에게 물질의 풍요 속에서 도리어 정신적인 궁핍과 자책을 느끼게 한다.

그의 〈발자취(뻬루지아 전기)〉를 몇해 만에 다시 펼쳐든 감회는 새롭다. 그는 760여 년 전에 44세의 한창 나이로 육신을 거두었지만, 그의 투철했던 구도정신과 이웃에 대한 사랑은 세월이 갈수록 더욱 빛을 발하고 있다. 그는 '만인의 형제'임에 틀림이 없다.

'92년 11월 로마에 들렀을 때 그 무렵 공무로 잠시 바티칸에 머물고 계셨던 장익(張益) 신부님의 따뜻한 배려로, 나는 그곳 국무성에 근무하는 사제들의 숙소에 묵으면서 가톨릭 성지를 순례한 적이 있다. 그 가운데서도 평소에 존경하고 흠모해 오던 프란치스꼬 성인의 땅 아씨시를 방문했던 그날의 감격과 기억은 지금도 생생해서 내 가슴에서 출렁거린다.

프란치스꼬 성인이 수도하고 임종한 곳 뽀르찌웅꼴라의 성모 성당. 아주 비좁고 초라하기까지 한 이곳에서 성인과 그의 형제들이 거룩한 가난과 사랑의 싹을 틔워 그 시대뿐 아니라 오늘날까지도 청정한 수도의 모범을 이룬 것이다. 이곳은 작은 형제들의 고향이며 거울이다. 1209년까지 초기 형제들의 기도와 침묵으로 이루어진 수도원이었는데, 내부는 몇가지 장식을 추가했을 뿐 단순하고 소박한 그때의 원형이 그대로 보존되어 있다. 뒷날 이 작은 성당을 품에 끌어안듯 '천사들의 성모 기념 대성당'을 그 위에 세웠다.

성인과 그 형제들이 살았던 3평 정도 되는 조그만 방과 작은 창이 성인의 인품을 그대로 드러내고 있는 듯했다. 성당 가까이에 '눈물의 방'과 지하에 '용서의 방'이 퍽 인상적이었다. 성인이 돌아가신 지 4년 만에 움부리아 언덕 위에 큰 성당을 세워 그곳에 성인의 유해를 모셨다. 이 움부리아 언덕에서 내려다보면 아씨시 시내가 한눈에 들어온다. 중세와 현대가 알맞게 조화된 그런 도시다. 이 거리에서 프란치스꼬 성인이 형성되었는가 싶으니 한결 정답게 여겨졌다.

바로 지척에 글라라 성녀가 살았던 성 다미아노 성당이 있는데, 그 안에 글라라 성녀의 시신이 안치되어 있어 7세기가 지나간 후 한반도의 한 나그네의 발걸음을 그 앞에서 멈추게 했다.

성인을 따라 형제들의 수가 늘어나자 보다 큰집이 필요하게 되었다. 성인이 볼일로 외지에 나간 사이에 지어놓은 새집을 보고 그는 놀라면서 총장을 찾아가 이렇게 말한다.

"이 수도원은 우리 형제회의 모델이자 거울입니다. 그러니 이곳에 오는 모든 형제들이 각자의 수도원으로 돌아갈 때는 가장 아름다운 가난의 모범을 배우고 가야 하지 않겠습니까. 나는 이 수도원의 형제들이 하느님에 대한 사랑으로 안정과 위로보다는 불편과 번잡스러움을 증거하기 바랍니다."

성인은 형제들의 집과 오두막이 참으로 수도자의 신분에 잘 어울리게 보다 작고 보다 검소하면 할수록 만족하게 여겼고 그런 집에 머물기를 좋아했었다. 죽음이 임박했을 때 그는 유언에다가, 가난과 겸손을 보다 안전하게 지키기 위해 형제들의 모든 집과 오두막은 반드시 흙과 나무로만 지어야 한다는 내용을 넣도록 고집했다.

수도원을 짓도록 땅을 희사할 사람이 있으면, 그 지역이 수도원으로 적합한지 혹은 과분하지 않는지를 먼저 결정해야 한다고 했다. 그리고 지키기로 서약한 거룩한 가난의 면모를 잃어버리지 않겠는지, 주위 사람들에게 좋은 모범을 줄 수 있겠는지를 염두에 두어야 한다고도 했다.

절과 교회와 성당을 그저 크고 화려하게만 세우려고 하는 오늘의 우리들은 허세를 거두고 이런 가르침 앞에 반성할 줄 알아야 한다. 자기 반성이 결여된 종교는 온전한 종교일 수 없다.

프란치스꼬 성인은 형제들이 수도원을 그들의 소유로 삼지 말고, 항상 그 속에서 순례자나 나그네처럼 살기를 원했었다.

그는 병약한 몸이면서도 자신에게 아주 엄격했다. 죽을 때까지 갖가지 병을 앓으면서도 곡식과 채소로 된 음식만을 그것도 조금밖에 들지 않았다. 곁에서 간호하던 형제들이 환자의 건강을 염려해서 음식에 약간의 고기를 넣어 요리를 했다.

어느 날 당신이 설교하던 광장에 군중을 모이게 한 다음 이렇게 말한다.

"여러분은 내가 세속을 떠나 형제회에 입회하였으며 형제들을 인도하는 나를 보고 거룩한 사람으로 여기고 있습니다. 그렇지만 하느님과 여러분 앞에 고백합니다만, 나는 아프다는 핑계로 고기와 그 국물을 먹었습니다."

이 말을 듣고 자비심과 연민의 정에 북받친 사람들은 모두 눈물을 흘렸다고 전기 작가는 기록하고 있다. 그 분은 하느님에게 알려진 일을 사람들에게 숨기고 싶지 않았기 때문이다.

한번은 몹시 추운 겨울철에 생긴 일인데, 당신의 비장과 냉증을 치료하기 위해 한 형제가 여우털을 조금 구해 와서 비장과 위장 언저리의 웃옷 안쪽에 그것을 꿰매드리면 어떨까 여쭌 일이 있었다. 그 분은 아무리 추운 날씨에도 겉옷 한벌 외에는 다른 옷을 걸치지 않았다. 이것은 돌아가실 때까지 한결같았다. 그때 성인은 이렇게 대답했다.

"만약 형제가 내 옷 안에다 털을 붙일 생각이라면 밖에도 붙여주시오. 사람들은 내가 부드러운 털옷을 입고 있음을 알게 될 것입니다."

그 분은 안과 밖이 다른 위선을 싫어했기 때문이다.

동서를 막론하고 옛날의 수행자들은 이와 같이 진실과 청빈과 단순을 수도의 생명으로 삼았었다. 곧은 마음(直心)이 도량(道場:수도원)이란 말도 있듯이, 수행자가 정직과 진실에서 이탈하면 그는 진정한 수행자일 수가 없다.

'거룩한 가난'이 진실한 수행에 어떤 의미가 있는지, 한 수행자의 발자취를 더듬으면서 내 자신이 몹시 부끄럽고 초라하게 느껴졌다. 그러나 한편 서책을 통해서나마 프란치스꼬 성인을 만나 그의 가르침에 귀기울이며 공감할 수 있는 인연에, 무한한 감사를 드린다.

지식은 사람을 교만하게 만들기 쉬운데 사랑은 감화를 시킨다. 지식은 행동을 동반할 때에만 가치가 있다. 덕행의 실천보다 더 좋은 설교가 어디 있겠는가. 성인의 거룩한 가난이 오늘의 수행자들을 환하게 비추고 있다.

〈94. 2〉

겨우살이 이야기

내 오두막에는 유일한 말벗으로 나무로 깎아놓은 오리가 한 마리 있다. 전에 살던 분이 남겨 놓은 것인데 목을 앞으로 길게 뽑고 있는 것이 그 오리의 특징이다. 누구를 기다리다 그처럼 목이 길어졌을까. 방안 탁자 위에서 창을 바라보고 있는 형상이 그야말로 학수고대(鶴首苦待)의 모습이다.

종일 가야 말 한 마디 할 일이 없는 나는 가끔 이 오리를 보고 두런두런 말을 건다. 끼니를 챙기러 나갈 때나 아궁이에 군불을 지피려고 방을 나설 때 '나 공양하고 올게' '군불 지피고 오마' 하고 알린다. 외출할 때는 '아무 데 다녀올 테니 집 잘 보거라' 하고, 돌아와서는 '나 다녀왔네. 잘 있었는가?' 하고 안부를 묻는다.

오리는 그저 듣기만 하고 대꾸가 없다. 그러나 내게는 허공을 대하고 말하는 것보다는 구체적인 말의 울림이 있다. 어쩌면 내 귀가 어두워서 그의 목소리 속의 목소리로 하는 말을 알아듣지 못하는 것인지도 모르겠다. 어쨌든 나무로 깎아 만들어놓은 오리이지만 생물의 몸짓을 하고 있기 때문에 오두막에서 내 말벗이 되어주고 있다. 오리가 좀 무료해 할까 봐 최근 그 앞에 기름 등잔을 놓아 두었더니 오리에게 생기가 돌고 전에 없던 어떤 표정이 생긴 것 같다.

눈에 갇혔다가 20일 만에 바깥 나들이를 했다. 장마철이면 연일 비가 내리듯이 눈고장에서는 거의 날마다 눈이 내린다. 그러나 눈은 장마비처럼 지루하거나 답답하지는 않다. 눈 속에서 사는 요령만 터득해 놓으면 깊숙한 겨울의 정취를 마음껏 누릴 수 있다.

먹을 거리는 미리 준비해 두었으니 물과 땔감을 그때그때 마련하면 된다. 물을 길어오려면 20센티미터도 넘게 두텁게 얼어붙은 개울의 얼음장을 깬다. 그보다 먼저 밤새 내려 쌓인 눈을 가래로 쳐서 개울로 가는 길을 내야 한다. 눈을 밟아 다져지기 전에 가래로 밀면 폭 50센티미터쯤의 길이 열린다. 물통 두 개면 혼자서 하루 쓰기에 알맞다.

추울 때는 영하 20도를 오르내리고 좀 누그러지면 영하 7, 8도의 기온이므로 도끼로 얼음장을 뚫어야 흐르는 물과 그 소리가 드러난다. 그런데 얼음장 속으로 흐르는 개울물은 이내 다시 얼어붙는다. 궁리 끝에 두어자쯤 아래쪽에 한군데 더 얼음장을 깨고 숨구멍을 터놓았더니 어지간한 추위로는 얼지 않았다. 궁하면 통한다더니 이번 겨울에 새로 얻어낸 지혜다.

땔감은 지난해 가을 읍내 제재소에서 피죽을 사서 두 차분을 실어 올렸다. 점심공양을 마치고 나서 운동삼아 나뭇간에서 피죽을 톱으로 켜고 도끼로 쪼개고 나면 땀이 촉촉히 배어 하루의 운동량으로는 충분하다. 이번에 읍내 철물점에서 새로 사온 톱이 잘 들어 일하기가 아주 유쾌하다. 이렇게 잘 드는 연장에 어째서 국적을 밝히지 않았는지 알 수가 없다. 톱은 케이스까지 딸린 것으로 상표로 'White Horse'라고만 했지 어느 나라 제품이라고는 밝히지 않았다. 시골 철물점에서 파는 6천원짜리이니 값비싼 수입품은 아닐텐데. 바야흐로 국제화시대임을 이런 데서까지 실감하게 된다.

나는 가끔 내 손을 들여다보면서 고마워할 때가 있다. 나무와 찬물을 다루다보니 손결이 거칠어졌지만 이 손이 아니면 내가 어떻게 살아갈 수 있을 것인가. 물을 길어 오고, 땔감을 마련하고, 먹을 거리를 챙겨주는 것도 이 손이다. 그리고 내 삶의 자취와 생각을 이렇게 문자를 빌려 표현해 주는 것 또한 이 손이다. 이 손이 내 몸을 이루고 있는 한 지체인 줄은 알지만 그 수고에 대해서 새삼스레 감사하지 않을 수 없다.

언젠가 크리슈나무르티의 마지막 메시지를 담은 사진첩에서 그의 손을 보고 깜짝 놀란 적이 있다. 컬러로 된 사진첩에는 맨 끝장에 그의 두 손바닥을 찍은 사진이 들어 있는데, 손가락의 형태며 손금의 모양이 내 손과 너무도 흡사해서 놀랐던 것이다. 친지들도 그 사진과 내 손바닥을 견주어 보면서 그 비슷함에 감탄해마지 않았었다.

내 얼굴을 마주 대하면서 법정 스님을 많이 닮았다는 말을 낯선 사람들로부터 들을 때가 더러 있다. '정말 그럴까' 하고 생각하게 하는 말이다. 이름이란 무엇인가. 이름이 있기 전에 실체가 존재한 것인데, 어째서 우리들은 그 이름에만 매달리려고 하는가.

나는 도대체 누구인가. 무엇이 나인가. 묻고 또 물어도 나의 실체는 선뜻 찾아낼 수 없다. 그렇다고 해서 전혀 없는 것인가. 그 실체가 없다면 이름도 붙여지지 않았을 것이다. 그런데 우리는 그 이름과 껍데기만을 보고 실체로 잘못 알고 있는 것은 아닐까. 그 이름은 언젠가 실체로부터 떨어져 나가기 마련이다. 이름은 한때의 명칭일 뿐 실체와는 다르기 때문이다. 그렇다면 본인을 두고 아무개를 많이 닮았다는 말은 보다 진실한 표현인지도 모르겠다. 그때마다 나는 이렇게 대답한다.

"그래요. 그 스님이 나를 많이 닮았다는 말을 가끔 듣습니다."

노자(老子)는 말한다.

'있고 없음은 서로를 낳아주고, 쉽고 어려움은 서로를 이루어 주며, 길고 짧음은 상대를 드러내주고, 높고 낮음은 서로를 다하게 하며, 음과 소리는 서로 화답하고, 앞과 뒤는 서로를 뒤따른다.'

건성으로 읽지 말고 다시 음미해 보라. 이게 바로 모든 존재를 뒷받쳐주고 있는 우주의 조화다. 이런 도리를 철저히 자기 것으로 인식하게 된다면, 우리는 있고 없음에 연연하지 않고, 쉽고 어려운 일에 집착하지 않으며, 길거나 짧거나 높거나 낮거나 혹은 앞서건 뒤서건 아등바등 할 것이 없다. 모든 일은 상호보완하면서 우주의 질서인 그 조화(調和)에 의해 물이 높은 데서 낮은 데로 흐르듯이 순리대로 이루어진다.

한 생애를 유장한 흐름으로 본다면 매사에 너무 조급하거나 성급하게 서둘지 말아야 한다. 개인의 생활이나 한 나라의 경영에 있어서도 이 조급함과 성급함은 금물이다. 그 많은 시행착오는 바로 이 조급함과 성급함이 낳은 당연한 결과가 아니겠는가. 우주의 숨결 같은 그 조화에 마음을 기울인다면, 지금 이 자리에서 순간순간 삶의 묘미를 터득하게 될 것이다.

며칠 전에 나는 귀한 경험을 했다. 밖에는 함박눈이 끝없이 내리고 앞산에서는 나뭇가지 꺾이는 소리가 들려오는 그런 날이었다. 문득 전에 받은 편지의 답장을 쓰고 싶었다. 이런 날은 붓글씨로 써야 제격일 것 같아 벼루에 먹을 갈다가 쓸만한 종이를 찾아보았으나 마땅한 종이가 눈에 띄지 않았다. 광 한쪽의 도배하고 남은 종이 속에 화선지가 두 장 끼어 있는 걸 보고 나는 얼마나 반갑고 고마워했는지 모른다. 3등분으로 오려서 두루마리로 말았다. 종이를 아끼느라고 작은 글씨로 또박또박 써나가니 내 마음이 아주 고풍스러워졌다. 옛 어른들의 서찰을 보면 귀한 종이를 다루던 청빈한 그 모습이 떠오른다.

오늘날 우리들은, 아니 내 자신은 종이를 너무 헤프게 다룬다. 서탁 곁에 있는 휴지통에는 말짱한 종이가 휴지로 버려지기 일쑤다. 이 종이가 만들어지기까지 어떤 과정을 거쳐서 왔는지, 숲속의 나무로부터 시작해서 낱낱이 그 경로를 추적하게 되면 종이 한 장에 얼마나 많은 공이 들어 있는지 능히 헤아릴 수 있다. 단 두 장뿐인 화선지를 조심조심 다루면서 나는 종이에 대한 고마움을 뒤늦게 절감했다. 역시 작은 것은 아름답다. 그리고 적은 것은 귀하다. 아름답고 귀한 것이 우리들의 삶을 넉넉하게 채워준다고 그날 거듭 되새기게 되었다.

이게 어디 종이만이겠는가. 물건이 너무 흔해 빠진 세상에 살다보니 삶의 향기인 그 아름다움과 귀함과 고마움을 잃어가고 있는 것이다. 우리는 전에 없이 풍요로운 물질문화 속에 살면서도 내면은 메마르고 공허하고 옹색하고 빈곤해졌다.

우리는 우리가 지켜온 것들과 분수에 맞는 생활과 앞날을 생각하지 않고, 대량생산과 대량소비로 치닫는 미국형 산업사회를 성장모델로 삼아왔다. 그렇기 때문에 오늘처럼 심각해진 환경오염과 교통지옥과 범죄와 사회혼란 등, 그리고 왜소하고 황폐된 우리 자신을 만들어낸 것이다.

우리가 내일을 기약하려면 자연과 사람이 함께 살아갈 수 있는 산업구조의 근본적인 변화가 있어야 한다. 그리고 개개인이 적게 갖고, 적게 쓰고, 적게 버리는 전통적인 청빈의 덕성을 회복해야만 한다.

〈94. 3〉

등잔불 아래서

　겨울 안거(安居)를 마치고 사람들이 모여 사는 곳에서 며칠 동안 어정거리다가 돌아왔다. 전등불이 밝은 데서는 어쩐지 몰랐는데, 다시 등잔과 촛불을 켜게 되니 이곳이 바로 내가 사는 곳이로구나 하는 생각이 들었다.

　더 말할 것도 없이 문명의 이기(利器)란 편리하다. 전기만 하더라도 인간이 발명해 낸 여러 가지 문명의 연장들 중에서 큰 몫을 차지해 우리 생활을 편리하고 쾌적하게 해주고 있다. 이제는 산중이건 섬이건 전기가 안 들어간 곳은 거의 없을 정도다. 그러나 내 오두막에는 전기가 없다. 나는 이 점을 오히려 다행하게 여기고 있다.

　그전 같으면 어떻게 해서든지 전기를 끌어들였을 것이다. 내가 20년 전 옛터에 암자를 새로 짓고 살 때에도, 골짜기를 건너 산등성이 너머에서 전기를 끌어다 썼다.

　그러나 이제는 생각이 달라졌다. 어떠한 환경이나 여건을 거스르지 않고 있는 그대로 받아들여 누리는 쪽으로 생각이 기울어진 것이다. 그리고 될 수 있는 한 문명의 연장에 덜 의존하면서 자연의 상태대로 살고 싶다.

이 오두막에 만약 전기가 들어와 있다고 가정해 보면, 상상만으로도 시들하고 맥이 빠진다. 전기가 들어오면 텔레비전이며 냉장고며 오디오 기기도 따라올 것이고, 그밖에 소용되는 온갖 가전제품도 덩달아 밀려들 것이다. 이렇게 되면 그 연장들을 다루느라고 내 의식은 많이 분산될 것이고 오두막이 지닌 맑음과 고요와 단순성을 잃고 말 것이다. 나 같은 기질은 불편한 것은 얼마든지 감내할 수 있지만, 맑음과 고요를 잃게 되면 삶의 알맹이마저 빠져나갈 것이다.

그리고 오늘날처럼 편리하고 풍요로운 세상에서 불편하고 모자람을 지니고 살아갈 수 있는 여건을 나는 오히려 다행한 복으로 받아들이고 싶다. 문명으로부터 멀어질수록 자연과 더 가까울 수 있기 때문이다. 문명에는 독성이 들어 있다. 문명은 점진적으로 사람을 시들게 만든다. 그러나 자연은 원초적인 것이고 건강한 것이며 인간의 궁극적인 의지처이다.

인간의 머리와 손으로 만들어낸 문명이지만, 거기에 너무 의존하게 되면 그 문명으로부터 배반을 당할 때가 반드시 온다. 문명은 온전하지 못한 인간의 작품이기 때문이다.

이 기회에 내 오두막의 불 밝히기에 대해서 이야기해야겠다. 밝은 전등불 아래 길들여진 습관 때문에, 한동안은 몹시 답답하고 옹색하고 불편하게 여겨졌지만, 얼마 지나지 않아 새로운 환경에 적응이 되었다. 이제는 그 안에서 전에 느끼지 못하던 아름다움과 평안과 기쁨을 누리고 있다.

산중에서 사는 수행자들은 해가 떨어지기 전에 저녁을 먹는다. 그래야 저녁 일과에 차질이 없다. 내 오두막은 산봉우리로 둘러싸여 있어 해가 빨리 기운다. 어쩌다 늦은 저녁 공양시간에는 대개 식탁에 초를 두 자루 켠다. 한 자루를 켤 때보다 두 자루를 켜놓으면 간단명료한 식탁이지만 훨씬 풍성하게 보인다. 식탁은 밝고 환해야 음식을 대하는 품위가 있다.

음식을 익히고 그릇을 챙기는 주방에는 촛불을 밝히고 때로는 등산용 가스램프로 환하게 켤 때도 있다. 그러나 가스를 아끼기 위해 꼭 필요할 때에만 사용한다. 그리고 마루방(듣기 좋은 말로 하자면 거실인 셈이다)에는 등유로 호롱불을 밝힌다. 고풍스럽다. 이 불은 취침 전에 끈다.

조석 예불시간에 불단(佛壇)에는 알미늄 곽에 든 초를 유리컵 안에다 켠다. 원래 이 초는 차를 식지 않도록 데우는 데 쓰는 티라이트(tea-light)인데 천장이 낮은 집이라 긴 초를 켤 수 없고, 한뼘이 채 안된 작은 불상 앞에는 이 초가 어울린다. 이 초를 켜두면 벽면에 비친 불상의 그림자가 실체보다 훨씬 크고 장엄해서, 그림자와 실체에 대해서 생각하게 한다.

그림자 없는 실체가 없듯이 실체는 반드시 그 그림자를 동반한다. 그런데 우리는 이따금 맹목이 되어 그림자를 실체로 잘못 아는 경우가 허다하다. 귀신은 그림자가 없다고 하는데 여러 가지로 의미 있는 말이다. 내 그림자는 나를 얼마나 닮았는지, 혹은 내 실체가 어떻게 비쳐지는지 고개를 돌려 내려다볼 때가 더러 있다.

방 한쪽에는 기름등잔을 켠다. 이 기름등잔은 아주 그윽하고 영롱해서 두메산골의 정취를 한결 돋구어준다. 나는 이 기름등잔이 너무 사랑스러워 친지들에게도 켜보라고 권하지만, 그런 운치와 분위기를 누릴 줄 아는 사람은 지극히 드물더라.

운두가 낮은 직경 두어 치쯤 되는 접시에 식용유를 붓고, 심지로는 면실 세 겹 정도로 꼬아서 가장자리에 걸쳐두고 불을 켜면 된다. 심지가 기름에 떠서 움직이는 것을 막기 위해 조그만 조약돌 같은 것으로 심지를 눌러두고 그 돌을 움직여 심지를 조절하면 좋다.

몇해 전 포도주로 이름난 프랑스의 보르도 지방에 갔을 때, 하루는 친구를 따라 대서양 연안으로 나가 망망한 바닷가에서 한나절을 즐겁게 지내다가 온 일이 있다. 물이 빠져 나간 모래톱에서 보석처럼 박혀 있는 예쁜 조약돌을 주워 주머니에 담았었다. 모래톱을 핥는 잔잔한 물결소리를 곁에 두고 맨발로 부드러운 모래를 밟고 다니면서 조약돌을 골라 줍던 무심한 한나절의 풋풋한 기억이, 기름 등잔에 놓아둔 조약돌에서 아직도 은은하게 피어오르고 있다.

좌선(坐禪)할 때는 불꽃이 눈에 들어오지 않는 간접조명이어야 한다. 백자로 된 사발에 '티 라이트'를 켜두면 그 불빛이 오롯하고 푸근해서 선정삼매(禪定三昧)에 들기에 알맞다. 내 경험에 의하면 인간의 정서를 이루는 데 가장 큰 몫을 하는 것은 빛과 소리라고 여겨진다. 빛이 눈부시면 들뜨기 쉽고 너무 어두우면 정신이 몽롱해진다. 소리도 거세면 신경을 자극해서 곤두서게 하고 너무 낮으면 무기력하게 만든다.

밤에 책을 읽거나 글을 쓸 때의 불빛을 위해 여러 가지로 시도를 해보고 나서 가장 알맞고 경제적인 빛을 얻어냈다. 촛불은 흔들리기 때문에 눈이 곧 피로해진다. 한쪽은 백열등이고 다른 한쪽은 형광등인 랜턴을 한동안 사용했는데 건전지의 소모가 너무 심해서 비경제적이다. 등산용 조명기구로 '심포니'라는 등이 있는데, 밝기도 마음대로 조절할 수 있고 뭣보다도 소리가 나지 않아서 좋다. 연료는 부탄가스인데 한 통으로 계속해서 네 시간 삼십 분을 켤 수 있다.

한 가지 아쉬운 점은 불빛을 가려주는 갓이 달려 있지 않아 그 앞에 오래 앉아 있으면 눈이 시그럽다. 이모저모로 생각하던 끝에 햇볕 가리개로 차양만 달린 모자를 구해다 써보았다. 등불의 갓을 내 머리에 올려놓은 셈이다. 거울을 들여다보고 한밤중에 혼자서 크게 웃었다.

지난 섣달 그믐날은 마음먹고 건전지를 사다가 오랜만에 음악을 실컷 들었다. 불교방송을 통해서 좋은 일을 많이 하고 있는 정목 스님이 내게 선물한 음악인데, 그날 오두막 둘레에는 눈이 끝없이 내리고 뒷골에서는 노루 우는 소리가 들려왔다. 난로에 장작을 한아름 지펴놓고 베니아미노 질리의 노래로 '시칠리아 마부의 탄식'과 '마레기아'를 되풀이 되풀이해서 들었다. 내 가슴에 구멍이 뻥 뚫리도록. 질리의 덜 채워진 듯한 그 목청이, 붓글씨로 치면 갈필 맛이 나는 그런 소리가, 저 늦가을 들녘을 스쳐가는 마른 바람결 같은 그의 구슬픈 음색이 가슴에 와 닿았다. 메말라가던 내 가슴에 물기가 촉촉히 배어들었다.

어제는 서울에서 모임을 마치고 밤늦게 오두막으로 돌아오면서 '이 밤중에 뭣하러 이렇게 기를 쓰고 가지?' 하고 스스로 반문해 보았다. 이유는 없다. 거기 가면 내 자신을 만날 수 있고, 내 자신과 보다 가까이 할 수 있으니까.

차를 가지고 온 동료들이 '강남쪽' '서대문쪽' 하고 함께 타고 갈 사람을 찾는 소리에, 나도 덩달아 '영동고속도로' 하고 외쳤다. 물론 따라올 사람도 없고 따라오게 할 사람도 없지만….

〈94. 4〉

봄나물 장에서

연일 바람이 분다. 까슬까슬한 바람이 살갗을 뚫고 뼛속에까지 스며드는 것 같다. 3월에 들어서면서 불기 시작한 이 바람은 4월이 다 가야 수그러든다고 이 고장 사람들은 말한다.

산자락을 굽이굽이 휘감아 불어오는 남도의 부드러운 그런 봄바람이 아니라, 아직도 응달에 남아 있는 눈과 골짝에 얼어붙어 있는 얼음을 훑어서 휘몰아치는 바람이기 때문에 그 결이 거칠고 서슬이 서 있다. 그리고 갑자기 허공에서 골짜기로 내리꽂히듯 불어오기 때문에 그 향방을 종잡을 수가 없다.

이런 날 군불을 지피게 되면 아주 애를 먹는다. 불이 들이다가도 갑자기 아궁이 밖으로 연기와 불꽃이 솟아나오기 때문에 미리 대비하지 않으면 연기와 불꽃에 봉변을 당한다. 풍토(風土), 즉 바람과 흙이 인간의 정신에 어떤 영향을 끼치는가에 대해서 새삼스레 생각하게 한다.

이런 미친 바람 속에서 살다 보면 성질이 거칠어질 수밖에 없겠다는 생각이 든다. 군불을 지피는 아궁이 앞에서, 성미가 너그럽지 못한 나는 불이 낼 때 바람을 보고 욕지거리를 마구 쏟아 놓을 때가 있다. 곁에서 들을 사람이 없으니 마음놓고 퍼부을 수 있다. 그러다 보면 자신도 모르게 말씨가 거칠어지고 성격이 더 급해지기 마련이다. 오늘도 군불을 지피려고 몇차례 시도를 해보다가 불쏘시개만 태우고 말았다. 이렇게 되면 해가 기울 때까지 기다릴 수밖에 없다. 해가 기울고 나면 바람이 자는 수도 있으니까.

남불(南佛)의 아를에 갔을 때 론 강 유역에서 거센 바람이 불었었다. 북쪽 들녘에서 거세게 불어오는 이 바람을 그 고장에서는 '미스트랄'이라고 부른다. 역에서 멀지 않은 호텔 '반 고흐'의 한 객실에 여장을 풀고 밖에 나갔더니 미스트랄이 내 옷깃을 헤치며 파고 들었다. 나는 혼자말로 '미친 바람이 부네'라고 중얼거렸다.

이 미친 바람이 우리 반 고흐를 미치게 만들었을지도 모르겠다는 생각이 들었다. 마스카니의 가극 '카바레리아 루스티카나(CAVALLERIA RUSTICANA)' 중에서 '오렌지 향기는 바람에 날리고'라는 대목이 있는데, 이런 미친 바람 속에서는 오렌지 향기고 귤 향기고 움틀 수가 없겠다. 미친 바람이 멈추어야만 과수원에서도 꽃을 피우고 그 향기를 내뿜을 것이다.

아를에서 버스로 10여 분 가면 퐁비에이라는 시골이 있는데, 그 마을에서 밋밋한 언덕길을 걸어 한참 올라가면 언덕 위에 작은 풍찻집이 하나 있다. 바람이 많은 고장이라 풍차방앗간이 생겼을 법하다. 이곳이 우리 기억에 익숙한 알퐁스 도데의 풍찻간이다. 도데가 1860년 경 〈풍차방앗간의 소식〉의 연작을 썼던

무대가 바로 이곳이다. 바람 때문인지 이를은 일몰이 아름답고
달빛도 한결 투명했다.

봄이 되니 입이 짧아진다. 어제는 군불을 지피다 말고 모처럼
멀리 장을 보러 갔었다. 가는 길에 동해안의 싱그러운 바닷바람
을 마음껏 들이마셨다. 내 호흡기에는 솔바람과 바닷바람이 알
맞게 섞여 있을 것이다. 산골짝에만 묻혀서 지내다보면 좀 뻑뻑
해지는데, 바닷가에 나가면 푸른 물결과 끝없이 펼쳐진 수평선
이 가슴을 한껏 부풀게 한다.

산과 바다는 그 나름의 특성을 지니고 있어, 한쪽에 치우친
삶을 서로 보완해 주는 것 같다. 산의 고요와 침묵은 인간에게
명상의 씨를 뿌려주고, 바다의 드넓음과 출렁거림은 꿈과 움직
임을 만들어낸다. 우리 삶에는 산만 있고 바다가 없어서는 안되
고, 또한 바다만 있고 산이 없어서도 균형잡힌 삶을 이룰 수 없
다. 부성적인 산과 모성적인 바다의 요소가 함께 조화를 이룰
때 삶은 생동감을 잃지 않을 것이다.

강릉에는 두루 갖추어진 중앙시장이 있다. 내게는 시장 안쪽
보다는 그 언저리 길거리쪽이 편리하고 또한 장보는 즐거움이
있다. 길거리에는 살아 있는 싱싱한 푸성귀들이 널려 있다. 저
울로 달아 이미 포장해 놓고 가격을 매긴 상품이 아니기 때문
에, 푸성귀를 사고 파는 과정에서 훈훈한 인정이 오고갈 수 있
어 장보는 즐거움이 따른다.

가까운 시골에서 손수 길러서 가지고 나온 할머니나 아주머니
들의 모습을 대하고 있으면 내 마음이 아주 푸근해진다. 그리고

오늘날 도시에서는 찾아보기 드문 우리 한국인의 본래 모습 앞에 마주서는 것 같아 반갑고 뿌듯하고 조금은 안쓰럽다는 생각이 든다.

화장기 없는 까칠하고 주름진 얼굴과 일에 닳아 거칠고 투박한 손이, 바로 우리 어머니의 얼굴이요 손임을 이런 장바닥에 나와 재확인하는 것이다. 우리는 저마다 가슴 깊숙이에 자기 어머니의 얼굴과 품과 손결을 지니고 있다. 세상살이에 뒤얽혀 평소에는 까맣게 잊고 지내다가도, 자신의 삶에 어떤 충격이 있을 때 삶의 뿌리를 의식하면서 그 얼굴과 품을 떠올린다.

명절 연휴 때마다 그 교통지옥을 뚫고 결사적으로 고향을 찾아가는 것도, 거기 어머니의 얼굴과 품이 기다리고 계시기 때문이다. 어머니가 돌아가시고 안 계실 경우라도, 자신의 고향 생각에는 언제나 변함없이 그 영상이 고이 간직되어 있다. 어머니는 우리 목숨의 뿌리이기 때문에, 가지에는 뿌리로 돌아가고자 하는 본능이 잠재되어 있다.

장바닥에는 싱그러운 봄나물이 많이 나와 있었다. 돌미나리, 쑥, 냉이, 머위 속잎 그리고 바다에서 뜯어 온 쇠미역(구멍이 숭숭 뚫린 물미역)을 천원어치씩 샀다. 푸성귀는 무엇이나 한 무더기에 천원씩이었다. 살 때마다 덤으로 한 주먹씩 더 얹어주었다. 이것이 옛부터 이어져 내려온 후덕한 우리들의 사고 파는 모습이다.

수행자는 물건을 흥정하거나 그 값을 깎지 말라는 규율이 있다. 벌써 30여 년이 지난 일인데도 장으로 푸성귀를 사러갈 때마다 내게는 부끄러운 자책으로 떠오르는 기억이 있다. 해인사 시절인데, 저녁공양 시간이 가까워지면 뱃속이 출출해서 할 일 없이 후원을 기웃거리는 일이 더러 있었다.

20리 밖 산 너머에 사는 시골 아주머니들이 산나물을 뜯어다가 절로 이고 와 파는 일이 봄철마다 있는데, 그날도 후원에 갔더니 절 후원 살림을 주관하는 원주스님이 한 아주머니와 산나물을 두고 흥정을 하고 있었다. 곁에서 지켜보니 서로가 흥정이 잘 안되어 원주스님이 자리를 뜨려고 했다. 그때 내가 아주머니에게 얼마에 팔고 가지 그러세요 하고 끼어 들었더니, 그 아주머니는 한참을 헤아리다가 값이 너무 헐하지만 하는 수 없다는 듯이 그 값을 받고 산나물 보따리를 풀어놓았었다.

그런데 그때 아주머니의 어쩔 수 없이 팔아야 하는 그 얼굴 표정과 집에서 젖먹이 아이가 기다리니 해가 떨어지기 전에 어서 산을 넘어 가야 한다는 말이 나를 몹시 자책하게 만들었다. 좀 더 나은 값으로 팔게 하지 못했던 일이 그후 며칠 동안 나를 몹시 괴롭혔다.

헐한 값이지만 그나마 팔지 않으면 그 무거운 나물 보따리를 다시 이고 20리 산길을 넘어야 하고, 집에서는 어린 것이 엄마가 돌아오기를 기다리며 칭얼거릴 걸 생각하고 서둘러 뒤돌아서는 그 아주머니의 모습이 떠오를 때마다, 나는 오늘 이 땅에서 농사를 짓고 있는 우리 농민들의 처지가 겹쳐서 연상되곤 한다.

가뜩이나 열악한 농업 여건 아래서 엎친 데 덮치기로 값싼 외국 농산물이 마구 밀려드는 현실이니, 우리 어머니들의 얼굴에 주름살이 더 늘어갈 것이다. 앞날을 걱정하지 않을 수 없다.

내가 아는 한 어머니는 장을 보러 가면 필요 이상으로 많은 푸성귀를 사다가 이웃과 함께 나누어 먹는다. 다 팔아보았자 만원어치도 채 안되는 채소를 펼쳐놓고 팔리기를 기다리며 해가 기울도록 앉아 있는 모습 앞을 차마 그대로 지나칠 수 없어서 그런다는 것이다.

이와 같이 사주는 마음이나 내다 팔아서 집안 살림에 보태 쓰려는 그 마음이나 똑같은 이 땅의 우리 마음이다. 어떤 세월 속에서도 우리 마음이 따뜻해야 이 땅이 시들지 않을 것이다. 우리들 마음을 우리 땅을 가꾸듯 잘 가꾸었으면 좋겠다.

〈94. 5〉

Ⅱ
산에는 꽃이 피네

벗은 발로 부드러운 밭 흙을 밟으면서
파릇파릇 올라오는 새싹들을 보며 김을 매고 있으면
마음이 아주 느긋하고 편안하다.
방안에 앉아 좌선할 때보다도
훨씬 즐겁고 신선하다.

– 〈새벽에 귀를 기울이라〉 중에서

정직과 淸貧

　며칠 전에 남도를 한바퀴 돌아왔다. 가는 데마다 꽃이 만발이
었다. 산자락이나 언덕 위에 납작하게 엎드려 있는 보잘것없는
집들이지만, 그 주위에 청청한 대숲이 있고 대숲머리에 살구꽃
과 복숭아꽃이 환하게 피어 있는 걸 보니 결코 가난하게 여겨지
지 않았다.

　지리산의 칠불사 운상선원(雲上禪院)은 둘레에 부속건물이 없
이 선원만 한 채 덩그러니 세워져 있어 산뜻하고 그윽했다. 선
원 뜰가에 그 줄기가 두 아름이 넘는 낙락장송이 한 그루 서 있
는데, 어찌나 훤칠하고 당당하게 보이던지 지금도 눈에 선하다.
거치적거리는 것을 훨훨 벗어버리고 알몸으로 대지에 우뚝 선
그 소나무의 기상이, 영원처럼 솟아 있는 앞산의 봉우리들과 어
울려 수도원의 생기와 평온의 조화를 이루고 있었다.

　새봄과 함께 우리 사회는 지금 새롭게 태어나려고 진통을 겪
고 있다. 썩은 상처를 도려내지 않고는 새살이 돋아날 수 없다.
말로만 전해 듣던 부정부패의 그 실상을 우리 눈과 귀로 직접
확인하면서 지금까지 우리가 함께 거쳐왔던 체제의 허구성 앞에

허탈과 배신감을 느끼지 않을 수 없다.

우리 사회에 만연했던 부정부패가 어디에 그 뿌리를 내리고 있었는지, 어떤 사람들이 우리 사회의 부조리를 만들어왔는지, 이번 공직자들의 재산공개와 교육계의 비리를 통해 그 일부나마 드러난 것이다. 이것이 우리가 몸담고 살아온 우리 사회의 얼굴이요 우리 시대의 실체인가.

분수밖의 욕구인 탐욕은 목마른 허욕일 뿐 근원적으로 내것이 될 수는 없다. 본래 내것이란 없는 법이니까. 어떤 개인의 소유라 할지라도 크게 보면 이 우주의 선물이다.

선물이란 감사히 받아 값 있게 쓸 때 빛이 나고 묵혀두면 썩게 마련이다. 그러므로 개인의 소유란 그 사람이 한때 맡아가지고 관리하고 있는 것. 관리를 잘하면 남에게도 덕이 되고 자신에게도 이롭다. 따라서 그 관리 기간이 연장된다.

그러나 그 '선물'을 욕심사납게 독차지하거나 잘못 관리하면 보이지 않는 손에 의해 당장 회수를 당한다. 이것이 우주질서요 이 세상의 어김없는 도리다. 신이 존재하고 인과의 법칙이 엄연히 존재하는 이유가 바로 여기에 있다.

땅이, 이 대지가 어떻게 투기의 수단이 될 수 있단 말인가. 땅은 생명을 키우고 생산과 창조에 땀흘리는 사람들이 맡아서 경작하는 인간의 대지다. 이 땅이 바로 모든 생명의 원천이며 영원한 어머니다.

대지는 어느 누구에게도 소속될 수 없다. 땅은 수많은 생물들과 함께 우리 인류가 오랜 세월을 두고 땀흘려 일구고 가꾸고 거두어들이면서 의지해 온 삶의 터전이다. 그리고 우리가 살만큼 살다가 언젠가는 돌아가 묻힐 곳 또한 이 대지다. 우리들 삶의 터전이요 어머니이며 돌아갈 곳인 이런 대지가 어떻게 투기의 수단이 되고 탐욕의 도구가 될 수 있단 말인가. 우리는 이 대지 앞에서 항상 나그네로서 겸손함을 지녀야 한다.

톨스토이의 러시아 민화집에 '사람은 얼마만큼의 땅이 필요한가'라는 글이 있다. 탐욕스런 한 사나이가 지평선에 해가 떨어지기 전에 한치라도 더 많은 땅을 차지하려는 욕심으로 걸음을 재촉하다가 지쳐서 쓰러져 죽고 마는 내용인데, 그 소설의 끝은 다음과 같은 글로 맺고 있다.

"바흠(주인공의 이름)의 하인은 괭이를 들고 주인을 위해 구덩이를 팠다. 그 구덩이는 바흠의 머리에서 발끝까지 단 2미터의 길이밖에 되지 않았다. 그는 그곳에 묻혔다."

사람은 자신의 영혼을 제외하고는 아무것도 가지고 갈 수 없다. 그 나머지는 모두 세상에 속한 것이다. 그 어느것도 우리에게 소속된 것이 아니다.

우리가 행복하고 보다 뜻있는 삶을 살기 위해서는 무엇이 필요하고 무엇이 불필요한 것인지, 그때그때 자신의 분수와 처지에서 냉정하게 생각을 가다듬어야 한다. 불필요한 것들에서 벗어나, 소유를 최소한의 것으로 제한하는 것은 정신생활을 보다 자유롭고 풍요롭게 하는 요체다. 자신의 분수를 망각한 채 소유에 마음이 빼앗기면 눈이 흐려져 인간적인 마음이 움트기 어렵다.

《유교경(遺敎經)》에 이런 구절이 있다.

"모든 고뇌에서 벗어나려면 만족할 줄을 알아야 한다. 넉넉함을 아는 것은 부유하고 즐거우며 편안하다. 그런 사람은 맨땅위에 누워 있을지라도 마음에 거리낌이 없어 편안하고 즐겁다. 그러나 만족할 줄을 모르는 사람은 설사 천국에 있을지라도 그 뜻에 흡족하지 않을 것이다."

자신의 분수와 처지를 돌아보고 만족할 줄을 알면 비록 가난할지라도 그는 부자나 다름없고, 많은 재산을 가지고서도 만족하지 못하고 더 욕심을 부린다면 그런 사람이야말로 참으로 가난한 사람이 아니겠느냐는 교훈이다. 욕망과 탐욕의 늪에 갇히게 되면 철철 넘치고 있는 신선하고 풍성한 우주의 흐름을 느낄 수 없다.

새 시대를 꽃피우려면 누구보다도 먼저 공직자들이 솔선해서 정직과 청빈의 덕을 지녀야 한다. 정직하지 않으면 사람들은 믿으려고도 따르려고도 하지 않는다. 청빈이란 단순한 가난이 아니라 자연의 순리에 따라 어려운 이웃과 더불어 사는 덕이다. 그것은 소극적인 금욕원리가 아니라 동양의 전통적인 감성에 뿌리내린 선비정신이며 적극적인 우주와의 합일원리이다.

〈93. 4. 18〉

꽃처럼 피어나게

　요즘 내가 사는 곳에는 돌배나무와 산자두가 활짝 문을 열어 환한 꽃을 피워내고 있다. 그리고 바위끝 벼랑에 진달래가 뒤늦게 피어나 산의 정기를 훨훨 뿜어내고 있다.

　돌배나무는 가시가 돋쳐 볼품없고 쓸모없는 나무인 줄 알았더니 온몸에 하얀꽃을 피우는 걸 보고 그 존재를 새롭게 인식하게 됐다. 산자두 역시 해묵은 둥치로 한겨울의 폭설에 꺾이고 비바람에 찢겨져 대수롭게 여기지 않았었는데 가지마다 향기로운 꽃을 달고 있는 걸 보고 나서야 가까이서 그 둥치를 쓰다듬고 자주 눈길을 보내게 됐다.

　진달래는 산자락보다 벼랑 위에 피어 있는 것이 아슬아슬한 바위와 조화를 이루어 훨씬 곱다. 벼랑 위에 피어 있는 진달래를 보고 있으면 그 꽃을 가지고 싶어한 수로부인에게 소를 몰고 가던 한 노인이 '나를 아니 부끄러워하시면 꽃을 꺾어 바치오리다'라고 노래한 향가(鄕歌)의 〈꽃을 바치는 노래(獻花歌)〉가 떠오른다.

꽃들은 자신을 남과 비교하지 않는다. 돌배나무는 돌배나무로서 있을 뿐이지 배나무를 닮으려고 하지 않는다. 산자두도 산자두로서 족할 따름 자두의 흉내를 내려고 하지 않는다. 벼랑 위에 피어 있는 진달래 또한 산자락의 진달래를 시새우거나 부러워하지 않는다.

이와 같이 꽃들은 저마다 자기 특성을 지니고 그때 그 자리에서 최선을 다해 피어나며 다른 꽃과 비교하지 않는다. 남과 비교할 때 자칫 열등감과 시기심 혹은 우월감이 생긴다. 견주지 않고 자신의 특성대로 제모습을 지닐 때 그 꽃은 순수하게 존재할 수 있다.

그런데 유달리 우리 인간들만이 타인을 의식하고 타인과 비교하려고 든다. 가진 것을 비교하고 지위를 비교하고 학벌을 비교하고 출신교를 비교한다. 이런 결과는 무엇을 낳는가. 시기심과 열등감, 그래서 자기 분수 밖의 것을 차지하려고 무리한 행위도 서슴지 않는다.

오늘날 학교교육은 개인이 지닌 특성을 무시하고 사람의 값을 점수로만 매기고 따지려는 어리석음을 자행하고 있다. 그래서 동료간에 우애와 이해와 협력 대신 시기심과 경쟁력과 좌절감을 안겨준다.

그가 어떤 특성과 기능과 인성을 지닌 어떤 사람인가는 묻지 않고, 대학을 나왔느냐 안 나왔느냐, 또 어떤 대학을 나왔느냐로 그의 인격을 평가하려고 한다. 이 땅에서는 대학을 학문의 전당으로 여기지 않고 마치 결혼을 위한 수단과 사회생활의 발판쯤으로 격하시키고 있는 상황이다.

이런 부조리하고 비인간적인 사회의 흐름 때문에, 그 대학이 어떤 자질을 지닌 사람들에 의해 어떻게 운영되며 무슨 짓을 하는 곳인지 물으려고 하지 않는다. 그저 온갖 수단방법을 통해 거의 결사적으로 매달린 결과가 작금에 드러난 이 땅의 대학과 교육계의 한 단면이다.

현재까지 알게 모르게 이어져 내려온 그릇된 사회적인 통념과 가치의식의 일대 전환, 그리고 교육에 대한 근본적인 개선 없이 들추어내고 잡아들이는 일만으로는 새로운 시대를 이루기가 어려울 것이다.

삶은 개인이나 사회나 인과관계로 엮어진 하나의 고리다. 누가 들어서 그렇게 만들어주는 것이 아니라 내 자신과 우리들 각자가 뿌리고 가꾸면서 거둔다. 또 사람은 저마다 그릇이 다르고 삶의 몫이 있기 때문에, 남의 그릇을 넘어다볼 필요도 없이 각자 자기 삶의 몫을 챙기면 된다.

그릇이 차면 넘치고, 남의 몫을 가로채면 자기 몫마저 잃고 마는 것이 우주의 질서요 신의 섭리임을 어리석지 않은 사람은 알아차려야 한다. 세상에는 공것도 거저 되는 일도 절대로 없다. 눈앞의 이해관계만 가지고 따지면 공것과 횡재가 있는 것 같지만, 시작도 끝도 없이 흐르는 인과관계의 고리를 보면 내가 지어서 내가 받는다. 횡재를 만나면 횡액을 당하기 일쑤다.

며칠 전에 만난 한 친구는 내게 불쑥 이런 말을 했다.

"스님은 거느린 가솔(家率)이 없으니 참 좋겠소. 무자식 상팔자라더니 요즘 내가 이말을 절감하게 됐소."

가끔 듣는 소리지만 이런 말은 한쪽만 보고 하는 소리다. 자식이 없는 사람에게는 속을 썩이건 말건 하나만이라도 자식을 두고 싶을 것이다. 우리 같은 부류들은 아예 모든 것으로부터 자유로워지고 싶어 인습의 대열에서 이탈된 예외자이니 문제 밖이다.

불교의 초기경전인 《숫타니파타(經集)》에 이런 구절이 있다.
"자녀가 있는 이는 자녀로 인해 기뻐하고, 땅을 가진 이는 땅으로 인해서 즐거워한다. 사람들은 집착으로 기쁨을 삼는다. 그러니 집착할 데가 없는 사람은 기뻐할 건덕지도 없으리라."
옳은 말이다. 이와는 다른 입장이 바로 이어서 서술되어 있다.
"자녀가 있는 이는 자녀로 인해 근심하고, 땅을 가진 이는 땅으로 인해 걱정한다. 사람들이 집착하는 것은 마침내 근심이 된다. 집착할 것이 없는 사람은 근심할 것도 없다."
이 또한 지당한 말이다.
아무것도 가진 것 없고 차지한 것도 없지만 맑고 조촐하게 살아가는 사람에게 우리 마음이 끌리는 것은, 그에게서 무엇을 얻으려고 해서가 아니라 그와 함께 모든 것을 버리고 싶어서인 것이다.
산바람에 꽃잎이 흩날리고 있다. 그 빈자리에 새잎이 돋아날 것이다.

〈93. 5. 16〉

새벽에 귀를 기울이라

새벽에 일어나 세수하고 예불하고 점점 밝아오는 창 앞에 허리를 펴고 마주앉아 있는 이 투명한 시간을 나는 즐기고 싶다.

차가운 개울물소리에 실려 어김없이 쏙독새가 '쏙독 쏙독 쏙독' 하고 집 뒤에서 한참을 울어댄다. 달밤이나 새벽에 많이 우는 쏙독새를 일명 머슴새라고도 하는데, 부지런한 이 새의 생태로 봐서 잘 어울리는 이름이다.

이윽고 휘파람소리로 4박자로 우는 검은등뻐꾸기와 이에 장단이라도 맞추듯 '웅 웅 웅' 하고 벙어리뻐꾸기가 새벽을 밝히고 있다. 이와 같은 자연의 소리는 메말라가며 굳게 닫혀진 우리들의 마음을 활짝 열게 해준다. 새벽에 일찍 깨어난 사람들이 누릴 수 있는 조촐한 복이 아닐 수 없다.

이 시간에 거리에는 그 전날 사람들이 어질러놓은 자리를 묵묵히 청소하는 환경미화원들의 거룩한 움직임이 있다. 또 시장에는 새벽장을 여는 부지런한 아주머니와 아저씨들이 있다. 그리고 고속도로에는 밤잠을 자지 않고 밤새워 짐을 나르는 화물차의 행렬이 있다.

이와 같은 새벽 풍경은 곁에서 바라보기에도 뿌듯하고 든든하다. 활기찬 생명력이 이웃에까지 번져오는 것 같다. 하루가 시작되는 이른 새벽에 깨어 있다는 것은 그만큼 자신의 삶에 충실한 사람들이다.

전문가들의 체험에 의하면, 어둠과 밝음이 교차되는 이런 시간이 하루 24시간 중에서도 명상하기에 가장 알맞은 때라고 한다. 명상이란 우리들의 일상적인 삶과 다른 무엇이 아니라 깨어있는 삶의 한 부분이다. 묵묵히 쓸고 닦는 그 일이, 시장에서 무심히 사고 파는 그 행위가, 또한 맑은 정신으로 차분하게 차를 모는 그 운전이 바로 명상으로 이어진다.

어떤 직종에서 무슨 일에 종사하건 간에 자신이 하는 일을 낱낱이 지켜보고 자신의 역할을 자각하는 것이 곧 명상이다. 자신이 어떤 사람인지를 알고 싶으면 자기 자신을 안팎으로 냉철하게 살펴보면 된다. 어떤 사람들과 어울리고, 무슨 일을 좋아하며, 이웃에게 어떤 영향을 끼치고 있고, 무엇을 삶의 최고 가치로 삼고 있는지, 곰곰이 헤아려보면 자기 존재의 실상을 엿볼수 있다.

자기 자신을 살피는 이런 명상의 시간을 갖지 않으면, 자신의 삶을 자주적으로 이끌지 못하고 바깥 소용돌이에 자칫 휘말리게 마련이다. 자신을 안으로 살피는 일이 없으면 우리 마음은 날이 갈수록 사막이 되고 황무지가 되어간다.

오늘날 우리 사회가 이와 같이 총체적인 부정부패로 전락하게 된 것도(물론 가진 사람들의 경우다) 따지고 보면 구조적인 모순으로 돌리기에 앞서, 개개인이 하루 한때라도 자신의 삶을 안으로 살펴보는 자기 성찰의 시간을 갖지 못한 데에 그 요인이 있지 않을까 싶다.

저마다 자기 삶의 몫이 어디에 있는지, 그리고 무엇을 위해 자신이 살고 있는지를 한때라도 생각을 가다듬고 살필 수 있었다면 우리 사회는 지금보다 훨씬 건강해졌을 것이다.

우리는 예전에 물질적으로 너무 가난하게 살아왔기 때문에, 밥술이나 먹고 살게 된 오늘에 와서까지 물질지향적인 성향에서 벗어나지 못하고 있다. 역대정권에서는 국민총생산량에만 관심을 기울였지 국민의 총행복에 대해서는 무관심한 상태였다. 그러나 요즘 정신세계의 흐름을 보면 물질지향적인 데서 벗어나 삶의 질을 문제삼는 영적인 변혁의 시기로 접어들고 있다.

우리가 같은 생물계에 속해 있으면서도 일반동물과는 달리 인간일 수 있는 것은 삶의 가치를 추구하는 그런 존재이기 때문이다. 노사간의 갈등이 쉬지 않고 이어지는 것도 피차가 노동의 대가인 임금만을 문제삼고 노동 그 자체의 가치에 대해서는 전혀 고려하고 있지 않은 데 까닭이 있을 것이다.

근로자들의 복지에 관심을 가진 기업이라면, 근로자들에게 지불되는 보수나 휴가에 못지않게 그들이 하고 있는 일 자체를 중요시해야 한다. 그 많은 산업재해는 인간을 한낱 도구로 여긴 결과 아니겠는가. 마하트마 간디의 말처럼, 노동의 목적은 물건을 만들어내는 것이라기보다 인간을 만들어내는 것이어야 한다.

사람은 어떤 것을 만들어내는 과정에서 자기 자신을 형성해 간다. 자신이 하는 일을 통해서 인간의 형상이 물건에 새겨지기 때문에 노동은 인간의 자기 표현 수단이라고 할 수 있다. 그러므로 불량제품은 그 만들어낸 사람의 삶이 불성실하다는 표현이다. 자신이 만드는 물건을 사용할 사람들의 편의와 처지를 염두에 두고 일을 한다면, 그 제품을 통해 생산자와 소비자 사이에 인간적인 유대가 형성된다. 따라서 그는 단순한 임금노동자가 아니라 자기를 실현하는 구도자일 수도 있다.

농사철에 맞추어 씨앗을 뿌리고 부지런히 땀흘려 가꾸는 농부도 자신이 지은 곡식과 채소가 수많은 사람들의 영양과 건강에 이어진다는 사실을 명심하고 있다면, 그 농삿일이 단순한 생업이 아니고 인간 형성의 길과 하나가 된다.

나는 요즘 해거름에 맨발로 채소밭에 들어가 김매는 일에 재미를 붙이고 있다. 벗은 발로 부드러운 밭 흙을 밟으면서 파릇파릇 올라오는 새싹들을 보며 김을 매고 있으면 마음이 아주 느긋하고 편안하다. 방안에 앉아 좌선할 때보다도 훨씬 즐겁고 신선하다. 흙은 이렇듯 사람에게 생기를 불어넣는 힘의 원천이다. 어떤 명상가는 말한다.

"명상은 창문을 열어놓았을 때 들어오는 산들바람이다. 그런데 일부러 창문을 열고 억지로 불러들이려 하면 그 산들바람은 들어오지 않는다."

새벽에 일어나 자신의 삶에 귀를 기울여보라. '나는 누구인가' 하고 스스로 물어보라.

〈93. 6. 20〉

연못에 연꽃이 없더라

　요즘 강원도 고랭지에는 감자꽃이 한창이라 더러는 발걸음을 멈추고 귀엽게 피어난 그 꽃과 은은한 향기에 반쯤 취할 때가 있다. 감자꽃의 소박한 아름다움을 나는 이 고장에 와 지내면서 비로소 알게 되었다. 우리가 감자를 먹을 때 그 꽃과 향기도 함께 음미할 수 있다면 우리들의 식탁은 보다 풍성하고 향기로워질 것이다.

　풀과 나무는 다들 자기 나름의 꽃을 피우고 있다. 이웃을 닮으려 하지 않고 패랭이는 패랭이답게, 싸리는 싸리답게 그 자신의 삶을 꽃피우고 있다. 생명이 깃들어 있는 것은 어떤 형태로건 저마다 삶의 가장 내밀한 속뜰을, 꽃으로 피워 보이고 있다. 그래야 그 꽃자리에 이 다음 생으로 이어질 열매를 맺는다.

　우리들이 살아가는 고달프고 팍팍한 나날에 만약 꽃이 없다면 우리들의 삶은 얼마나 무미건조할 것인가. 꽃은 단순한 눈요기가 아니라 함께 살아가는 곱고 향기롭고 부드러운 우리 이웃이다. 생명의 신비와 아름다움과 조화를, 거칠고 메말라가는 우리 인간에게 끝없이 열어보이면서 깨우쳐주는 고마운 존재다.

　사람은 단순한 동물이 아니기 때문에 밥주머니를 채우는 먹이만으로 살아갈 수는 없다. 보다 나은 삶을 위해서 때로는 밥 한 그릇보다 꽃 한송이가 더 귀하게 여겨질 수도 있다. 위장을 채우는 일과 마음에 위로를 받는 일은 어느것도 소홀히 할 수 없는 우리들 삶의 중요한 몫이다.

　그런데 이렇듯 아름답고 향기롭고 조촐한 꽃이 어떤 과시나 과소비로 전락된다면, 그것은 더 말할 것도 없이 꽃에 대한 모독이요 고문이다. 단 몇시간을 치장하기 위해 그 많은 꽃들을 꺾어다 늘어놓는 일은 어떤 명분을 내세운다 할지라도 그것은 꽃다운 일이 못된다. 장례식을 비롯하여 행사장에 무더기 무더기로 동원되어 시들어가는 꽃들을 대할 때마다 탐욕스럽기까지 한 인간들에게 같은 인간으로서 실망과 거부반응을 지니지 않을 수 없다.

　무고한 꽃들을 괴롭히지 말 일이다. 과시와 허세와 탐욕으로 여리고 사랑스런 꽃을 짓밟지 말 일이다.

　7월은 연꽃이 피는 계절. 엊그제 전주 덕진공원에 가서 연꽃을 보고 왔다. 해마다 7월 중순이면 마음먹고 덕진에 가서 한나절 연못가를 어정거리면서 연꽃과 놀다가 오는 것이 내게는 연중 행사처럼 되어 있다.

　장마철이라 그날은 부슬부슬 비가 내렸다. 다른 구경꾼도 없었다. 우산을 받쳐들고 연못을 가로지른 다리 위에서 연꽃만이 지닌 신비스런 향기를 들으면서(맡는다는 표현은 좀 동물적이니까) 연잎에 구르는 빗방울을 한참 지켜보았다. 줄기차게 내리는 빗방울도 연잎에서는 겨우 좁쌀알 정도밖에 되지 않는다는 사실을 비로소 알았다.

빗방울이 연잎에 고이면 연잎은 한동안 물방울의 유동으로 함께 일렁이다가 어느만큼 고이면 크리스탈처럼 투명한 물을 미련 없이 쏟아버리는데 그 물이 아래 연잎에 떨어지면 거기에서 또 일렁이다가 도르르 연못으로 비워버린다.

이런 광경을 무심히 지켜보면서, 아하 연잎은 자신이 감당할 만한 무게만을 싣고 있다가 그 이상이 되면 비워버리는구나 하고 그 지혜에 감탄했었다. 그렇지 않고 욕심대로 받아들이면 마침내 잎이 찢기거나 줄기가 꺾이고 말 것이다. 세상 사는 이치도 이와 마찬가지다. 연꽃을 제대로 보고 그 신비스런 향기를 들으려면 이슬이 걷히기 전 이른 아침이어야 한다.

돌아오는 길에 모처럼 독립기념관에 들러보았다. 한가지 일을 내 눈으로 확인하기 위해서였다. 내가 존경하는 원로화가로부터 작년('92년)에 들은 말인데, 나는 그때의 말을 듣고 적잖은 충격을 받았었다.

독립기념관을 지을 때 정원에 대해서 관계기관으로부터 자문이 있어, 연못에 백의민족을 상징하는 백련(白蓮)을 심도록 했다. 그래서 화가는 멀리 지방에까지 수소문을 하여 어렵사리 구해다가 심게 했다.

그후 연이 잘 크는지 보기 위해 가보았더니, 아 이 무슨 변고인가. 연은 어디로 가고 빈 못만 덩그러니 있더라는 것. 그래 무슨 일이 있어 빈 연못으로 있는지 그 까닭을 알아보았더니, 어처구니 없게도 인위적인 제거였다는 것이다. 지금도 안내판에는 '백련못'이라고 똑똑히 써 있었는데 8천평 가까운 그 백련못에 연은 한포기도 없었다.

이런 현상은 독립기념관만이 아니고 경복궁과 창덕궁에도 마찬가지라고 했다. 연꽃철이 되어 혹시나 해서 어제 빗길을 무릅쓰고 경복궁과 창덕궁의 비원을 일부러 찾아가보았다.

경복궁 서북쪽에 큰 연못이 있어 나는 서울 근교에 살 때 연꽃을 보러 일부러 찾아간 적이 몇차례 있었다. 거기 연못 속에 향원정(香遠亭)이란 정자가 있는데 송대(宋代)의 한 학자가 연꽃을 기린 글 〈애련설(愛蓮說)〉에서 따온 이름으로, 연꽃 향기가 멀리서 은은히 풍겨온다는 데서 유래된 이름이다. 연못에는 연꽃도 그 향기도 자취가 없이 비단 잉어떼의 비린내만 풍기고 있었다. 경회루 연못도 마찬가지였다.

비원에는 연꽃의 다른 이름인 부용(芙蓉)에서 따온 부용정(亭)과 부용지(池)가 있지만 역시 연꽃은 볼 수 없었다. 불교에 대한 박해가 말할 수 없이 심했던 조선왕조 때 심어서 가꾸어온 꽃이 자유민주주의 체제 아래서 뽑혀나간 이 연꽃의 수난을 우리는 어떻게 받아들일 것인가.

꽃에게 물어보라.

꽃이 어떤 종교에 소속된 예속물인가.

불교 경전에서 연꽃을 비유로 드는 것은 어지럽고 흐린 세상에 살면서도 거기 물들지 말라는 뜻에서다. 불교신자들은 연꽃보다 오히려 백합이나 장미꽃을 더 많이 불전에 공양하고 있는 실정이다.

아, 연못에서 연꽃을 볼 수 없는 그런 시대에 우리가 지금 살고 있다.

〈93. 7. 25〉

〔後記〕

신문에 이 기사가 나가자 청와대측에서는 진상을 알아보도록 지시했는데, 연못에 있는 비단 잉어가 다 뜯어먹은 것으로 보고되었다고 했다. 대통령께서 일부러 필자인 내게 사람을 보내와 일러주었다. 그러면서 다시 예전처럼 연못을 가꾸어 놓으라고 지시해 놓았다는 것이다. 그 지시가 제대로 이행되었는지 여부를 나는 확인할 기회를 갖지 못했다. 그러나 물고기는 사람들처럼 자기네의 먹이를 씨까지 말려가면서 한꺼번에 모조리 뜯어먹는 일은 결코 하지 않는다. 전주 덕진 연못에는 물고기들이 많이 살지만 연꽃은 무성하다.

광복절에 생각한다

　이번 태풍의 영향으로 개울물이 불어나 오두막으로 이어진 다리가 떠내려갔다. 비가 멎은 날 아침 개울가에 내려가 다리가 없어진 걸 보고 허망한 감회와 함께 아하 지금까지 이 다리가 세상과 나를 이어주고 있었구나 하는 생각이 들었다. 개울물이 줄어들기까지는 산을 내려갈 수가 없게 되었다. 고립무원(孤立無援)이란 말을 실감할 수 있다.

　통나무로 걸쳐 놓은 다리를 건너다니면서도 이 다리가 세상과 나를 이어주고 있다는 생각을 미처 못했었다. 하룻밤 사이에 다리가 없어져버리니 이 산중이 갑자기 바다에 떠 있는 섬처럼 여겨진다.

　우리에게는 건너다니는 다리 말고도 이웃 사이에 놓여진 인연의 다리, 관계의 다리가 있다. 눈에 보이는 다리가 무너지면 다시 놓으면 된다. 그러나 관계의 다리가 불편하거나 단절되면 인간의 영역이 그만큼 위축되고 상처를 입는다. 관계는 누가 만들어주는 것이 아니라 우리들 자신에 의해 만들어진다. 그러면서 관계 또한 우리들을 만들어간다.

한사람 한사람의 인간이 자신 안에 하나의 세계를 가지고 있다. 그리고 그것은 지나온 과거와 다가올 미래를 함께 지니고 있는 신비로운 세계다. 이와 같은 신비로운 세계끼리 마주치는 일은 서로에게 영향을 주고 받으면서 새로운 삶을 이룬다. 이런 현상은 개인만이 아니라 사회나 국가 간의 관계도 마찬가지다.

우리는 잔악한 일제 식민통치의 36년을 잊지 않고 있다. 그 일제의 쇠사슬에서 풀려나긴 했지만 조국 분단 48년을 맞고 있다. 해마다 광복절이면 일제 식민통치의 뼈아픈 기억과 함께 분단의 통분을 되새기지 않을 수 없다.

광복 48주년, 거의 반세기만에 와서야 옛 총독부 건물과 총독의 관저를 헐겠다는 문민정부의 확고한 의지 아래, 우리는 민족 정기와 자존을 뒤늦게나마 되찾게 되었다. 헐어내는 비용을 구실삼아 어물어물 넘겨온 과거의 정권은 그만큼 자신감과 민족의 주체의식이 모자랐다고 밖에 볼 수 없다. 정권 언저리에서 거래된 부정부패의 막대한 물량에 비하면 비용 운운은 한낱 핑계에 불과했다는 것을 알 수 있다.

가깝고도 먼나라로 한일관계를 들추고 있다. 공간적인 거리는 바로 지척인데 양쪽 의식의 거리는 아직도 천만리다. 밖에 나가서 일본 사람들과 마주칠 때 흔히 이쪽에서는 그들을 무시하거나 얕잡아보려는 경향이 있고, 저쪽에서는 우리를 보고 얼마쯤 두려워하고 회피하려는 눈치다.

이웃나라 사람들끼리 어째서 이런 떨떠름한 마주침이 되었을까. 더 물을 것도 없이 과거의 역사가 이를 뒷받쳐주고 있다. 우리는 언제까지나 이런 과거의 어두운 기억에만 안주해야 할 것인지 곰곰 생각해 볼 일이다.

김포공항 밖으로 날아가보면 지구촌 곳곳에서 일본의 실세를 느끼지 않을 수 없다. 낯선 이국의 거리에서 우리 손으로 만든 자동차를 한두 대만 보고도 우리는 얼마나 반가워하면서 가슴 뿌듯해 하는가. 그런데 미주건 유럽이건 동남아건 어디를 가나 길목마다 일본차들이 줄을 잇고 있다. 그들의 가전제품 또한 가정마다 깊숙이 들어가 있다. 세계의 도시마다 일본인 관광객들이 즐비하다.

다행히 우리나라의 도로에서는 일제차가 별로 눈에 띄지 않는다. 그렇지만 국내에서 만들어진 자동차의 중요한 부품은 일본에서 들여온 것들이 많다. 중장비차며 기계류만이 아니라 주방기구, 문구류, 식료품까지도 우리의 눈길을 끌고 잘 팔린다.

자, 이런 나라를 어떻게 우리가 무시하고 얕잡아보며 깔보기만 할 수 있겠는가. 태평양전쟁으로 잿더미가 된 나라가 오늘날 세계에서 주목하는 경제대국이 되었다는 사실을 허심탄회하게 직시할 수 있어야 한다. 그들의 국력은 경제만이 아니라 각 분야에서 세계에 두각을 드러내고 있다.

아시아에, 즉 우리와 우리 이웃에 일본이나 중국과 같은 막강한 국력들이 존재한다는 사실을 우리는 두려워하기 이전에 다행스럽게 생각할 줄도 알아야 한다. 서양인들이 무시하고 깔보아 오던 아시아, 그 아시아의 막강한 저력 앞에 그들은 새로운 눈으로 보게 되었다.

문화적인 배경이나 인정 풍습으로 보더라도 미국이나 유럽보다는 일본이나 중국쪽이 훨씬 우리에게 가깝다. 이웃끼리는 개인이건 국가건 서로 도우면서 살아가야 한다. 과거사에만 집착한 나머지 관계가 개선되지 않으면 서로에게 아무런 도움도 되지 않는다.

　　그들이 오늘날 세계에서 무시할 수 없는 큰나라가 된 그 요인이 어디에 있는지, 가슴으로가 아니라 머리로 생각할 수 있어야 한다. 그래서 그들에게서 배우고 본받고 받아들일 것이 있다면 과감하게 받아들이고, 배울 것 없고 본받을 것 없고 받아들일 수 없는 것은 가차없이 밀어내야 한다. 일본을 극복하려면 먼저 그들을 바로 알고, 우리에게 모자란 그들의 장점을 수용하면서 우리 안에 잠재된 창의력을 일깨워야 한다.

　　우리는 지나온 과거사에 너무 집착하는 것 같다. 그 과거의 무게 때문에 현재의 삶이 위축되거나 폐쇄된다면 우리의 현재와 미래는 제대로 열릴 수 없다. 특히 우리나라의 정치풍토는 이 과거의 수렁에 빠져 헤어날 줄을 모른다. 안타깝다. 온전한 삶에는 반복이란 없다. 늘 새로운 시작이 있을 뿐이다. 우리가 산다는 것은 과거나 미래가 아니고 지금 이 자리에서 이렇게 살아간다.

　　이웃으로 이어진 다리는 튼튼하게 놓여져야 진정한 이웃이 될 수 있다. 이 냉혹한 국제 경쟁사회에서 우리가 제대로 어깨를 펴려면, 우리 것을 되찾아 계승 발전 시키면서 이웃 나라와의 관계도 개선돼야 한다. 광복절에 생각한다.

〈93. 8. 15〉

적게 가지라

지대가 높은 이곳 두메산골은 청랭한 대기 속에 가을 기운이 번지기 시작이다. 이 골짝 저 골짝에서 붉나무가 붉게 물들고 개울가에는 용담이 말쑥하게 보랏빛 꽃을 머금고 있다. 산자락에도 들국화가 무더기 무더기로 피어오른다. 설렁설렁 불어오는 가을 바람소리에 귀를 기울이고 있으면 사는 일이 조금은 적막하고 허허롭게 여겨질 때가 있다.

인간은 누구나 그 마음의 밑바닥에서는 고독한 존재다. 이런 인생의 실상을 받아들이면서 그 안에서 자기 나름의 정신공간을 찾는 일이 삶의 지혜가 될 것이다.

지난 봄 오두막 뒤꼍에 산자두 꽃이 눈부신 장관을 이루더니, 여름철에는 그 열매가 주렁주렁 가지마다 실하게 열리었다. 이따금 폭풍우가 불어닥칠 때면 열매의 무게를 이기지 못해 가지가 찢겨 나갔다.

이런 현상을 지켜보면서, 지닌 것이 너무 많으면 비바람이(자연의 질서가) 그 나무의 생존을 거들기 위해 가지를 쳐주는가 싶었다.

가끔 장에 내려가는 김에 묵은 신문을 들추어보는데, 공직자 재산공개에 따른 뒷소식을 대하면서 어마어마한 그 소유의 단위에 놀라지 않을 수 없다.

우리가 익히 알고 있듯이, 개인의 소유란 원천적으로 그 개인의 차지로만 그칠 수 있는 성질의 것은 아니다. 어떤 소유라 할지라도 이 세상의 공유물을 개인이 한때 맡아가지고 있을 뿐이다. 이 세상에 태어날 때 가지고 나오는 사람이 어디 있는가. 또 살만큼 살다가 이 세상을 하직할 때 밭 한뙈기 동전 한닢이라도 가지고 가는 사람 보았는가. 빈손으로 왔다가 빈손으로 가는 것이 우리들 삶의 실상이다.

이 세상의 공유물이기 때문에 한때 자신에게 맡겨진 선물로 겸허히 받아들일 줄 알아야 한다. 그 선물을 올바르게 선용하면 관리 기간이 연장될 수 있지만, 묵혀두거나 잘못 오용하면 이내 회수되고 마는 것이 우주의 질서라고 나는 생각한다.

굳이 문민시대의 사정정국이 아니라도 이런 질서는 인류사회에서 엄연히 존재해 오고 있다.

사실 개인이 지닐 수 있는 소유에는 한계가 있는 법이다. 사람마다 그 그릇이 있는데 그릇이 차면 넘치게 마련이다. 그 그릇을 나는 덕(德)이라고 말하고 싶다. 옛말에도 있듯이 덕은 반드시 이웃을 거느린다. 사람은 근원적으로 사회적인 존재이기 때문에 이웃과의 관계를 지니지 않고 홀로 살아갈 수는 없다.

시간적으로나 공간적으로 가까이 있다고 해서 이웃이 되는 것은 아니다. 기쁨과 슬픔을 나누어 가질 때, 즐거움과 고통을 분담할 때 우리는 이웃이 된다. 자신이 지닌 것을 함께 나누어 가질 때 무연(無緣)한 타인끼리도 가까운 이웃이 된다.

부패의 병균은 그 시대의 공기 속에 들어 있다. 지난 80년대에 땅투기는 재산증식의 수단으로 돌림병처럼 성행했었다.

국민이 선택하지 않은 정권 아래서 가진 사람들은 더 많이 갖기 위해 동분서주 혈안이 되어 있었다. 재산공개 공직자 1천 1백67명과 그 가족의 등록된 토지만도 자그마치 1천5백만 평, 1인당 평균 1만2천 평에 이른다니 이러고도 떳떳한 공직자라 할 수 있겠는가.

나는 여기서 문득 이런 생각을 하게 된다. 부정과 부패의 시류에 휩쓸리지 않고 자기관리를 철저히 하면서 청렴결백하게 자신의 임무를 성실히 수행해 온 공직자도 적지 않을 것이다.

이웃으로부터 무능력자로 따돌림과 불이익을 당하면서도 꿋꿋하게 자신의 분수를 지켜온 그들의 있음이, 이 땅의 공직사회를 지탱하고 앞으로도 또한 그렇게 이어나갈 것이다. 자기 자신 앞에 진실하고 정직한 사람만이 비록 가진 것은 없더라도 자신의 삶을 당당하게 꾸려갈 수 있다.

권력이나 지위를 이용해서 모은 재산 때문에 물러나는 공직자들은 미련없이 그 재산을 사회에 되돌려주는 것이, 소유의 집착과 그 멍에에서 벗어나는 길이라고 한다면, 세상 물정을 모르는 순진한 소리일까. 누에가 자신이 뽑아낸 고치에 갇히듯이, 자기 자신이 끌어 모은 획득물 속에 갇혀 남의 눈치나 보면서 살아간다면 마음 편할 날이 없을 것이다.

그리고 물러가는 사람들을 두고 너무 몰아세우지 말아야 한다. 허물만 들추어내어 규탄할 게 아니라 공적도 인정해 줄 것은 인정해 주어야 한다. 그들도 우리 시대의 이웃이고 동반자이며 희생자다.

　행복의 비결은 우선 자기 자신으로부터 불필요한 것을 제거하는 일에 있다. 사람이 마음 편히 살기 위해서 무엇이 필요하고 무엇이 필요하지 않은지 크게 나누어 생각할 줄 알아야 한다. 진정한 자기 자신이 되려면 자기를 억제할 수 있어야 한다. 인간을 멍들게 하는 분수 밖의 소유욕에 사로잡히게 되면, 그 소유의 좁은 골방에 갇혀 드넓은 정신세계를 보지 못한다.

　있어도 걱정, 없어도 걱정이라더니 요즘 새삼스레 떠오르는 말이다. 그러나 자신의 분수를 알고 투철한 자기 질서를 지니고 살아가는 사람들에게는 있어도 그만이고 없어도 그만일 것이다. 어쨌든 가진 것이 많으면 걱정 근심도 많게 마련이다.

　적게 가질수록 더욱 사랑할 수 있다.

　넘치는 것은 모자람만 못하다.

　적게 가지면 걱정 근심도 적다.

　가난한 이웃이 많은 우리 처지에서 적게 가지고 어디에도 꿀릴 것 없이 홀가분하게 살자. 이 또한 풍진 세상을 살아가는 삶의 지혜다.

〈93. 9. 19〉

밖에서 본 우리

　잠시 밖에 나와 이 글을 씁니다. 파리 근교 토르시의 '작은 숲'이라는 조용하고 깨끗한 동네에, 송광사 파리 분원으로 명상의 집이 마련되었습니다. 2년 전 유럽 여행길에 파리에 들렀을 때, 이곳 교민과 유학생들의 요청으로 몇차례의 집회를 가진 바 있었는데, 그때 오고간 이야기들이 씨앗이 되어 길상사(吉祥寺)라는 조촐한 절이 이번에 이루어진 것입니다.

　이 일에는 많은 사람들의 성원과 열의와 물질적인 지원이 뒷받침되었습니다. 유럽의 관문인 파리에 한국 절이 생겼다는 것은 한국불교의 유럽 진출이라는 외형적인 사실보다도, 우리 한국인의 종교적인 의지와 그 삶의 모습이 유럽 사회에 선보이게 된다는 점에서 무거운 책임과 사명이 주어진 것이라고 여겨집니다.

　이 명상의 집은 현지 불교신자만의 집합장소로 그치지 않고, 우리 한국의 문화와 전통을 유럽 사회에 알리고 싶는 역할도 함께 할 수 있기를 염원하고 있습니다. 잘못된 물질문명의 여파로 인간의 설 자리가 날이 갈수록 위축되고 있는 암담한 오늘, 인류의 미래에 희망을 갖게 하는 일은 동양의 지혜인 명상을 생활화함으로써 그 통로가 열리리라고 기대됩니다.

밖에 나와서 보면 안에 있을 때보다도 우리의 실체가 더 환히 드러나 보입니다. 이곳에 와서 양식 있는 교민들과 유학생들을 만나보고. 그들의 눈을 통해 새삼스레 우리 얼굴을 들여다보게 됩니다.

많이 나아져가고는 있지만. 아직도 국제사회의 수준에는 미흡하다는 단서를 달면서 하는 이야기에 귀를 기울여봅시다. '빨리 빨리'의 조급함을 우리는 아직도 몸에 달고 다닙니다. 유럽 어디를 가나 한 길의 교차로에서 푸른 신호등으로 바뀌기 전에 차가 성급히 출발하는 일은 보지 못했습니다. 신호등이 없는 뒷거리에서도 정지 표지판이 있으면 지나가는 차나 통행인이 없더라도 반드시 일단 멈추어 서는 것이 예절이고 질서입니다.

우리나라 관광객이 많이 드나드는 나라에서 '빨리 빨리'라는 말만은 현지인들에게도 널리 알려져 있는 실정입니다. 기껏 달려봐야 두 시간밖에 더 갈 데가 없는 동강난 비좁은 땅덩이에서 우리 경제력에 힘겨운 막대한 예산으로 고속전철을 놓아야 하는 것도 이 빨리빨리의 조급함이 뒷받침하고 있을 것 같습니다. 그저 빨리빨리에 밀리고 있는 우리는 어디를 향해서 가고 있는지 스스로 물어보아야 합니다.

마주치는 길거리에서 어깨를 툭툭 치면서 지나가면서도 미안하다는 말 한마디 없는 것도 우리가 고쳐야 할 무례하고 이기적인 동작입니다. 이도 또한 빨리빨리에서 온 행태일 것입니다.

우리도 이제는 우리 것에 대한 긍지와 자존과 자신감을 챙겨야 할 때라고 생각합니다. 해외 유학에 대한 문제인데, 많은 돈과 정력을 들여서 해외에서 배운 것만큼 실효를 거둘 수 있는가 하는 의문입니다.

한마디로 말할 수 있는 사안은 아니지만, 당사자의 자질과 그 역량은 생각하지 않고 무조건 해외로 유학을 보내기만 하면 크게 되는 걸로 잘못 생각하는 부모들이 더러 있습니다.

국제사회에서 견문을 넓히면서 배우고 익히는 일이 인간형성의 길에 도움이 되는 것은 사실입니다. 그렇지만 그것은 학구적인 열의와 탐구력과 자기 주관을 지닌 소수에 국한되는 경우입니다. 많은 사람들이 '해외유학'이라는 허울좋은 이름에 팔려 공연히 돈과 시간과 체력을 소모하고 있는 것은 아닌지 염려가 됩니다. 밖에 나와 보면 여러 곳에서 목격되는 떨떠름한 현실입니다.

현지에서 들은 이야기인데, 특히 여학생의 경우 믿을만한 친지나 미리 거처를 마련해 놓지 않고 무턱대고 나와서 방을 구하려고 할 때 예상 못했던 일들이 벌어진다고 합니다. 유럽 어디를 가든지 외국인들이 방을 구하기는 지극히 어렵습니다. 현지의 언어도 제대로 소통되지 않는 상태에서 방을 구하려고 하면, 자연히 이 사람 저 사람의 도움을 받게 마련인데 이 과정에서 불미스런 일이 충분히 벌어질 수 있다는 것입니다. 또 이런 경우를 노리는 못된 외국인과 내국인이 있다고 하니 조심할 일입니다.

이곳에서 고등학교와 대학을 다니는 몇몇 교민의 자제들을 만나 이야기하면서, 우리 교육이 얼마나 인간을 괴롭히는 잘못된 교육인지를 실감합니다. 우리 학생들은 입시지옥에 잔뜩 주눅이 들어 청소년으로서 지녀야 할 정상적인 정서를 지닐 수가 없습니다. 늘 무엇에 짓눌리고 쫓기는 초조하고 불안한 얼굴들입니다. 성장과정부터가 이러니 그들이 성인이 되었을 때 한국인의 인성과 인격에 적잖은 문제가 따를 수밖에 없습니다.

거리에서 마주치는 이곳 학생들 얼굴에는 그런 그늘이 전혀 없이 젊음으로 활달하고 생기에 넘쳐 있습니다. 공부나 연구를 해도 혼자가 아니라 친구와 함께 할 수 있는 공동과제를 준다고 합니다. 우리 교육은 앞을 다투어 수석을 차지하도록 부추기는 교육, 경쟁심만 잔뜩 조장하는 그런 비인간적인 교육이 아닙니까. 서로 도와가면서 함께 협력하는 교육환경 아래서 자란 사람들과 국제사회에서 그 역량을 겨룰 때 어떤 결과가 나올지는 뻔한 일입니다. 우리가 신한국을 창조하려면 하루바삐 비인간적인 교육에서 탈피, 인간을 위한 교육으로 그 제도가 크게 혁신되어야 합니다.

가을날씨로 치면 이 지구상에서 우리가 가장 혜택받는 나라일 것입니다. 우리가 마시는 식수는 뭐니뭐니 해도 아직은 양호한 편입니다. 우리의 국토와 하천이 허물어지거나 더럽혀지지 않도록 지키고 보살피는 일이, 이 시대 이 땅에 사는 우리의 의무요 사명으로 여겨야 합니다. 요즘 이 고장의 날씨는 변화가 무쌍해서 우리 가을날씨가 더욱 귀하게 여겨집니다. 평안히들 계십시오. (빠리에서)　　　　　　　　　　　　　　〈93. 10. 17〉

가장 좋은 스승은 어머니다

나무들은 털어버릴 것을 훨훨 털어버리고 빈 몸으로 겨울맞이 채비를 하고 있다. 한동안 달고 있던 잎들을 미련없이 떨치어 그 발치에서 잠들게 한다. 낙엽귀근(落葉歸根), 지는 잎은 뿌리로 돌아간다. 새 봄이 오면 그 뿌리에 스며들어 줄기를 타고 잎과 꽃과 열매로 변신하면서 다시 나무가 된다.

끝없이 되풀이되는 생명의 순환 앞에 우리들 자신의 삶을 되돌아보게 한다. 계절이 바뀔 때마다 지나간 세월을 아쉬워할 게 아니라, 되풀이되는 이 반복 속에서 보다 심화된 삶을 가꾸어 나가야 한다.

또 한 차례 대학입학을 위한 시험 때문에 이 땅의 수많은 청소년과 학부모들은 가슴을 죄면서 고통을 겪어야 했다. 나는 자식을 둔 학부모는 아니지만 이웃에서 겪는 그 고통을 볼 때마다 어떤 것이 진정한 교육인지, 우리가 무엇을 위해 그 비좁고 비정한 문을 거쳐야만 하는지 생각하지 않을 수 없다. 그리고 이 땅의 빗나간 교육제도에 대해서 걱정을 나누어 갖지 않을 수 없다.

≪녹색평론≫ 최근 호에서 인도 출신의 생태운동가이며 교육자인 사티쉬 쿠마르의 글을 읽고 공감된 바가 많아, 독자들과 함께 진정한 교육에 대해서 생각해 보고자 한다. 이 글은 지난 4월 초에 영국의 '과학 및 의료 네트워크'가 조직한 '신비가들과 과학자들'이라는 주제의 모임에서 이야기된 것을 발췌한 것이라고 편집자는 주를 달고 있다.

사티쉬 쿠마르는 자신의 체험을 이렇게 고백하고 있다.

"전통적인 의미에서 나는 제대로 교육을 받지 못한 사람입니다. 학교에 다니지도 않았고 대학에도 다니지 않았고 학위도 없습니다. 그러니까 정상적인 의미에서 나는 교육받지 않은 사람입니다. 나의 스승도 또한 교육받지 않은 사람입니다. 그런데 이 자리에서 나는 최고의 스승인 나의 어머니에게 깊은 경의를 표합니다. 따라서 이 세상의 모든 어머니들에게 어머니인 당신들보다 더 좋은 스승은 있을 수 없다고 말씀드리고 싶습니다."

그는 어떤 대학도 학교도 책도 다른 그 무엇도 어머니가 되는 방법을 가르쳐줄 수는 없다고 말한다. 그는 순례와 여행의 과정에서 버트런드 러셀, 마틴 루터 킹, 그의 또 다른 스승 비노바 바브 같은 현자들을 두루 만나고, 슈마허에게서 많은 것을 배우고 은혜를 입는다. 그렇지만 이들을 어머니보다 윗자리에 둘 수는 없다고 했다. 그의 어머니는 자신의 생각이나 관념, 견해를 준 일이 없이 오직 사랑을 주었을 뿐이라고 한다.

자기 어머니의 관점에서 볼 때 아이들은 텅 빈 물통이 아니라 하나의 씨앗, 한 개의 도토리라는 것. 어떤 식물학자나 정원사도 도토리에게 참나무가 되는 방법을 말해 줄 수는 없다. 그 작은 씨앗 속에 거대한 참나무로 자라나서 수백년을 살고 수백만 개의 도토리와 나뭇잎과 줄기를 만들어낼 그런 힘이 들어 있다고 그의 어머니가 가르쳐준 것이다.

어머니는 아들에게 많이 걸으라고 일깨워준다. 우리는 오늘날 탈 것에만 의존한 나머지 마치 다리가 없는 것처럼 살고 있다. 땅에 발을 대고 흙과의 접촉을 명상하면서 걸으라는 것. 발밑에 흙을 두지 않고는 영혼이 제대로 숨쉴 수 없다. 그리고 어머니인 대지가 우리들의 건강을 돕는다는 것이다.

그의 어머니는 자연은 가장 위대한 스승이라고 하면서 이런 말도 했다고 한다.

"자연은 부처나 예수, 모하메드나 간디보다도 더 위대한 스승이다. 왜냐하면 그들도 자연의 제자이기 때문이다."

어머니는 또 꿀벌을 지켜보면서 그 생태에서 배우라고 일깨워준다. 꿀벌은 이 꽃에서 저 꽃으로 날아다니면서 어느 꽃에도 해를 입히지 않고 조금씩 꿀을 모은다. 그러나 사람들은 땅에서 무엇을 얻어내려고 할 때, 계속해서 빼앗기만 하여 그것이 소진되고 고갈되어 자원이 끝장날 때까지 간다. 우리는 꿀벌한테서 조금만 얻어오는 지혜를 배워야 한다.

꿀벌은 자연으로부터 얻은 것 만큼 달고 양분이 많은 꿀로 변화시킨다. 그러나 사람들은 산업과 과학과 기술의 이름 아래 쓰레기를 한없이 만들어낸다. 조금만 채취하고 그것을 유익한 것으로 변화시키는 꿀벌의 지혜를 오늘 우리들은 본받아 배워야 할 것이다. 어머니는 자신의 지혜를 말로만 하지 않고 몸소 그것을 보여줌으로써 자식의 눈을 띄워주고 이해를 돕는다.

진정한 교육은 메마른 지식이나 정보의 전달에 있지 않고, 지혜의 계발과 바람직한 동기 유발에 있음을 우리는 여기에서도 엿볼 수 있다. 교육이 피교육자에게 창조적인 변화를 일으키는 것이 될 수 없다면 그것은 참교육이 아니다.

쿠마르는 말한다.

"우리의 학교들, 우리의 대학들, 정부들, 교육부들은 밤낮으로 우리 아이들의 머리속에 케케묵은, 필요하지도 않은, 오히려 해독을 끼치는 위험한 생각들을 쏟아넣느라고 바쁘게 바쁘게 돌아가면서 한조각의 사랑도 심어주지 않습니다. 우리는 우리 아이들에게 무슨 짓을 하고 있는 것입니까. 우리는 아이들을 텅 빈 물통으로 여기고 온갖 쓰레기와 먼지를 그 속에 쏟아넣고 있다고 생각하지 않습니까?"

아이들에게 가장 좋은 스승이 어머니라면 누구보다도 먼저 어머니가 변화되어야 한다. 어떻게 하는 것이 자식이 하나의 독립된 인격체로서 온전하게 성장할 것인가를, 맹목적인 열기에 더 이상 사로잡히지 말고, 생명의 차원에서 곰곰이 헤아려보아야 한다. 당신의 아이는 당신의 사랑과 지혜로써 반듯하게 키울 수 있다.

〈93. 11. 21〉

농촌을 우리 힘으로 살리자

제자가 스승에게 물었다.

"저는 지금 어디로 가고 있습니까?"

스승은 불타는 눈동자로 제자를 바라보았다. 그 눈동자에서
는 구원(久遠)의 불이 타오르고 있었다. 제자는 이윽고 침묵 속
에서 하는 스승의 대답을 들을 수 있었다.

"그 질문이 그대의 존재 가장 깊은 곳에서 울려퍼지는 메아리
가 되게 하라. 항상 그 메아리 속에서 살라. 한순간도 그 질문을
잊지 말라. 그대 삶의 매 순간이 그 질문 속으로 녹아들 수 있도
록 하라. 그러면 그대는 언젠가 그 해답을 찾게 되리라."

눈이 내려 쌓이고 있다. 얼어붙은 개울가에서 버들강아지가
솜털 얼굴을 내밀고 있다. 한겨울 속에서도 봄을 잉태하고 있는
것이다. 추운 겨울철이 없다면 버들강아지의 존재는 우리 눈길
을 끌지 못할 것이다. 모진 추위에도 움츠러들지 않고 싹을 틔
우고 있는 버들강아지의 그 강인한 생명력이 정다운 모습으로
우리의 발길을 멈추게 한다.

올 겨울 들어 쌀을 비롯한 농산물 수입 개방 소식이 세모의 우리 마음을 더욱 썰렁하게 하고 있다. 오늘날 우리들은 산업사회에 몸을 담고 있으면서도 의식은 전통적인 농경사회에 뿌리를 깊숙이 내리고 있다. 이해관계와 수지타산에 약삭빠르고 냉혹하기 짝이 없는 국제사회에서 뒤떨어진 농경에 연연하고 있는 것이 어떻게 보면 부질없는 고집으로 여겨질지 모르겠다.

그러나 인간의 삶 자체가 날이 갈수록 닳아지고 시들어가는 세태여서 직접 자연과 마주하여 생산해 내는 1차산업은 그만큼 인간의 선 자리를 든든하게 만든다. 흙은 모든 생명의 의지처요 고향이기 때문이다.

다른 분야에 비해서 상대적으로 소득이 형편없이 낮고, 교육과 문화시설 등 여러 가지 사회적인 여건이 몹시 열악한 오늘의 우리 농촌이다. 그럼에도 불구하고 묵묵히 참고 견디면서 피땀 흘려 일하는 농촌이 있었기 때문에 이 나라가 그나마 오늘을 이루게 된 것이라고 생각된다.

현재 우리나라에서 농림, 어업 등 1차산업이 전체 국민총생산에서 차지하는 비율은 7.7%이고, 취업인구는 전체의 16%에 불과한 것이 현실이다. 그렇지만 정책당국에서는 소수라고 해서 소홀히 다루거나 무시해서는 안된다.

대지를 경작하고 상대하는 1차산업의 득실을 겉에 나타난 숫자로만 따지지 말아야 한다. 인간의 심성과 국민적인 정서는 형식적인 수치만으로는 헤아릴 수 없는 불가사의한 영역이다.

'농자천하지대본(農者天下之大本)'이란 말은 단순히 농경사회에서만 통용되던 찬사가 아니다. 사람은 태어날 때부터 먹지 않

으면 살지 못한다. 사람이 먹는 것은 땅에서 나는 곡식과 푸성
귀와 열매와 그 언저리에서 기르는 생물 등이다. 그러므로 농업
은 인간의 생업 중에서도 가장 근원적인 뿌리라는 말은 만고의
진리다.

우리는 '농어촌 구조개선사업'이란 말을 귀에 못이 박히도록
수없이 들어왔다. 선거 때마다, 혹은 농어촌에 어떤 문제가 제
기됐을 때마다 정부당국이 입버릇처럼 한 말이다. 그러나 역대
정권에서는 말의 잔치로만 그쳤을 뿐 제대로 실행을 하지 못했
다. 그렇기 때문에 이번에도 그 '구조개선'이란 말이 다시 나오
게 된 것이 아닌가. 개혁을 내세운 문민정부에서 국민 앞에 한
약속이니 속는 셈치고 한번 더 지켜볼 일이다.

국제 경쟁사회에서는 '절대불가' '결사저지'라는 의지가 잘 안
통하는지 굳게 닫으려던 문이 마침내 열리고 말았다. 기왕에 이
렇게 된 상황이라면 '불가'와 '저지'만을 외칠 게 아니라 도전에
대한 응전의 자세를 가다듬을 때가 온 것이 아니겠는가. 뒤로
물러앉는 소극적인 수세에서 앞으로 나아가는 적극적인 공세
로, 방어적인 자세에서 전진적인 공격으로 정책을 바꾸어 봄직
하지 않은가.

우리는 역경에 처했을 때 강한 민족이었다. 몽골의 침공을 받
았을 때 보인 그 항몽의 기상과 임진 정유의 왜란을 극복했던
그 끈기와 의지가 우리 겨레의 핏줄에는 지금도 연면히 흐르고
있을 것이다.

맑게 갠 날과 잔뜩 흐린 날은 같은 하늘 아래서 일어나는 음양

의 조화다. 즐거움과 괴로움도, 건강과 질병도, 행복과 불행도 따로따로 떨어져 존재하는 것이 아니라 같은 삶의 뿌리에서 나누어진 가지들이다. 문제는 그 현실을 어떻게 보고 받아들이며 또한 어떻게 극복하느냐에 따라 행복과 불행의 갈림길이 열린다. 우리에게 어려운 일이 닥쳐왔기 때문에 거기에 대응하여 필사적인 노력으로 극복하다보면 우리 잠재력이 새롭게 분출될 수 있다. 여기에 삶의 묘미도 따르게 마련이다.

강대국들이 자국의 이익을 위해 부추긴 무역전쟁에서 우리가 살아남으려면, 미래를 내다보는 정부의 현명한 정책과 경쟁력을 갖춘 기업의 활동과 윤리에 못지않게, 소비자인 국민의 의지와 선택이 무엇보다도 전제되어야 할 것이다.

한때 뜻있는 젊은이들 사이에 '양담배 피우는 녀석들에게 5분간 째려보기' 운동(?)이 벌어진 적이 있었다. 그러나 지금은 째려보는 눈도 없을 뿐 아니라 그 판매량이 날로 늘어가는 실정이다. 값싼 외국 농산물이 들어오더라도 소비자 개개인이 민족적인 자존과 우리 땅을 우리가 지킨다는 의지로 거부한다면 그렇게 걱정될 일만은 아닐 것 같다. 그러나 우리의 단점인 그 '건망증' 때문에 걱정 근심을 하지 않을 수 없다.

명심하자. 우리 것을 우리가 지키자. 우리들의 고향인 농촌을 우리 힘으로 살리자.

〈93. 12. 19〉

야생동물이 사라져간다

폭설이 자주 내리는 눈고장에서는 겨우살이가 결코 한가롭지 않다. 눈과 추위를 이겨내려면 그만큼 움직여야 하기 때문이다. 눈에 덮인 길을 내고 난로와 아궁이에 군불을 지피는 일이 중요한 일과다.

식수를 얻으려면 개울가에 나가 얼어붙은 얼음장을 깨고 물을 길어와야 하는데, 개울가로 가는 길에 쌓인 눈부터 먼저 치워야 한다. 그리고 먹은 만큼 내보내야 하는 순환의 질서가 우리 인체에도 적용되므로, 뒷간으로 가는 길도 그때마다 뚫어야 한다.

한겨울 인적이 끊긴 산중에 살면 둘레의 짐승들과 가까워지게 마련이다. 사람이나 짐승이나 살고자 하는 그 생명의 의지는 다를 바 없다. 익힌 업이 다르고 생활 습관이 같지 않아서 그렇지 좋아하고 싫어하는 감정표현은 마찬가지다. 자기 자식에 대한 사랑은 짐승쪽이 인간들보다 훨씬 진하고 지극하다.

간밤에는 눈보라 속에 뒷골에서 고라니 우는 소리가 들려왔다. 무슨 일이 생겼는지 한두번이 아니라 잇따라 울어댔다. 날이 밝은 뒤에도 몇차례 목이 쉰 소리로 울었다. 추워서 그러는지 배가 고파 그러는지, 아니면 밀렵꾼들에게 잡혀간 짝을 생각하고 그러는지 내 무딘 귀로는 가려낼 수가 없다.

어제는 장을 보고 돌아오는 길인데, 외딴집에서 놓아먹이는 여남은 마리나 되는 흑염소가 나를 보더니 졸졸 따라오려고 했다. 아마 배가 고파 뭘 좀 얻어먹고 싶어서였을 것이다. 염소 주인이 걱정할까 봐 쫓아버렸다. 며칠 전에도 없어진 염소를 찾아 이 골짝 저 골짝으로 오르내리는 것을 보았기 때문이다.

한동안 이 염소들은 빵이며 채소에 맛을 붙여 내 오두막 둘레를 배회했었다. 며칠 동안 집을 비우고 밖에 나간 사이에 염소들은 아예 나뭇간에 자리를 잡고 기거를 했는지 배설물을 잔뜩 흘려 놓았었다. 지린내가 역겨워 더는 받아들일 수가 없었다. 뿐만 아니라 작년 봄에 멀리서 날라다 심어놓은 묘목들의 어린 잎을 죄다 쏠아먹고 말았다.

그 뒤부터는 오두막 둘레에 얼씬도 못하게 했는데, 그런 일을 잊어버렸는지 또 졸졸 따라오려고 한 것이다. 고함을 쳐서 쫓아버리면서도 사람을 믿고 의지하려는 철없는 그 마음씨가 정겹게 여겨졌다.

겨울의 추위와 폭설에 갇혀 굶주리는 야생동물들을 위해 관계 기관에서는 가끔 먹이를 뿌려주는 일을 한다. 그런 소식을 전해 들을 때마다 아주 흐뭇하다. 각박한 세태에 사람의 따뜻한 마음씨가 들짐승에게까지 미치는가 싶으니 실로 고맙고 기특하고 뿌듯하다. 옛말에도 어진 정치를 펴면 그 덕이 들짐승에게까지 미친다고 했다.

자비심이란 같이 기뻐하고 같이 슬퍼하는 마음이다. 기쁨을 나누고 슬픔과 고통을 함께 나누어가질 때 우리는 이웃이 되고 친구가 된다. 인간의 자비가 같은 인간에게만 국한된다면 그렇게 고귀할 것도 대단할 것도 못된다. 그 자비가 미물 곤충이나 말못하는 짐승들에게까지도 두루 베풀어질 때 인간의 자리는 더욱 의젓하고 빼어날 것이다.

이와 같은 흐뭇한 선행이 있는 다른 한쪽에서는 사냥꾼과 밀렵꾼들에 의해 야생동물들이 무참히 죽어가고 있다. 대낮의 사냥만으로도 모자라 한밤중에까지 차를 몰고 다니면서 헤드라이트를 밝히고 총질을 하는 장면을 우리는 보도를 통해서 보고, 또 산촌사람들에게서 직접 듣는다. 전국의 산과 들에서 자행되고 있는 섬뜩한 살육이다.

사람이나 짐승이나 어두운 밤이면 잠자리에 든다. 하루의 휴식을 위해 가족들과 함께 잠자리에 든 야생동물을 습격하여 살해하는 일은, 부모형제와 자식을 거느리고 살아가는 사람으로서는 차마 못할 짓이다. 잔인하고 야비하고 치사하기까지 하다. 이런 우리들을 두고 짐승들은 뭐라고 할 것인가.

어떤 사람들은 몸에 좋다 하면 물불을 가리지 않는다. 살아 있는 곰의 쓸개를 빼먹는가 하면 사슴과 자라의 피며 굼벵이, 지렁이 심지어 구렁이, 코브라까지도 잡아먹는다. 이런 저질 한국인들이 세계 도처에서 국위를 선양(?)하고 있는 현실이 아닌가.

몸에 좋다니, 도대체 그 몸이란 게 무엇인가. 사람이 어디 몸만으로 이루어진 것인가. 몸은 마음의 그림자에 지나지 않는다. 건강한 몸을 지니려면 우선 마음부터 건전해야 한다. 건전한 마음을 지녀야 자신에게 주어진 삶의 가치를 제대로 누릴 줄 알고, 무엇이 참으로 몸에 이롭고 해로운지를 가려볼 수 있다.

사람을 비롯해서 살아 있는 모든 생물은 제 명대로 살지 못하고 죽임을 당할 때 하늘에 사무치는 원한을 갖게 된다. 들짐승 고기를 보신제로 즐겨먹는 사람들은, 비명으로 죽어간 짐승의 원한이 자신의 혈액을 타고 돌게 된다는 사실을 알고 있는가. 원한은 곧 독이다. 원한의 독이 몸에 좋다니 당치않은 소리다.

사람과 자동차로 우글거리는 도시의 사막에서 우리가 기댈 곳이 어디인가. 산과 들에 새와 짐승들이 살지 않는다면 우리들 삶의 터전은 얼마나 삭막하고 메마를 것인가. 병든 문명의 해독제는 청청한 숲과 맑은 강물과 동물들이 깃드는 평화로운 자연 밖에는 따로 없다. 야생동물들의 보금자리인 그 자연이 또한 우리 인간이 기댈 마지막 언덕이다.

그런데 몸 보신에 들뜬 속물들에 의해서, 돈벌이에 눈이 뒤집힌 밀렵꾼들에 의해서 수많은 들짐승과 희귀 조류들이 이 땅에서 사라져가고 있다. 우리는 이런 현실을 앉아서 보고만 있을 것인가. 관계당국의 시급하고 철저한 대책이 있어야겠다.

〈94. 1. 16〉

보다 단순하고 간소하게

　오두막의 함석지붕에 쌓인 눈이 녹아서 떨어져 내리는 소리가
요란하다. 눈더미가 미끄러져 내리는 이 소리에 나는 깜짝깜짝
놀란다. 겨우내 얼어붙어 숨을 죽인 개울물도 엊그제부터 조금
씩 소리를 내고 있다. 양지쪽 덤불 속에서 산새들도 지저귀기
시작한다. 우수절 들어 한낮의 햇볕에 솜털 같은 봄 기운이 스
며 있다.

　이곳 둘레는 아직도 눈으로 덮여 있지만 남쪽에서는 동백꽃이
피고 매화가지에 꽃망울이 잔뜩 부풀어오를 것이다. 이 강산에
봄이 움트고 있다.

　한달에 한차례씩 신문에 글을 싣고 있으면서도 나는 거의 신
문을 접할 기회를 갖지 못하고 있다. 세상 돌아가는 소식은 오
로지 라디오 뉴스를 통해서 대강 짐작하고 있을 뿐이다.

　산속에서 살아가면 자연으로부터 보고 듣고 느끼고 생각하면
서 배우는 것만으로도 살아가는 데는 별로 모자람이 없다. 넘쳐
나는 각종 정보와 소식을 통제하지 않으면 그 속에 매몰되어 삶
이 생기를 잃는다. 보지 않고 듣지 않고 알지 않아도 될 일들에

우리는 얼마나 많은 시간과 정력을 낭비하고 있는가.

　나는 내가 살아가는 데에 무엇이 필요하고 무엇이 불필요한 것인지를 엄격히 가리려고 한다. 이런 내 나름의 질서가 없으면 내 삶은 자주적인 삶이 될 수 없다. 유일한 정보 전달의 기계인 그 라디오만 하더라도 내게는 필요한 소리보다는 쓸데없는 시끄러운 소음으로 들릴 때가 훨씬 많다. 그러기 때문에 날씨와 들을 만한 뉴스만을 골라 듣고는 이내 꺼버린다.

　비슷비슷한 되풀이 속에서 수많은 날들을 살아가고 있지만 엄밀한 의미에서 삶에 반복은 없다. 우리가 산다는 것은 그때그때 단 한번뿐인 새로운 삶이다. 이 한번뿐인 새로운 삶을 아무렇게나 내동댕이 칠 수가 없는 것이다.

　삶에는 이유도 해석도 붙일 수 없다. 삶은 그저 살아야 할 것, 경험해야 할 것, 그리고 누려야 할 것들로 채워진다. 부질없는 생각으로 소중하고 신비로운 삶을 낭비하지 말 일이다. 머리로 따지는 생각을 버리고 전(全)존재로 뛰어들어 살아갈 일이다. 묵은 것과 굳어진 것에서 거듭거듭 떨치고 일어나 새롭게 시작해야 한다. 새로운 시작을 통해서 자기 자신을 새롭게 이끌어내고 형성해 갈 수 있다.

　옛 선사는 말한다.

　"삶은 미래가 아니다. 과거가 아니다. 또한 현재도 아니다. 삶은 영원히 완성되지 않는 것, 그렇지만 삶은 모두 현재에 있다. 죽음도 또한 현재에 있다. 그러나 명심하라. 자신에게 참 진리가 있다면 삶도 없고 죽음도 없다는 것을."

뒤늦게지만 나에게 소망이 있다면 새삼스럽게 견성(見性)이나 성불(成佛)이 아니다. 수많은 수행자들이 이 견성과 성불이라는 늪에 갇혀 잔뜩 주눅이 들어 낮과 밤을 가리지 않고 정진하고 있지만 나는 견성도 성불도 원치 않는다. 모든 성인들이 한결같이 말하고 있는 '본래 청정(本來淸淨)'을 확신하고 있다. 나는 이 본래 청정을 더럽히지 않고 마음껏 드러내기 위해 정진할 뿐이다.

어떻게 하면 보다 단순하고 간소한 삶을 이룰 것인가. 이것이 현재의 내 유일한 소망이다. 의식주를 비롯해서 생각이며 생활양식 등을 보다 단순하고 간소하게 누리고 싶다. 사들이고 차지하고 한동안 쓰다가 시들해지면 내버리는, 그래서 쓰레기를 만들어내는 소비의 순환에서 될 수 있는 한 벗어나고 싶다. 끝없이 형성되고 심화되어야 할 창조적인 인간이 어찌 한낱 물건의 소비자로 전락될 수 있단 말인가.

당신이 차지하고 있는 그 소유가 바로 당신 자신임을 알아야 한다. 단순하고 간소하게 살아야만 본질적인 내 삶을 이룰 수 있을 것 같다.

한 생각을 일으켜 '맑고 향기롭게' 살아가기 운동에 나서게 되었지만 별다른 뜻은 없다. 우리 시대가 하도 혼탁하고 살벌하고 메말라가는 세태이기 때문에, 본래 맑고 향기로운 인간의 심성을 드러내어 꽃피워보자는 단순하고 소박한 생각에서 시작한 것이다.

세상을 탓하기 전에 먼저 내 마음을 맑고 향기롭게 지닐 때 우리 둘레와 자연도 맑고 향기롭게 가꾸어질 것이고, 우리가 몸담

아 살고 있는 세상도 또한 맑고 향기로운 기운으로 채워질 것이
다.

　이 겨울 눈 속에 묻힌 오두막의 난롯가에서 음미하고 있는
《도덕경》에서 노자는 이렇게 말하고 있다.
　"명성과 자기 자신 중 어느 것이 더욱 절실한가. 자기 자신과
재물은 어느 쪽이 더 소중한가. 탐욕을 채우는 것과 욕심을 버
리는 것 중 어느편이 더 근심 걱정을 불러 일으키는가. 그러므
로 애착이 지나치면 반드시 소모하는 바가 커지고, 재물을 많이
간직하면 필연코 크게 잃게 마련이다."
　그러면서 노자는 다음과 같은 결론을 내린다.
　"자기 자신의 분수를 알면 욕되지 않고, 그칠 줄 알면 위태롭
지 않다. 이와 같이 하면 오래도록 편안할 수 있다."
　허구한 세월의 여과 과정을 거쳐 살아남은 인류의 고전은 읽
을 때마다 새로운 길을 열어보인다. 이런 지혜의 가르침이 받쳐
주고 있는 한, 인간의 뜰은 항상 새롭게 소생할 것이다.
　눈 속에서 어떻게 지냈는지 궁금하게 여긴 친지들의 안부에
답하기 겸해 이 글을 쓴다. 새봄이 움트고 있다. 저마다 겨울 동
안 축적한 삶을 활짝 열어보일 날이 다가오고 있다.

〈94. 2. 20〉

맑은 물을 위해 숲을 가꾸자

한참 장작을 팼더니 목이 말랐다. 개울가에 나가 물을 한바가지 떠마셨다. 이내 갈증이 가시고 새 기운이 돌았다. 목이 마를 때 마시는 생수는 갈증을 달래줄 뿐 아니라 소모된 기운을 북돋우어준다. 이 시원한 생수를 어찌 가게에서 파는 달착지근한 청량음료와 견줄 수 있을 것인가. 산골에 사는 덕에 맑게 흐르는 물을 마음대로 거저 마시고 쓸 수 있음을 다행하고 고맙게 여기고 있다.

20년 전만 하더라도 우리가 마시는 식수는 오늘처럼 그렇게 오염되지는 않았었다. 우물에서건 수도꼭지에서건 마음놓고 물을 마실 수 있었다. 그렇다고 해서 그때 식수관리에 문제가 전혀 없었던 것은 아니다. 뜻있는 전문가들이 우려를 표명했지만 산업화와 소득증대에만 눈이 멀어 관계 당국에서는 아예 귀담아들으려고 하지 않았다. 어디 그뿐인가. 환경론자들을 마치 체제에 도전하는 반체제인사로 몰아붙였었다.

그때 앞날을 걱정한 전문가들의 말에 귀를 기울여 미리 대비했더라면, 오늘같이 심각한 식수문제는 불러들이지 않았을 것이다. 그때 가래로 막았으면 됐을 것을 이제는 어떻게 손을 쓸 수 없게 되지 않았는가.

생수 시판이 합법화되자 자연은 또 한바탕 호된 수난을 당하게 되었다. 지하수 개발을 위해 전국 방방곡곡에서 산과 들이 무자비하게 파헤쳐지고 있다. 지하수라고 해서 모두 양질의 물일 수 없고 무한정으로 저장되어 있는 것도 아닌데 어쩌자고 또 이 지경인가. 깨끗한 물을 공급하겠다고 큰소리치던 당국의 언약이 수돗물 개선보다 생수 시판쪽으로 선회하고 있는 것은 아닌가 하는 의혹이 든다.

생수 시판으로 식수문제가 해결될 수는 없다. 저소득층인 대다수 국민들은 여전히 못미더워 하면서도 수돗물에 의존할 수밖에 없다. 이렇게 되면 한나라에 살면서도 '병물계층'과 '수돗물계층'으로 갈라져 새로운 계급을 낳게 될지도 모를 일이다.

원점으로 돌아가, 어떻게 해서 마음놓고 마실 수 없는 수돗물이 되었는가를 다시 살펴볼 일이다. '삼천리 금수강산'이라고 기리던 이 땅에서 마음놓고 마실 물이 사라져간다니 한심한 일이 아닌가. '자업자득(自業自得)'이란 말은 자신이 저지른 일의 과보를 바로 자신이 받는다는 인과관계의 도리다. 식수만이 아니라 제반 환경문제에 이르기까지 이 자업자득의 인과관계를 마음에 새겨둔다면 새로운 출구가 열릴 수 있다.

기왕에 오염된 것을 정화하기 위한 현재의 노력과 함께 미래를 위해서도 새로 씨를 뿌려야 한다. 유치원과 국민학교 교과과정부터 환경에 대한 인식이 의식에 배고 몸에. 익혀지도록 꾸준

한 학습과 훈련으로 이어져야 할 것이다. 그리고 사회교육의 일환으로 신문과 방송매체를 통해서 끊임없이 계몽과 교육으로 의식화되고 행동화되도록 장기적이고 체계적인 프로그램으로 지속되어야 한다.

국민 한 사람 한 사람이 이른바 '환경 감시원'이 되어 우리 환경을 우리가 지키고 살피는 일에 관심을 기울이지 않으면 우리의 삶터를 지켜나가기 어렵다.

끝으로 제안하고 싶은 말은, 맑은 물을 얻으려면 먼저 숲을 가꾸어야 한다. 이 금수강산이 산업의 쓰레기로 뒤덮이기 전에, 우리가 마음놓고 맑은 물을 마시고 쓸 수 있었던 것은 일찍이 우리 조상들이 숲을 가꾸어 온 그 은덕이라고 생각된다.

우리가 익히 알고 있듯이, 숲은 물을 저장하고 맑게 걸러내고 또한 만들어내는 기능을 한다. 숲이 있어야 거기서 물줄기가 마르지 않고 사시사철 흘러내린다. 숲이 없으면 비가 올 때와 눈이 올 때만 물이 흐를 뿐이다.

그런데 우리는 기왕에 있던 숲도 여기저기 골프장을 만드느라고 베어내고 파헤쳐 비만 오면 농경지가 매몰되고 물난리를 일으키는 어리석음을 저질렀다. 소수 계층이 즐기기 위해 국토와 자연을 허물어 환경을 오염시키고 식수의 고갈에 한몫을 거든 것이다.

재작년 대통령 선거 때 한 후보는 자신이 대통령이 되면 전국에 있는 골프장을 모조리 없애겠다는 공약을 했었다. 현실적으로 실행 불가능한 일인 줄은 알면서도 우리는 공감의 미소를 지었었다.

문민정부가 들어서자 대통령 자신이 재임기간에는 절대로 골프채를 잡지 않겠다고 공언한 의지에 골퍼를 제외한 국민들 대다수는 고개를 끄덕였다. 논밭에서는 수지타산이 맞지도 않는 농사일에 피땀을 흘리고 있는데, 바로 그 언저리에서 한가롭게 골프채나 잡고 초원에서 즐기고 있는 모습은 국민적인 위화감과 계층의식을 불러일으킨다.

수자원의 확보를 위해 막대한 예산을 들여 댐을 많이 만들어 놓았지만 환경 영향에 부정적인 요인이 크다는 것은 국내외 전문가들의 공통된 견해다. 맑은 물을 우리 후손들에게까지 끊임없이 이어내리게 하려면 이제부터라도 원대한 계획을 세워 나무를 심어 숲을 가꾸어야 한다. 숲이 이루어지지 않으면 질 좋은 물과 많은 양의 물을 확보할 길이 없다.

우리 시대에 와서 우리 손으로 허물고 더럽힌 자연과 물을 다시 우리 손으로 보살피고 맑힌다는 보상의 뜻에서 나무를 많이 심어 청청한 숲을 가꾸었으면 한다.

사막에 불시착하여 며칠 동안 갈증을 달랠 길 없어 빈사지경을 헤맨 생 텍쥐페리는 〈인간의 대지〉에서 이렇게 말한다.

"물은 생명에 필요한 것이 아니라 생명 그 자체다. 물의 은혜로 우리 안에는 말라붙었던 마음의 모든 샘들이 다시 솟아난다."

〈94. 3. 20〉

종교와 국가권력

여기 저기에서 꽃이 피어나고 있다. 그야말로 '이산 저산 꽃이 피니 때는 분명 봄이로구나'다. 꽃들은 시새우지 않고 자신이 지닌 빛깔과 향기와 그 모습을 한껏 발산하고 있다. 벚꽃은 벚꽃답게 피어나고 진달래는 진달래답게 꽃을 피움으로써 봄의 산과 들녘에 눈부신 조화를 이루고 있다.

자연은 이렇듯 아름답고 평화롭게 자신이 할 일을 하면서 살아 있는 생명의 기쁨을 마음껏 노래하고 있는데, 유독 사람들만이 계절을 등진 채 서로 시새우고 으르렁거리면서 멍들어가는 것 같다.

이번 조계사 폭력사태를 지켜보면서 착잡한 심경을 가눌 길이 없었다. 청정하고 신성해야 할 수도와 교화의 도량(사원)에 짐승들도 흉내낼 수 없는 살벌한 폭력이 난무하고, 한나라의 공권력이 함부로 침입하여 폭언과 폭력으로써 짓밟고 더럽힌 처사는 두고두고 우리들 기억을 얼룩지게 할 것이다.

정치권력의 일방적인 비호 아래 자행된 폭력사태는 우리가 기대했던 김영삼 문민정부에 대해서 배신감마저 갖지 않을 수 없게 했다. 진작 끝났을 일을 가지고 공권력이 불의의 온상을 일방적으로 감싸고 돌았기 때문에 장기간에 걸쳐 피차가 피해를 보게 된 것이다.

가톨릭측에 대해서는 실례될 표현일지 모르지만, 이와 유사한 사태가 만약 명동성당에서 일어났다고 가정할 때, 이 정부의 공권력이 조계사에서처럼 무자비하게 짓밟고 더럽힐 수 있었을까라고 묻고 싶다. 신성하기는 성당이나 법당이나 조금도 다를 바 없지 않은가.

그러나 공권력만을 탓할 게 아니라, 이는 불교계가 그동안 종교의 본분과 자주성을 망각한 채 추하게 처신해 온 자업자득의 결과라고 나는 돌이켜 생각하고 싶다.

낱낱이 기억해 내기에도 부끄러운 사실이지만, 사회적으로 어떤 문제가 제기될 때마다 불교종단의 행정사무승들은 전체의 의사를 무시하고 정치 권력의 사주를 받아 걸핏하면 지지성명과 관제 데모에 앞장을 섰다. 선거 때만 되면 불교종단에서는 공공연히 여당후보의 선거운동에 발벗고 나섰다.

종교의 본질과 자주성을 망각한 이런 행태를 지켜보면서 출가 수행자의 본분이 무엇인가를 거듭거듭 되돌아보지 않을 수 없는 울적한 심정이었다.

이번 조계사에서 보인 공권력의 지나친 남용도 따지고 보면 종교의 자주성과 독립성을 망각한 불교계를 얕잡아본 데서 자행된 폭력이라고 할 수 있다. 또한 공권력의 비호 내지는 묵인 아래 폭력이 자행된 이번 사태는 현 정권의 도덕성에 대해서 의문을 갖게 했다. 항간에 나돈 금전과 관계된 정치적인 흑막이 그

배후에 깔려 있기 때문에 부패된 기득 집단을 비호한 것으로 오해받을 만하다.

종교와 정치권력은 같은 시대와 사회에 존재하면서도 그 지향하는 바는 다르다. 정치권력은 어디까지나 이해에 민감해서 비정하고 현실적이다. 그렇기 때문에 영원할 수 없다. 그러나 종교활동은 영원한 진리와 만인을 위한 이상을 추구하기 때문에 무한하다. 온갖 박해 속에서도 종교가 꺾이거나 소멸되지 않고 살아남은 것은 우리 인간의 심성 안에 영원한 진리를 추구하는 소망이 있기 때문이다.

세속적인 것을 등지고 출가한 독신 수행자가 무엇이 두려워서 세속의 덧없는 권력 앞에 저두굴신(低頭屈身)으로 추태를 부려야 하는가. 종교적인 인간은 근원적으로 아무런 야심이 없는 순수한 사람이다. 만일 그 마음속에 털끝만치라도 어떤 야심이 있다면 그의 삶은 신성해질 수가 없다.

사람은 내적인 것이든 외적인 것이든 모든 사물로부터 자유로워야 한다. 욕망과 아집에서 벗어났을 때 비로소 전 우주와 하나가 될 수 있다. 욕망이나 아집에 사로잡혀 있는 한, 자신의 내부와 외부에 가득차 있는 우주의 신비를 감지할 수 없다.

어떤 고을의 지방장관이 산중에 사는 한 스님의 덕화(德化)를 전해 듣고 몇차례 뵙기를 청했지만 그 스님은 자리를 뜨지 않았다. 어느 날 그는 하는 수 없이 몸소 산으로 찾아갔다. 이때 그 스님은 경을 보면서 거들떠보지도 않았다. 그 지방장관은 심기가 뒤틀려 말했다.

"막상 대면해 보니 천리 밖에서 듣던 소문만 못하군!"

이에 스님이 입을 열었다.

"그대는 어째서 귀만 소중히 여기고 눈은 천하게 여기는고?"

이 말끝에 그는 물었다.

"어떤 것이 도(道)입니까?"

스님은 손가락으로 하늘을 가리켰다가 다시 곁에 있는 물병을
가리키면서 말했다.

"알겠는가?"

"모르겠습니다."

"구름은 하늘에 있고 물은 병에 있느니라(雲在靑天 水在甁)."

그는 이 가르침에 알아차린 바가 있어 정중히 인사를 드렸다.

수행자가 세속의 권력 앞에 어떻게 처신해야 하는가를 보여준
한 예다. 진정한 명예란 단순히 듣기 좋은 세상의 평판이 아니
라 자기 자신다운 긍지와 자존심을 뜻한 말이다. 자기 자신 앞
에 진실하고 정직한 사람만이 명예로운 인간이 될 수 있다.

수행자들이여, 정치권력 앞에 의젓하고 당당하게 처신하라.
그런 수행자라면 종교적인 기능 또한 제대로 이행할 수 있을 것
이다. 그런 수행자를 세상에서는 귀하게 여긴다.

〈94. 4. 17〉

선진국 문턱은 낮지 않다

눈 고장이라 큰눈이 내리기 시작했다. 가을이 떠나간 빈 자리에 눈이 내려 쌓이니 마음이 푸근해진다. 어디로들 다 가버렸는지 새소리도 뜸하고, 개울물소리만 한결 그윽하게 들려온다. 눈 쌓인 깊은 산속에서 청정한 산하 대지와 마주하고 있는 이 적막이 태고적 같아 좋고 좋을 뿐이다.

눈 치는 가래를 사러 저자에 내려가보니 여기저기서 겨울맞이 채비를 서두르고 있었다. 상황이 코 앞에 닥쳐야만 바삐 서두는 세상인정. 사람 사는 일이란 비슷비슷한 되풀이 속에서 날이 가고 달이 가고 세월이 간다. 이러다가 한 생애도 후딱 지나가버릴 것이다.

지난 가을 어느 날, 꽃에 향기가 있다는 사실에 나는 새삼스레, 정말 새삼스럽게 놀란 적이 있다. 그 전날 산자락에서 노란 들국화를 한가지 꺾어다가 조그만 오지병에 꽂아 식탁에 놓아두었더니, 은은한 국화 향기가 내 영혼에까지 스며들어 마구 흔들어댔다. 도대체 이 꽃향기가 어디서 온 것일까, 무엇이 이런 꽃향기를 낳게 하는가, 한참을 헤아리면서 그 꽃향기에 도취되었었다.

사람에게도 그 사람 나름의 향기가 있을 법하다. 체취가 아닌 인품의 향기 같은 것. 그럼 나는 어떤 향기를 지녔을까? 내 자신은 그걸 맡을 수 없다. 꽃이 자신의 향기를 맡을 수 없듯이. 나를 가까이하는 내 이웃들이 내 향기를 감지할 수 있을 것이다.

우리가 함께 어울려 살아가는 사회나 국가도 주관에 치우친 우리들 자신의 눈으로는 스스로를 잘 모른다. 우리와 다른 사회와 나라들이 보다 정확한 객관적인 평가의 눈을 지니고 있을 것이다.

지난 한 달 동안 우리는 온통 무너진 성수대교에 매달려 너 나 할 것 없이 안팎으로 큰 상처를 입어왔다. 이런 어처구니없는 일이 올림픽까지 치른 한 나라의 수도에서 일어났다니 자탄을 금할 길이 없었다. 며칠 전 마음먹고 현장에 가까이 가서 끊어진 다리를 한참 바라보면서 묵상에 잠겼었다.

이건 하나의 상징이다. 한 개의 다리가 무너진 것이 아니라 그동안 우리가 애써 일으켜 세운 이 사회의 한 모서리가 주저앉은 것이다. 기회 있을 때마다 단시일 안에 이룬 고도성장을 자랑하며 우쭐거리던 그 발전의 허상이 무너져내린 것이다. 그리고 이 시대와 사회에 몸담아 살아가는 우리들 자신의 실상이, 그 속 얼굴이 하루 아침에 드러난 것이다.

이제 와서 부실공사를 탓하고 관리 소홀을 추궁해 봐야 무참히 희생된 넋들이 얼마나 위로를 받을 것이며 끊어진 다리가 이어질 것인가. 이건 우리 모두가 잘못 뿌려서 거둔 병든 열매 아니겠는가. 모든 현상은 인과관계로 얽어진 하나의 고리다. 자연의 도리와 사물의 법칙을 무시한 행위가 얼마나 무서운 결과를 가져오는가를 보여준 참담한 교훈이라고 여겨졌다.

개인이건 집단이건, 원리 원칙을 무시하고 편법과 적당주의로 처신해 온 우리 사회, 대충대충 빨리빨리로 밀어붙여 공기를 단축하는 것을 자랑거리로 여겨온 건설업계의 그릇된 관행. 그리고 공공장소에서 함부로 침을 뱉고, 피우다 만 담배를 서슴없이 내버리며, 쓰레기를 아무데나 내던지고, 차선과 신호를 무시하고 질주하는 등 이런 기본적인 질서가 지켜지지 않은 잘못된 우리 생활습관이 마침내는 다리를 무너지게 하고, 온갖 비리를 낳게 하여 우리 사회를 휘청거리게 한 것이다.

선진국에 이르는 문턱은 결코 낮지 않다는 것을 이번 참사를 통해 실감하게 했다. 국민소득이 좀 불어났다고 해서, 국제경기에서 메달을 몇개 더 차지했다고 해서 선진국이 되는 것은 아니다. 그 나라 국민들의 자질과 교양과 시민의식과 책임감과 도덕성이, 버젓한 세계시민의 수준에 도달해야만 비로소 선진국의 문턱에 들어설 수 있다. 속은 빈 채 밖에 드러난 현상이나 물질의 더미만으로 어떻게 선진국 대열에 설 수 있겠는가.

지난번 히로시마 아시아경기 기간에 우리들은 얼마나 메달에 집착했던가. 그것도 금메달에만. 금메달 몇개를 가지고 일본과 앞서거니 뒤서거니 하면서 그토록 순위에 집착하게 된 우리 국민들. 사실은 언론에서 그렇게 부추긴 것이지만. 운동경기는 어디까지나 운동경기일 뿐 그것이 국력 그 자체일 수는 없는데,

우리는 그걸 국력인 양 착각할 지경이었다.

바로 그 순간, 스웨덴 아카데미에서는 올해의 노벨문학상 수상자로 일본의 한 작가를 선정했다는 발표가 있었다. 무엇이 진정한 국력인가를 보여준 시의적절한 뉴스거리라고 생각되었다.

하나의 씨앗이나 열매가 익기까지는 봄 여름 가을 겨울 사계절의 질서와 은공이 받쳐주어야 한다. 그 계절의 질서와 은공에는 편법이나 적당주의가, 빨리빨리나 대충대충이, 그리고 과속이나 추월이 용납되지 않는다. 우리가 선진국이 되려면 모든 분야에서 '원리 원칙'으로써 편법과 적당주의를 극복해야 하고, '차근차근 꼼꼼하게'로써 빨리빨리 대충대충의 조급함을 이겨내야 한다.

요즘은 뉴스에 귀를 기울이기도 사뭇 두렵다. 어디서 또 무슨 사건이나 사고가 터지지 않았는가 싶어서다. 이렇게 불안한 세상을 우리가 지금 살고 있다. 대통령의 국민에 대한 사과도 한두 번은 들을 만하더니, 너무 자주 듣게 되자 그 처지가 딱하게 여겨졌다. 제발 그런 사과의 말을 더 이상 들을 일이 없었으면 좋겠다.

신바람나는 사회는 그만두고라도, 서로 믿고 의지하면서 마음놓고 오순도순 느긋하게 살 수 있는 세상이 되었으면 좋겠다. 누가 그런 세상을 가져다 주는가. 우리 모두가 한사람 한사람 저마다 처해 있는 그 자리에서 만들어가야 한다.

삶은, 창조적인 삶은 늘 새로운 시작이다. 그래서 날마다 새로운 날을 맞이한다.

〈94. 11. 19〉

침묵과 無所有의 달

　자연의 신비에 싸여 지혜롭게 살았던 아메리카 인디언들은, 달력을 만들 때 그들 둘레에 있는 풍경의 변화나 마음의 움직임을 주제로 하여 그 달의 명칭을 정했다. 그들은 외부의 현상을 바라보면서 동시에 내면을 응시하는 눈을 잃지 않았다. 한 해를 마감하는 달 12월을 '침묵하는 달' '무소유의 달'이라고 불렀던 것이다.

　산길을 터벅터벅 걷노라면 12월이 침묵과 무소유의 달이라는 걸 실감할 수 있다. 한동안 지녔던 잎과 열매들을 말끔히 떨쳐 버리고, 차가운 겨울 하늘 아래 알몸으로 의연히 서 있는 나무들은 침묵과 무소유의 의미를 고스란히 드러내고 있다.

　사람들과 어울리다 보면 남은 것은 피곤뿐인데, 나무들과 함께 있으면 잔잔한 기쁨과 편안하고 아늑함을 느낀다. 식물학자들의 말에 따르면 영적인 충만감에 젖어 있는 식물들의 심미적 진동을 사람이 본능적으로 느끼기 때문이라고 한다. 식물은 우주에 뿌리를 내린 감정이 있는 생명체다.

　그것들은 동물인 인간에게 유익한 에너지를 끝없이 발산해 주고 있다. 숲의 신비를 터득하고 살았던 인디언들은 기운이 달리면 숲으로 들어가 양팔을 활짝 벌린 채 소나무에 등을 기대어 그 기운을 받아들인다고 한다.

지나온 한 해를 되돌아보면 깜짝깜짝 놀랐던 사건과 사고로 잇따른 씁쓸하고 우울한 기억뿐이다. 우리에게 주어진 삶의 한 세월이 그렇게 엮어진 것이다. 이 세상 만물은 그것이 눈에 보이는 세계에 모습을 드러내기 전에 안 보이는 상태로 존재한다. 이를 공(空)의 세계라고 한다. 있는 것은 없는 것에 의해서 유지 존속되고 앞과 뒤는 서로 뒤따르면서 이어간다. 밝은 대낮은 어두운 밤이 그 배후에서 받쳐주기 때문에 있는 것이고, 또한 밤은 낮이 없으면 그 장막을 펼칠 수 없다. 이것이 우주의 리듬이요 음양의 조화다.

우리의 생각이나 언어 동작은 우리 정신에 깊은 자국을 남긴다. 그것은 마음에 뿌려진 씨앗과 같아서 나중에 반드시 그 열매를 거두게 된다.

우리들의 모든 생각은 우주에서 영원히 진동된다는 사실을 기억해야 한다. 따라서 어두운 생각 속에 갇혀서 살면 그 사람의 삶이 어두워지고 밝은 생각을 지니게 되면 그 삶에 환한 햇살이 퍼진다.

김영삼 정부가 들어서면서 낱낱이 그 예를 들출 것도 없이, 깜짝깜짝 놀랄 일들이 꼬리를 물고 잇따라 일어나는 바람에 서민들의 심장은 그야말로 콩알만해졌을 것이다. 또 어디서 무슨 사고나 사건이 터지지 않을지 노상 불안한 마음이다.

말이 씨가 된다는 옛말도 있듯이, 우리들의 생각이나 행위는 씨가 되고 업이 되어 그에 걸맞은 결과를 가져오는 것이 인과관계의 고리다. 현정부에서는 전에 없이 이른바 '깜짝 쇼'를 즐겨 연출하기 때문에 깜짝깜짝 놀랄 일이 뒤따르고 있는 것은 아닌지 모르겠다.

통치자의 고유권한에 참견할 바는 아니로되, 우리 시대를 함께 만들어가면서 기쁨과 고통을 분담할 수밖에 없는 한 국민의 처지에서 진언이 허락된다면, 앞으로는 더 이상 '깜짝 쇼'라는 말이 최고 통치권자의 주변에서 사라졌으면 한다. 무고한 국민들에게 더 이상 충격을 주지 말았으면 한다. 그 어떤 아름다운 문구를 쓴다 할지라도 말은, 특히 정치적인 말은 한낱 껍데기일 뿐이다. 진실은 오히려 침묵을 통해서 전달될 수 있다. 그 침묵 속에 모든 해답이 들어 있다. 존재의 바탕인 침묵에 귀를 기울일 줄 아는 사람은 지혜롭다.

어떤 사람이 성당에 가서 한시간이 넘도록 눈을 감고 앉아 있었다. 신부가 다가가서 물었다.

"선생께서는 하늘에 계신 그 분께 어떤 기도를 하셨습니까?"

"나는 아무말도 하지 않았습니다. 그냥 그 분의 말씀을 듣고 있었을 뿐입니다."

"그럼 그 분께서는 어떤 말씀을 하시던가요?"

"그 분 역시 가만히 듣고만 계셨습니다."

수많은 사람들이 여기저기서 날마다 기도를 드리고 있지만 영혼의 침묵 속에서 기도를 드리는 사람은 드물다. 그저 듣기 좋은 말로 할 뿐이다. 기독교식의 말, 불교식의 말, 힌두교식의 말, 회교식의 말 등등.

그러나 진실한 기도는 말에 의해서가 아니라 오로지 원초적인 침묵으로 이루어진다. 말씀이 있기 전에 침묵이 있었다.

한해를 청산하는 이 침묵과 무소유의 달에 종파적인 신앙을 떠나 우리 모두가 저마다 간절한 마음으로 침묵의 기도를 올렸으면 한다. 우리 곁에서 온갖 재앙이 사라지고 이 땅에 평화와 안정이 이루어지도록, 그래서 다가오는 새해에는 우리 모두에게 복된 나날이 되었으면 좋겠다.

⟨94. 12. 17⟩

덜 쓰고 덜 버리기

'땅에서 넘어진 자 땅을 딛고 일어선다'는 옛말이 있다. 요즘 쓰레기 종량제를 지켜보면서 이 말이 문득 떠올랐다. 사람이 만들어낸 쓰레기 때문에 사람 자신이 치여 죽을 판이니 어떻게 하겠는가.

해답은 쓰레기를 줄일 수밖에 없다.

인간은 생태계적인 순환에서 벗어날 수 없다. 우리들 인간의 행위가 곧 우리 환경에 직접적인 영향을 미치게 되고, 그 행위는 결과로서 우리에게 되돌아온다. 이런 현상이 인과 법칙이요, 우주의 조화다.

야생동물은 자신들이 몸담고 사는 둥지나 환경을 결코 더럽히지 않는다. 문명하고 개화했다는 사람들만이 자기네의 생활환경을 허물고 더럽힌다.

일찍이 농경사회에서는 쓰레기란 것이 없었다. 논밭에서 나온 것은 다시 논밭으로 되돌려 비료의 기능을 했다. 산업사회의 화학제품과 공업제품이 땅과 지하수를 더럽히고 우리 삶에 위협을 가하고 있다.

언젠가 광릉 수목원에 갔더니, 우리가 함부로 버리는 쓰레기의 썩는 기간을 다음과 같이 명시하고 있었다. 양철깡통이 다 삭아 없어지려면 1백년이 걸리고, 알루미늄 캔은 5백년, 플라스틱과 유리는 영구적이고, 비닐은 반영구적이라고 했다. 그리고 여기저기 허옇게 굴러다니는 스티로폼은 1천년 이상 걸린다는 것이다. 끔찍한 일이다.

이 땅이 누구의 땅인가? 우리들의 할아버지와 할머니들 그 이전부터 조상 대대로 물려내려온 땅이다. 또한 우리 후손들이 오래오래 대를 이어 살아가야 할 삶의 터전이다. 그런데 이 땅이 우리 시대에 와서 말할 수 없이 더럽혀지고 허물어지고 있다는 것은 현재의 우리들 삶 자체가 온전하지 못하다는 증거다. 우리 선인들은 밥알 하나라도 버리지 않고 끔찍이 여기며 음덕을 쌓았는데, 그 후손인 우리들은 과소비로 인해 음덕은 고사하고 복감할 짓만 되풀이하고 있다.

더 말할 것도 없이 과소비와 포식이 인간을 병들게 한다. 오늘날 우리들은 인간이 아니라 흔히 '소비자'라는 이름으로 불려지고 있다. 영혼을 지닌 인간이 한낱 물건의 소비자로 전락한 것이다. 소비자란 인간을 얼마나 모독한 말인가. 사람이 쓰레기를 만들어내는 존재에 불과하다니, 그러면서도 소비자가 어찌 왕일 수 있단 말인가.

현재와 같은 대량 소비풍조는 미국형 산업사회를 성장 모델로 삼은 결과가 아닌가 싶다. 자원과 기술은 풍부하지만 정신문화와 역사적인 전통이 깊지 않은 그들을 본받다 보니, 오늘과 같은 쓰레기를 양산하기에 이른 것이 아닌지 모르겠다.

작은 것과 적은 것이 귀하고 소중하고 아름답고 고맙다. 귀하게 여길 줄 알고, 소중하게 여길 줄 알고, 아름답게 여길 줄 알며, 또한 감사하게 여길 줄 아는 데서 맑은 기쁨이 솟는다.

물건을 새로 사들이고 한동안 지니고 쓰다가 시들해지면 내다 버리는 이런 순환에 갇혀 있는 한, 맑고 투명한 마음의 평온은 결코 얻을 수 없다.

사람이 행복하게 살기 위해서 무엇이 꼭 있어야 하고 없어도 좋은지 크게 나누어 생각해야 한다.

사람이 사람답게 살려면 먼저 자신부터 억제할 줄 알아야 한다. 자신의 처지와 분수도 모르고 소유욕에 사로잡히게 되면, 그 욕망의 좁은 공간에 갇혀 정신의 문이 열리지 않는다.

쓰레기를 만들어내는 소비자가 되지 않으려면 우선 그럴듯한 광고에 속지 말아야 한다. 광고는 단순히 상품의 선전이 아니라 우리들의 욕구를 충동질한다.

산업사회의 생산자는 소비자가 필요한 물건을 만들어낸다기 보다는 소비자의 욕구와 욕망을 자극하는 물건들을 만들어낸다. 소비자는 결국 생산자에 의해서 조작당하고 유도된다. 이때 소비자의 욕망을 자극하는 역할을 담당하는 것이 바로 광고다.

광고의 그럴듯한 단어들에 현혹되지 말라. 그 속을 들여다보고 그 안에 어떤 알맹이와 함정이 들어 있는지 냉정하게 살펴보아야 한다. 정신을 바짝 차리고 자신의 처지와 분수에 눈을 돌려 곰곰이 생각한 끝에 신중하게 선택해야 한다. 한때의 기분이나 충동에 휘말리게 되면 우리들 자신이 마침내 쓰레기가 되고 만다.

소유물은 우리가 그것을 소유하는 이상으로 우리들 자신을 소유해버린다. 그러니 필요에 따라 살아야지 욕망에 따라 살지는 말아야 한다. 욕망과 필요의 차이를 분별할 수 있어야 한다.

행복의 척도는 필요한 것을 얼마나 많이 가지고 있느냐에 있지 않다. 없어도 좋을 불필요한 것으로부터 얼마만큼 홀가분해져 있느냐에 따라 행복의 문이 열린다.

하나가 필요할 때 둘을 가지려고 하지 말라. 일상적인 경험을 통해서 익히 체험하고 있듯이, 둘을 갖게 되면 그 하나의 소중함마저 잃게 된다. 가수요란 허욕에서 싹튼다. 모자랄까 봐 미리 걱정하는 그 마음이 바로 모자람 아니겠는가.

지금까지 집안에 사들인 물건들을 한번 둘러보라. 쓰지도 않고 한쪽 구석에 놓아둔 물건이 얼마나 많은가.

우리들이 쓰고 있는 모든 물건은 이 지구상에 한정된 자원의 일부라는 사실을 명심해야 한다. 이 자원은 조상으로부터 물려받은 것이므로 후손에게 물려줄 인류공유의 자원이다.

우리가 보다 인간다운 삶을 이루려면 될 수 있는 한 생활용품을 적게 사용하면서 간소하게 살아야 한다. 덜 쓰고 덜 버리는 이 길밖에 다른 길은 없다.

땅에서 넘어진 자 땅을 딛고 일어선다.

〈95. 1. 21〉

쓰레기를 만들어내는 신문

　지난 겨울에는 눈 고장에도 눈다운 눈이 내리지 않았다. 예년 같으면 연일 내리는 폭설에 갇혀서 며칠 동안 딴 세상에서 살아야 했는데, 재작년 겨울부터 그런 눈은 내리지 않는다. 겨울은 물러가고 새봄이 머뭇거리면서 다가서고 있다.

　'물 쓰듯 한다'는 말이 이제는 생소하게 들릴 만큼, 우리는 지금 물에 대해서 인식을 새롭게 그리고 절박하게 하기 시작했다. 우리 생활에 한시도 없어서는 살아갈 수 없는 그토록 소중하고 귀한 물을 우리는 너무 소홀히 여긴 나머지 함부로 다루어 왔던 것이다.

　그야 어디 물뿐인가. 공기와 바람과 흙과 나무와 햇볕 또한 살아 있는 모든 생물에게는 생명 그 자체나 다름없는데, 우리 인간들은 산업사회에 휩쓸려 자연을 끝없이 더럽히고 허물면서 홀대해 왔다.

　지구 곳곳에서 일어나고 있는 요즘 같은 기상이변은 무엇을 의미하는 것일까. 기상전문가들도 그 원인을 정확히는 알 수 없다고 한다. 지구환경의 위기가 우리 눈앞에 다가서 있음을 감지하면서 그것이 단순한 자연현상만은 아닐 듯싶다.

사람이 마음대로 다룰 수 있는 자연이 아니라 사람도 그 자연의 일부임을 재인식해야 한다. 환경 위기를 극복하려면 사람들 스스로가 생명의 실상을 올바로 인식하고, 소비를 억제하면서 반자연적인 생활습관을 고쳐가는 길밖에 없을 것이다.

다행히도 요 근래에 신문 방송의 언론사마다 서로 경쟁이라도 하듯이 환경문제에 대해 앞다투어 보도, 계몽하고 있는 현상은 바람직한 일이다. 공해문제가 심각하게 대두되던 70년대부터 정부와 언론이 제 기능을 할 수 있었더라면 오늘처럼 심각한 결과는 가져오지 않았을 것이다.

정부와 기업과 시민은 우리 환경을 오염시킨 주범이면서 동시에 환경 위기에 대응하는 주체이기도 하다. 70년대 후반에 일어난 자연보호 운동이 이름만 요란했지 실패로 끝나고 만 것도, 자연을 파괴한 주체가 어디에 있는지를 덮어둔 채 대처하지 않았기 때문이다. 자연을 마구 허물고 더럽히면서 파괴한 정부와 기업의 개발은 놓아둔 채 등산객들이 버리는 쓰레기만을 문제삼은 그런 운동이 어떻게 실효를 거둘 수 있었겠는가.

오늘과 같은 기상이변은 환경 위기의 심각성을 경고해 주고 있는 계시처럼 여겨진다. 이 위기를 우리는 어떻게 대처하고 극복할 것인지 함께 궁리하고 헤아리지 않을 수 없다.

화석연료의 지나친 소비와 무분별한 과소비가 환경오염의 주범으로 흔히 다루어진다. 물을 아끼고 쓰레기를 줄이는 일은 환경의식의 각성과 개인의 생활습관을 개선하는 미덕으로 한 몫을

하고 있다. 그러나 보다 근본적인 요인은 환경 파괴적인 기술의
발달이 오늘과 같은 환경 위기를 초래한 것이다. 따라서 생산체
계의 획기적인 변화 없이 시민들의 각성이나 생활개선만으로는
근본적으로 해결되기 어렵다.

앞을 다투듯이 환경문제의 보도와 계몽을 벌이고 있는 언론사
에서도 이제는 환경 위기의 주체를 보다 근원적으로 직시해야
한다. 날마다 환경 위기를 다루고 있으면서도, 환경을 파괴하는
상품의 광고를 그대로 내보내는 것을 어떻게 받아들여야 할 것
인가.

신문이나 방송사가 광고 수입으로 운영된다는 사실을 모르는
바 아니다. 그러나 기왕 환경운동에 앞장선 언론사라면 환경 파
괴의 상품을 만들어내는 기업을 묵인해서는 안된다. 만만한 가
정주부들과 소비자만을 탓하면서 계도하는 것으로는 개선될 수
없다.

승가에 조고각하(照顧脚下)라는 말이 있다. 자신의 발 밑을
살피라는 것. 신발을 제자리에 바르게 벗어놓으라는 뜻이지만,
나아가 자신의 현존재를 살펴보라는 법문이기도 하다.

요즘 부피가 두터워진 신문의 지면에 글을 쓸 때마다 나는 이
말을 상기한다. 소비를 부추기는 광고가 홍수를 이루는 지면에
글을 싣는 것이 과연 어떤 의미가 있을까? 자본주의 체제 아래
서 상업주의와 경쟁논리로 치닫고 있는 오늘의 언론풍토에 글을
싣는 일이 주저될 때가 있다.

우리 생활이 복잡하고 다양해질수록 여기에 따른 정보와 지식

도 불어나게 마련이다. 그리고 독자와 청취자층이 다양하기 때문에 지면과 프로그램도 다양하게 짜여질 수밖에 없을 것이다. 그렇지만 늘어난 지면과 그 시간을 메꾸기 위해 우리들 삶에 그다지 요긴하지도 않은 시시한 저질 정보와 지식이 범람한다면, 양식 있는 언론으로 신뢰되기 어렵다. 음식점에서 한 상 그득하게 차려 놓은 음식이 절반도 먹지 않고 그대로 쓰레기로 버려지는 것과 같다.

이와 같은 신문과 방송을 만들기 위해 얼마나 많은 사람들이 땀흘려 뛰면서 마감 시간에 쫓기고 있는가. 그러나 신문과 방송이 과다한 광고를 통해 자사의 이익과 함께 소비를 부추기면서 쓰레기와 소음을 가증시키고 있다는 사실도 반성할 수 있어야 한다.

그리고 신문용지를 만들어내기 위해, 사람에게 물과 맑은 공기를 제공해 주는 청청한 숲이 이 지구상에서 무참히 베어져 사라져가고 있다는 사실도 상기해야 한다. 지면이 늘어날수록 그만큼 숲의 피해도 크다.

이런 현실 앞에서 신문도 크게 자성해야 한다. 하나뿐인 우리 지구의 환경을 지키기 위해 근본적으로 달라져가야 한다. 이런 현상이 이대로 지속된다면 신문사마다 벌이고 있는 환경 캠페인도 결국은 속임수가 되고 말 것이다.

〈95. 2. 18〉

죽이지 말자, 죽게 하지도 말자

　내가 듣는 바깥 세상 소식은 오로지 라디오를 통해서다. 맨날 비슷비슷한 사건과 사고로 엮어지기 때문에 귀기울여 들을 것도 없지만, 한데 어울려 살아가는 세상이라 습관적으로 아침 저녁 식탁에서 뉴스를 듣게 된다.

　또 끔찍한 살인의 소식이다. 아버지가 어린 세 자녀를 죽여 암매장했다고 한다. 어찌하여 우리 시대에 와서 이런 끔찍한 일들이 꼬리를 물고 일어나는지, 같은 인간의 처지에서 참담하고 부끄럽기만 하다.

　자기가 낳은 자식이라 할지라도 그 아이는 부모의 것이 아니다. 그럴 만한 인연이 있어 그 부모를 거쳐서 이 세상에 나온 것이다. 사람만이 아니라 모든 살아 있는 것들은 동물이건 식물이건 간에 그 자체가 하나의 독립된 신성한 우주다.

　부부간의 갈등 때문에 감정 처리를 제대로 못하고 죄 없는 어린 생명들을, 살려달라고 애원하는 그 어린 것들을 셋이나 비정하게 죽였다니, 이러고도 어떻게 사람이라 할 수 있을까. 인간이란 도대체 어떤 존재인지, 요즘에 이르러 새삼스레 인간존재 그 자체에 회의와 의문을 갖지 않을 수 없다.

　인간은 그 어떤 동물보다도 폭력적이다. 자기네 부모나 자식
혹은 형제와 자매 친구들을 죽이는 것은, 많은 동물 가운데서
오직 인간밖에 없다. 지구상에서 인간끼리 살육하고 파괴하는
전쟁이 끝없이 이어지는 것도 바로 이 폭력의 작용이다.
　또 인간들은 먹기 위해서만이 아니라 죽이는 일을 즐기기 위
해서 죽이기도 한다. 사냥이나 낚시가 바로 그것이다. 이것을
요즘 사람들은 '레저'라고 한다. 여가를 이용한 놀이와 오락이라
는 것이다.
　당하는 쪽에서 보면 절박한 생사문제인데, 그것을 놀이와 오
락으로 즐기고 있다니 인간이 얼마나 잔인한 존재인가. 막다른
골목으로 몰린 산토끼는 어린아이처럼 운다는 말을 어떤 책에서
읽은 적이 있다.
　≪법구경≫에 다음과 같은 구절이 있다.

'모든 생명은 폭력을 두려워하고
죽음을 두려워한다.
이 이치를 자신의 몸에 견주어
남을 죽이거나 죽게 하지 말라.

모든 생명은 안락을 바라는데
폭력으로 이들을 해치는 자는,
자신의 안락을 구할지라도

그는 안락을 얻지 못한다.'

한 생명의 숨결이 희미하게 꺼져가는 임종의 자리를 지켜본 사람은 알 것이다. 한순간 한순간 마치 힘든 고개라도 올라가듯 어렵게 어렵게 들이쉬고 내쉬는 거미줄 같은 그 가는 목숨의 숨 결이 얼마나 엄숙하고 소중한 것인가를.

우리가 인간이라고 내세울 것이 있다면, 믿고 의지해 살아가 면서 서로를 사랑과 존엄성을 지니고 대할 수 있기 때문이다. 사랑과 존엄성과 다른 사람을 생각하는 마음이 없다면, 그는 거 죽만 사람 형상을 하고 있을 뿐 진정한 인간은 아니다.

≪삼국유사≫ 5권에는 혜통(惠通) 스님에 대한 이야기가 실려 있다. 혜통이 출가하기 전 세속에 있을 때, 그의 집은 남산 서쪽 기슭인 은냇골 어귀에 있었다. 어느 날 집 근처 시냇가에서 수 달 한 마리를 잡게 되었다. 고기는 끓여서 먹고 그 뼈는 뜰가에 버렸다. 이튿날 아침 뜰가에 나가 보니 그 뼈가 보이지 않았다. 이상하게 여기고 자세히 살펴보니 웬 핏자국이 띄엄띄엄 나 있 었다. 그 핏자국을 따라가보니 전날 수달을 잡았던 그 근처 보 금자리에 수달의 뼈가 고스란히 다섯 마리 새끼를 안고 있었다. 이 광경을 보고 그는 크게 놀랐다. 자신의 행동을 자책한 끝에 그는 마침내 속세를 등지고 출가 수행자의 길로 떠났다.

죽은 어미의, 새끼를 그리는 생각이 얼마나 지극하고 간절했 으면 죽어서 버려진 뼈가 새끼를 안고 있었겠는가. 이것이 모성 애요 영혼의 작용이다. 짐승도 이러는데 사람이 어떻게 어린 자식들을 제 손으로 죽일 수 있단 말인가.

육체는 얼마든지 죽일 수 있지만, 영혼은 그 무엇으로도 죽일 수 없다. 영혼은 불생 불멸이기 때문이다.

인간의 몸은 신이 거주하는 사원과 같은 것. 사원은 마음만 먹으면 누구든지 파괴할 수 있다. 그러나 인간의 가슴은 파괴될 수 없다. 왜냐하면 그 중심에 신이, 혹은 불성이 깃들여 있기 때문이다.

내 안에서 무엇이 숨을 쉬고 있을까. 무엇이 보고 들을 줄 알고 꿈을 꾸는가. 무엇이 들어 있어 아름다운 선율에 귀를 기울이고, 꽃 향기를 식별할 줄 알며, 그리운 사람을 그리워하는가.

살아 있는 목숨을 죽이지 말자. 그리고 죽게 하지도 말자. 남의 목숨을 끊는 것은 결과적으로 자신의 목숨을 끊는 일이다. 인간사는 스스로 지어서 받는 인과관계로 엮어진다.

〈95. 2. 25〉

山河大地가 통곡한다

이른 봄의 산과 들녘을 며칠 동안 떠돌아다니면서 세상 돌아가는 모습을 보고 들었다. 여기저기 다녀본 느낌을 한마디로 말한다면, 우리 국토가 너무나 상처를 많이 입고 있다는 가슴 아픈 현실이다.

자연 그대로인 성한 곳은 별로 없고, 가는 데마다 허물어지고 파헤쳐져 신음하면서 앓고 있었다. 자연이란 사람의 손으로 만들어지거나 바꾸어질 수 없는 존재의 본질을 말하는데, 그대로 있어야 할 본질이 말할 수 없는 상처를 입고 무너져가고 있었다.

요즘 이 땅에서 자주 쓰이는 '무한경쟁시대'니 '일류가 아니면 살아남지 못한다'거나 어떤 회사의 광고문처럼 '정복할 것인가 정복당할 것인가' 이런 비정하고 살벌한 말들이, 기업의 국제경쟁력을 부추기는 데에 그치지 않고, 선량한 시민들의 정서에 불안과 위협을 가하고 있는 것은 아닌지 모르겠다.

우리가 기대고 있는 자본주의 체제는 당초부터 경쟁체제이기 때문에 그와 같은 비정한 용어가 튀어나올 법도 하지만, 그 측면에 들어 있는 냉혹한 야만성도 함께 인식해야 한다. 인간의 착취와 존재의 상품화뿐 아니라, 모든 생산의 토대가 되어 있는 자연을 허물고 파괴함으로써 생산성을 높이는 생산체계 그 자체가 바로 자본주의의 야만성이다.

자연으로부터 물과 석탄과 석유, 철광석, 목재, 석회석 등 낱낱이 그 종류를 들출 것도 없이 무수한 자연자원을 끝도 없이 채취한다. 그리고 나서 환경을 오염시킨다. 이래서 자연은 날로 무너져간다. 여기에 곁들여 우리들의 대량 소비체계도 그 야만성에 한 몫 거들고 있는 셈이다.

오늘날 날이 갈수록 심각해지고 있는 지구환경의 오염과 자연의 파괴는 생산성과 효율성을 위한 제물이다. 이른바 서구식 개발의 신화가 불러들인 재앙이다. 무엇을 위한 개발이며, 누구를 위한 개발인가를 거듭거듭 물어야 한다. 묻지 않고는 그 해답을 끌어낼 수 없다.

우리가 몸담아 살아온 이 땅을 '금수강산'이라고 부른 적이 있었다. 비단에 수를 놓은 것 같은 아름다운 강산이란 뜻이다. 그러나 우리 시대에 와서 그 이름은 과거 완료형이 되고 말았다.

쓰레기 종량제를 실시한 후 으슥한 산자락이나 강변에 몰래 내다버리는 산업 폐기물이 부쩍 늘고 있는 것을 도처에서 목격하게 된다. 우리 사회의 추악한 한 모습이다.

누가 이 땅을 이 지경으로 만들었는가? 무엇을 위해 삼천리 금수강산을 상처투성이와 쓰레기 더미로 만들었는가? '산천의 구란 말 옛시인의 허사로고'란 노래말이 오늘 이 땅의 어디를 가나 현실이 되어 있다. 안타깝고 안타까운 일이다.

자동찻길을 새로 내거나 넓히기 위해 방방곡곡의 산과 들녘이 파헤쳐지고 있다. 이러다가는 전 국토가 자동찻길로 덮이지 않을지 걱정이다. 차를 가진 사람이나 갖지 않은 사람 할 것 없이, 교통수단을 자동차에 의존하고 있는 우리 모두가 결과적으로 국토를 파괴한 공범자라는 생각이 든다.

찻길을 내지 않을 수 없는 현실적인 상황이라 할지라도, 긴 안목으로 심사숙고하여 인간의 영원한 어머니인 자연에 피해를 최소화하는 범위 안에서 이루어져야 한다.

우리가 조상으로부터 물려받은 강산은 청정한 국토였는데, 우리 시대에 와서 이처럼 망쳐놓았다는 것을 자책할 줄 알아야 한다.

또 한 가지 걱정거리가 있다. 바야흐로 지방화시대에 접어들면 우리 산천은 지금보다 몇곱으로 허물어지고 파괴될 것이다. 지방 재정의 자립이라는 명목하에 더욱 많은 개발 붐을 타고, 산을 허물어 골프장이 수없이 들어설 것이고, 앞을 다투어 여기저기 저질 위락시설이 독버섯처럼 돋아날 것이다.

산과 들이 허물어지고 강물이 더럽혀져 식수원이 고갈되면 사람은 어떻게 변모될 것인가. 더 물을 것도 없이, 인간은 더욱 황폐화되고 사회는 날로 사막화될 것이다. 정신분열증 환자가 늘어날 것이고 범죄에 곁들여 파괴충동과 자살도 증가될 것이다. 이런 현상을 전문가들은 자본주의의 정신질환이라고 진단한다.

문민정부의 핵심 인물들은 불의에 밀려 불우했던 시절, 산을 오르면서 많은 것을 배웠을 줄 믿는다. 청정하고 평화로운 자연의 품에 기대어 울분을 달래고 미래를 설계하면서 인내의 덕과 경륜을 익혔을 것이다.

소리 없는 소리에 귀기울이던 그 귓속의 귀로, 오늘 우리 산하 대지가 형편없이 허물어지고 파헤쳐져 통곡하는 소리를 들을 수 있어야 한다. 산천도 하나의 생명체가 아닌가. 간악한 일제는 우리 민족의 정기를 말살하기 위해 명산마다 쇠말뚝을 박았다는데, 이제는 우리 손으로 우리 국토를 마구잡이로 허물고 있는 이 무지를 어떻게 보아야 할 것인가.

세계화를 국정목표로 내세우고 있는 정부에서는 물량의 국제경쟁력에만 관심을 기울인 나머지 자칫 삶의 가치를 소홀히 하거나 삶의 터전인 자연을 개발의 이름 아래 이 이상 학대하지 말았으면 한다. 자연의 질서와 조화를 무시하고 사람이 살 수 없다는 사실을 명심하여 자연의 은덕에 보답하는 지혜를 펼쳤으면 한다.

우리는 다시 가난을 배워야 할 때가 온 것 같다. 분수 밖의 것에 탐욕을 부리지 않고 '자기 그릇'에 만족하며 꿋꿋하게 살던 그 맑은 가난의 정신이, 살벌하고 비정한 이 시대에 사람의 자리를 지켜줄 것이다. 마음이 가난한 자는 복이 있나니….

〈95. 3. 18〉

휴거를 기다리는 사람들

　며칠 전 지리산 일대를 다녀왔다. 지리산은 그 품이 넓어 이 골짝 저 골짝에 온갖 종류의 생물을 거느리고 있다. 그중에는 일부 종교의 기도원과 수도자가 그 품속에 깃을 치고 의지해 살고 있었다.

　먹물옷을 걸치고 있는 사람들이 몇몇 눈에 띄어, 그들과 이야기를 나눌 기회를 가졌다. 이 산중에서 어떤 수행을 하고 있는지 궁금했기 때문이다. 그중 한 젊은이는 초능력을 얻기 위해 공부하고 있다고 했다. 그의 신분이 승인지 속인지 알 수 없었다.

　초능력이란 말에 피식 웃음이 나오려 했지만, 그의 진지한 표정에 나도 근엄해져 초능력을 얻어서 어디에 쓰려고 하느냐고 물어보았다. 세상일을 환히 알고 사람의 마음을 꿰뚫어보기 위해서라는 것이다.

　종교의 본질이 무엇인지, 어떤 것이 올바른 수행인지를 가릴 줄 모르는 사람들이 간혹 이런 일에 빠져드는 수가 있다. 남의 마음을 꿰뚫어본다는 것은 남의 사생활이 담긴 일기장이나 편지를 엿본다는 소리나 마찬가지다. 이런 일이 젊음을 불사를 만한 가치가 있단 말인가. 한마디로 웃기는 짓이다.

남의 마음을 읽으려고 할 게 아니라 먼저 자기 자신의 마음을 살필 줄 알아야 한다. 자신에게 가장 가까운 그 마음을 놓아둔 채 어떻게 남의 마음을 엿보겠다는 것인가.

재작년이던가, 휴거소동으로 세상에 구경거리가 한판 벌어지는가 싶더니 불발로 끝나고 말았다. 그러나 일부 종교계에서는 그 휴거의 미련을 아직도 버리지 못한 채 예수 부활절에, 혹은 그 얼마 후에 진짜 휴거가 있을 거라고 공공연히 '선교'를 하고 있단다. 타종교에 대해서 잘 알지도 못하면서 왈가왈부하기는 주저되지만, 무엇이 진정한 종교이고 어떤 것이 올바른 신앙인의 자세인지 이 자리를 빌려 함께 생각해 보고자 한다. 다른 저의는 조금도 없다.

종말론은 일찍부터 심심치 않게 거론되어 온 주장이다. 거두절미하고 적어도 우리 시대에 지구의 종말은 없을 것이다. 지구가 종말을 향해 굴러가도록 방치할만큼 오늘의 지구인들이 그렇게 우매하지는 않다. 오늘도 사과나무를 심는 스피노자의 후예들이 이 구석 저 구석에 건재하고 있기 때문이다.

천국은 어디이고 지옥은 어디인가. 이웃과 함께 기쁨과 슬픔을 나누면서 만족할 줄 알고 오순도순 인간답게 살고 있다면 그 자리가 바로 천국일 것이고, 아무리 가진 것이 많더라도 마음 편할 날 없이 갈등과 고통 속에서 괴로운 나날을 보낸다면 그곳이 바로 지옥 아니겠는가.

휴거를 믿고 재산을 바쳐가면서 신을 찬양하고 기도를 드리는 사람들만 선별적으로 구원을 받을 수 있다면, 신의 존재가 너무 편벽되고 옹졸해진다. 그런 신이 어떻게 이 세상 만물을 주재할 수 있겠는가.

신은 하늘 높은 곳 어딘가에 앉아 있는 어떤 인격체가 아니다. 만약 어떤 종교가 그를 믿지 않는 계층에 대해서 배타적이라면 그것은 신의 종교일 수 없다. 왜냐하면 신은 우주만물 속에 두루 존재하기 때문이다. 온전한 신은 그 어떤 종교와도 독점계약을 맺은 적이 없다.

이런 가르침이 있다.

"'나'를 위해서 하려고 하는 온갖 종교적인 태도는 마치 돌을 안고 물 위에 뜨기를 바라는 것과 같다. 그러니 '나'라고 하는 무거운 돌을 내던져라. 그러면 진리의 드넓은 바다에 떠올라 진실한 자기를 살리게 될 것이다."

신앙생활은 어떤 이익이나 영험을 얻기 위해서가 아니다. 오로지 순수한 믿음 그 자체를 위해 닦는다. 종교는 하나의 교육과정이다. 이해와 깨달음으로 나아가는 자기 교육이며, 이를 통해 우리 삶이 보다 풍요로워지고 온갖 두려움으로부터 벗어나게 된다. 종교는 진실을 스스로 탐구하고 찾아내는 행위다.

세상에 많은 자유가 있지만 궁극적인 자유는 자기로부터의 자유다. 그는 어디에도 예속되지 않으며, 한 사람의 개인으로 그 자신의 삶을 살며 순간마다 새롭게 태어난다.

정치적이건 종교적이건 광신이나 열광으로 들뜨게 되면 그것은 정상이 아니다. 신이 어디 귀머거리인가. 신은 손뼉소리나 울부짖는 소리보다 침묵을 더 사랑하고 이해하신다. 한밤중의 고요에 귀를 기울일 줄 안다면 우리는 그 침묵 속에서 그 분의 음성을 듣게 될 것이다.

기도란 침묵의 가슴에서 우러나오는 감사이며, 존재하는 모든 것에 대한 깊은 사랑이다. 그리고 기도의 마지막 단계는 침묵 속의 명상임을 알아야 한다.

정부의 한 부패관료가 조주 선사에게 물었다.
"큰 스님도 지옥에 들어가는 일이 있습니까?"
선사는 태연히 대답한다.
"내가 먼저 들어갈거네."
"덕이 높은 큰스님께서 지옥 같은 데를 들어가시다니요?"
"내가 만약 들어가지 않는다면 그대 같은 사람을 어디서 다시 만날 수 있겠는가."
이것은 우스갯소리가 아니다. 간절한 사랑이요 자비심이다. 한 이웃을 구제하기 위해 몸소 지옥에라도 기꺼이 들어가겠다는 비원(悲願)이다. 사랑과 자비심이 우리를 들어올리고 세상을 구원할 수 있다.

오지도 않을 휴거를 무작정 기다릴 게 아니라 지금 바로 이 자리에 있는 이웃과 사랑을 나누라. 가기는 어딜 가는가. 지금 그 자리에서 사랑으로 천당을 이루라. 누구의 입에서 나온 말인가. 하느님은 곧 사랑이라고.

〈95. 4. 15〉

세상의 어머니들에게

'부처님 오신 날'을 기해 우리 모두 어머니의 위대성에 대해서 거듭 생각해 보고자 이 글을 씁니다.

그 누가 되었건 한 생명의 탄생에는 말로 다할 수 없는 어머니의 희생이 전제됩니다. 모든 생명은 어머니를 거쳐서 이 세상에 나옵니다. 그러니 우리 생명의 근원은 어머니입니다.

노소를 가릴 것 없이 자신의 생일이라고 해서 한상 그득 차려 놓고 가족이나 친지들로부터 '생일 축하합니다…' 어쩌고 하는 소리를 들을 때 저는 속으로 중얼거립니다.

'야, 니가 뭐 잘났다고 생일 축하냐. 진심으로 생일을 축하하려거든, 너를 낳아 길러주신 어머니의 은혜를 기려라. 어머니가 아니면 네가 어디서 나와 오늘을 살겠느냐.'

벌써 오래 전에 제가 경험한 일인데요. 어느 날 어머니가 돌아가셨다는 소식을 전해 듣는 순간, 아하 내 생명의 뿌리가 꺾이었구나 하는 생각이 문득 들었습니다. 어머니는 우리 생명의 뿌리입니다. 그 뿌리가 꺾이었구나 싶으니 제가 갑자기 고아가 된 느낌이었습니다.

이 세상에서 가장 뛰어난 창조력을 지닌 이는 곧 어머니입니다. 생명을 가진 사람을 만들어내기 때문입니다. 어머니는 우주의 생명력을 사랑으로 빚어 탄생시킵니다. 이런 창조의 능력을 지닌 어머니이므로 삶을 아름답게 가꾸는 일도 어머니들의 차지가 되어야 합니다. 날로 살벌해 가는 세태를 보면서 어머니들의 영향력이 절실하게 요구됩니다.

가정의 중심은 더 말할 것도 없이 어머니이지요. 어머니가 계시지 않으면 집에 훈기가 없습니다. 집(家屋)은 아버지가 가꾸지만 집안(家庭)은 어머니가 다스립니다.

지금 우리가 살아가는 세상이 어떤 세상입니까. 날마다 끔찍한 사건과 사고로 깜짝깜짝 놀라면서, 인간이란 도대체 어떤 물건인지 그 존재 의미를 묻지 않을 수 없습니다. 지구 곳곳에서 미친 녀석들이 같은 사람을 무작위로 마구 살상하고 있지 않습니까.

이들은 모두 그 부모로부터 태어난 자식들입니다. 성장 과정에 문제가 있어 정상적인 정서와 인성을 갖추지 못한 데에 그 병인이 있으리라 여겨집니다. 문제아의 대부분은 부모의 살뜰한 사랑을 제대로 받지 못하고 자란 아이들입니다.

낳기만 한다면야 누군들 못하겠습니까. 제대로 기르고 가르쳐야 하기 때문에 어머니의 얼굴에 주름살이 지고 근심 걱정이 그칠 날 없겠지요. 어머니는 당초부터 어머니로서 존재하는 것이 아니라 자식을 낳아 기르는 과정에서 어머니가 됩니다. 한 사람의 어진 어머니는 백 사람의 교사에 견줄 만하다고 합니다.

그 어머니 밑에서 뛰어난 성인도 나오고 흉악한 도둑도 나옵니다. 그러니 인류 역사에 가장 큰 영향을 끼치는 분들도 그 원천을 따져보면 어머니들이라고 할 수 있습니다.

여유 있는 집에서는 자식들을 지나치게 보호하는 것이 문제이고, 없는 집에서는 너무 무관심한 것이 걱정입니다. 있는 집이나 없는 집이나 자식들에게 '넉넉한 자(尺)'를 마련해 주는 일이 뭣보다도 선행되어야 할 것 같습니다. 자신이 지니고 있는 자가 작거나 옹색하면 활짝 열린 세상을 그 자로 재거나 받아들일 수가 없습니다.

사람에게는 몫몫의 그릇이 있기 때문에 넉넉한 자만 지니게 된다면 그 그릇을 채우면서 여유 있게 살아갈 수 있습니다. 그리고 자식들과의 관계를 돈으로 해결하려 하면 언젠가는 그 돈 때문에 갈등을 빚게 될 것입니다.

사람으로서 갖추어야 할 예절과 덕성을 길러주고, 작은 일에서부터 책임감을 심어주는 일이 긴요합니다. 아이들을 백화점 같은 데만 데리고 가지 말고, 작은 풀꽃의 아름다움에 눈길이 가도록, 그래서 자연의 신비에 마음이 열리도록 이끄는 것도 어머니들의 할 일입니다.

우리는 흔히 얻는 것을 좋아하고 잃는 것을 싫어하지만, 얻어서 해가 되는 일도 있고 잃어서 득이 되는 수도 있습니다. 그러니 당장의 얻고 잃음에 너무 집착하지 마십시오. 때로는 잃지 않고서는 얻을 수 없는 것도 있지 않습니까. 문제는 어떤 상황 아래서건 한 인간으로서, 대지의 어머니로서 자신의 영혼과 함께 성숙해지는 일입니다.

인도에서는 50세의 나이를 '바나프라스타(Vanaprastha)'라고 부른답니다. 이 말은 '산을 바라보기 시작할 때'라는 뜻입니다. 나이 쉰이 되면 자식들은 대충 학업을 마치고 스스로 자립하게 됩니다. 그러니 이제는 자기 자신의 일에 관심을 기울여야 할 때라고 해서이겠지요. 그 누구도 나에게 빛을 줄 수는 없습니다. 빛은 본래부터 내 안에 내재되어 있습니다. 내가 그 빛을 찾아내어 비추기만 하면 됩니다.

귀를 기울여 들으십시오. 항상 내 뒤에서 나를 지켜보는 '눈'이 있습니다. 시작도 끝도 없는 아득한 세월을 두고 밤이나 낮이나 나를 샅샅이 지켜보는 눈이 있습니다. 그가 누구입니까?

말의 틀에 갇히지 말고, 그가 누구인지 곰곰이 살펴보십시오. 나를 지켜보는 그와 떨어져 있지 말고 그와 하나가 되도록 하십시오. 그렇게 되면 삶이 늘 새로워질 것입니다.

부처님 오신 날, 세상의 모든 어머니들께서 두루 복 받으십시오. 어머니들, 감사합니다.

〈95. 5. 7〉

외국산 食水가 밀려든다

입하절에 들어서면서 고랭지에도 침묵의 숲이 깨어나고 있다. 자작나무 가지에 여린 새 잎이 피어나고, 전나무에 새 움이 돋고 낙엽송이 무리지어 있는 숲에도 연초록 물감이 풀리고 있다. 이 골짝 저 골짝에서 돌배나무꽃이 구름처럼 허옇게 피어오르고 꽃사과와 산벚나무꽃도 볼 만하다. 나무마다 새 잎을 펼쳐 내는 신록의 숲은 그대로가 꽃이요 향기다.

며칠 전 벙어리뻐꾸기가 첫소식을 전해 오더니, 오늘 아침에는 찌르레기와 검은등뻐꾸기 소리도 들린다. 뻐꾸기는 아직 오지 않았다. 산 아래서는 밀화부리와 꾀꼬리의 노래도 들려올 것이다.

자연은 이렇듯 어김없이 순환의 질서를 지킨다. 사람들에게 그토록 허물리고 더럽히며 상처 받으면서도 계절의 질서를 묵묵히 이행하고 있다. 이런 자연이 그지없이 고맙고 미덥고 기특하기만 하다.

묵은 밭에 감자를 세 두렁 심고, 옥수수도 두 두렁 심었다. 그리고 구덩이를 세 군데 파서 거름을 두둑이 주고 호박도 심었

다. 작년에 꽃을 보고 거두어둔 해바라기씨도 여기저기 묻어주
었다. 아직도 서리가 내리는 곳이라 채소는 갈지 않고, 고추모
도 구해 오지 않았다.

일 끝에 개울가에 나가 흙 묻은 손을 씻고 흐르는 물을 움켜
마시면 이내 갈증이 가시고 몸에 생기가 돈다.

우리 산천의 이런 물맛은 이 세상 어디에 가서도 맛볼 수 없을
것이다. 해외에 나가 장기간 여행을 하면서 가장 아쉽게 여기는
것 중 하나가 이런 물맛을 볼 수 없다는 사실이다. 달디단 이런
물을 어디서 마실 수 있단 말인가.

듣자니 외국산 식수가 그야말로 물밀듯 밀려올 것이라고 한
다. 우리가 어쩌다가 먹는 물까지 남의 나라에서 사다가 먹게
되었는가. 집집마다 들어온 수돗물은 이제 마음놓고 먹을 수 없
도록 그 오염도가 심각하게 된 모양이다.

이런 현상이 요즘 입만 벌리면 너도 나도 외쳐대는 세계화인
가. 국정을 맡은 책임자들이 일이 벌어질 때마다, 무슨 일이 있
어도 식수만은 안심하고 먹을 수 있도록 하겠다고 국민 앞에 다
짐다짐하던 결과가 바로 이것인가. 외국산 물은 마음놓고 마셔
도 된단 말인가. 한심한 일이다.

그 누가 마음놓고 달게 마시던 물을 더럽혀 놓았는가. 무엇이
우리 식수원을 망쳐 놓았는가. 곰곰이 따져볼 일이다.

서울의 경우만 하더라도 식수원인 팔당수원 둘레에는 수많은
경고문 게시판이 설치되어 있다.

'여기는 팔당 상수원 보호구역입니다. 야영이나 취사 투망 낚

시 쓰레기 투여 등 수질오염 행위가 법으로 금지되어 있습니다. 위반시 2년 이하의 징역이나 5백만원 이하의 벌금을 받게 됩니다'

이런 경고문만으로 상수원이 제대로 보호될 수 있다고 생각한다면 그건 커다란 오산이다. 이런 경고문이 게시된 바로 지척에 각종 음식점이 즐비하여 구정물을 거르지 않고 그대로 강물에 내보낸다. 크고 작은 공장에서 끊임없이 폐수가 흘러내리고 소와 돼지의 축사에서 배설물이 흐른다. 이와 같은 수질오염의 근원을 방치해 둔 채 야영이나 낚시 같은 것만을 금지시킨다고 식수원이 보호될 수 있겠는가. 이러니 외국산 식수가 들어올 수밖에 없겠다는 생각이 든다.

균형과 조화는 모든 살아 있는 것들의 활기요 지혜다. 생태계는 이 균형과 조화로 유지 존속된다. 그런데 이를 무시하고 그저 많은 것을 차지하고 큰 것만을 원하는 우리들의 삶은 날로 병들어 갈 수밖에 없다.

균형과 조화로 이루어진 자정 능력이 자연에만 있는 것은 아니다. 인간끼리 모여 사는 사회에도 자정 능력은 있다. 그것은 건전한 가치의식과 도덕성일 것이다.

가치의식과 도덕성이 생생하게 살아 있는 건전한 사회는 자체의 모순을 그때그때 치유하면서 정화한다. 세계화를 외쳐대고 있는 우리 사회는 과연 이런 자정능력을 지니고 있는가.

유한한 인간이 어떻게 무한한 경쟁만을 치르면서 살아갈 수 있겠는가. 인간의 가치는 비정한 경쟁을 통하기보다도 상호 협력으로 구현될 수 있지 않겠는가. 일류가 아니면 살아남지 못한다고? 이류 삼류로도 얼마든지 살아남아 왔다. 수많은 사람들과 나라들이 그렇게 살아온 것을 인류 역사가 증거하고 있다.

허구적인 말의 수사에 현혹되지 말아야 한다. 세계화에 앞서 인간화가 선행되어야 한다고 나는 생각한다. 직장의 동료끼리 혹은 이웃끼리 같은 국민끼리 서로 믿고 의지해 협력하면서 인간답게 사는 인간화가 이루어지지 않는 터전 위에서 세계화는 실속없는 한낱 구호에 그치고 말 것이다.

오늘날 우리 사회가 모든 것을 경제 논리로만 재고 따지려는 경향에 대해서 우려하지 않을 수 없다. 인간에게는 물질적인 욕구만으로는 채워질 수 없는 다양한 가치의식이 있다. 인간은 도덕적인 존재이고 심미적인 존재이며 또한 종교적인 존재이기도 하다. 이런 인간의 욕구가 균형 있고 조화롭게 채워지지 않는 한 삶의 질은 이루어질 수 없다.

동방의 지혜인 노자는 그의 《도덕경》에서 말한다.

"자연은 만물을 낳아서 기른다. 만물을 낳아 기르면서도 자기 소유로 삼지 않는다. 스스로 일을 했으면서도 자신의 능력을 뽐내지 않고, 만물을 길러주었지만 아무것도 거느리지 않는다. 이것을 일러 현묘한 덕이라고 한다."

자연보다 더 큰 스승이 어디 있겠는가. 우리는 자연으로부터 겸허하게 배울 수 있어야 한다. 사람은 산소와 물을 만들어내지 못한다. 나무와 풀만이 산소를 만들고 물을 맑게 간직한다. 산소와 물이 없다면 우리가 어떻게 살 것인가. 나무와 풀에 고마워하자.

〈95. 5. 20〉

Ⅲ
살아 있는 부처

당신은 얼마만큼이면 만족할 수 있는가?
가을 나무에서 잎이 떨어지듯이,
자신의 인생에서 나이가 하나씩 떨어져간다는 사실을 아는가?
적게 가지고도 얼마든지 잘살 수 있다.
자신이 서 있는 자리를 내려다보라.

밀린 이야기

　지난 가을 〈불일암의 사계〉라는 사진집이 한 친지의 숙원으로 출간을 보게 되었다. 나는 그 사진집을 펼쳐 보면서 묘한 생각이 들었다. 내가 한동안 몸담아 살던 보금자리가 마치 곤충이 벗어버린 빈 껍질처럼 생소하게 느껴졌다. 내 자신의 삶과는 전혀 상관이 없는 낯선 풍경으로 보였던 것이다.

　내가 살 만큼 살다가 이 세상을 하직한 후 뒷사람들에 의해 치다꺼리 되는 일들도 어떻게 보면 내 자신과는 상관이 없는, 그들의 몫이고 차지이겠다는 생각마저 들었다. 자, 이렇게 되면 이웃이나 뒷사람들에게 폐가 되지 않도록 자기 앞의 삶은 스스로 알아서 정리정돈하고 처리해서 뒤를 깨끗이 해야 할 것이라고 여겨졌다.

　꼬박 사흘을 자리보전하고 앓으면서 이런저런 일들을 떠올렸다. 나는 내 체력에 대해서 늘 고마워하며 잘 부려왔는데, 이번에 추운 날씨에 과로를 좀 했더니 그만 눕게 되었다. 어찌나 기침을 해댔던지 오장육부에 멍이 들지 않았는가 싶다. 이러다가 일어나지 못하면 아주 가는 것이겠지. 하지만 죽을 병이 아닌

한 앓을 만큼 앓아주면 털고 일어날 수 있다.

가까운 사람들한테는 체력의 관리에 대해서 곧잘 아는 소리를 하면서도, 막상 자기 자신에 대해서는 소홀하고 둔한한 것이 저마다 익혀온 버릇일 것이다.

언젠가 방송에서 들은 이야기인데, 72세 된 노인이 6·25 전쟁 후부터 40년이 넘도록 한 트럭을 몰고 다닌다고 했다. 그는 그 차로 지금도 대관령에서 목장의 건초를 실어 나르는 일을 하고 있다. 어떻게 다루었기에 그처럼 오랫동안 같은 차를 굴릴 수 있었느냐고 그 비결을 묻자, 오르막길에서 엔진의 힘을 다 쓰지 말아야 한다고 했다.

이 말을 전해 듣고 나는 하나의 지혜를 터득했다. 이것이 어찌 차의 수명에만 해당될 이야기인가. 사람의 체력도 마찬가지일 것이다. 무슨 일에 매달려 기진맥진하도록 골몰하게 되면 심신이 지쳐서 다음 일을 제대로 할 수 없게 된다. 체력을 한꺼번에 죄다 소모해버리면 재충전이 불가능하다. 체력의 60~70%만 쓰면 이 다음 일에도 지장이 없게 될 것이다. 새겨둘 지혜라고 여겼으면서도 우리는 번번이 체력을 탕진하여 그때마다 되돌아보게 한다.

이 이야기를 들은 후부터 나도 고갯길을 올라갈 때 그전처럼 가속페달을 힘껏 밟지 않고 엔진에 무리가 가지 않도록 새로운 습관을 들이고 있다.

일부러 자청할 일은 못되지만, 평소 건강한 사람들도 어쩌다 한번씩 앓는 일을 통해 삶의 여백이나 뒷뜰 같은 데에도 기웃거릴 수 있었으면 한다. 생과 사가 절연된 상태에 있는 것이 아니라 낮과 밤처럼 서로 이어져 있는 엄연하고도 엄숙한 현상이기 때문이다.

　죽음은 앞에서만 다가오는 것이 아니라 뒤에서 갑자기 덮칠 수도 있다는 사실을, 지난 칠월 칠석날 나는 내 오두막의 개울 가에서 겪은 일이 있다. 안팎으로 쓸고 닦으면서 청소를 한바탕 하고 났더니 온몸에 땀이 배어 나왔다. 개울가에 나가 훨훨 벗어버리고 막 물에 들어가 씻으려는 참이었는데, 미끄러운 바위에 나동그라져 뒤통수를 깼다. 순식간에 얼굴이고 가슴이고 할 것 없이 피투성이가 되었다.

　'이것 봐라, 어떻게 하지?'

　순간 막막했지만 우선 피를 멎게 해야겠다는 생각이 들었다. 피를 줄줄 흘리면서 집안으로 들어가 약장에서 지혈제 마데카솔 분말을 꺼내어 상처를 더듬어 부었지만 피는 멎지 않았다. 상처가 눈에 보이지 않는 뒤통수라 그 부위를 가늠할 수가 없었다. 두 병을 내리 부었더니 겨우 멎는 것 같았다. 조금 있으니까 주르륵 피가 다시 흘러내렸다. 마지막 남은 약을 마저 쏟아붓고 반창고를 잇대어 붙여 놓았더니 지혈이 되었다.

　내 명이 짧았더라면 그날 나는 뇌진탕으로 소리없이 이 세상을 하직할 뻔했다. 아하, 죽음이란 앞에서만 오는 것이 아니라 뒤에서 갑자기 들이닥칠 수도 있겠구나 하는 생각이 들었다.

　'자, 그러면 어떻게 한다?'

　병원에 가서 치료를 받을 것인가 말 것인가를 따지다가 그만

두기로 작심을 했다. 두 가지 이유에서였다. 하나는 중이 대가리를 깨가지고 병원을 찾아가는 것이 창피하게 여겨졌고, 더 근본적인 또 하나의 이유는 아무도 모르는 곳에서 혼자서 자유롭게 살고 있는데 병원을 찾게 되면 내 신분이 노출되고 말 거라는 생각이 들었다.

그때 병원을 찾지 않았던 내 고집을 나는 지금까지도 잘한 일로 여기고 있다. 약을 사다가 더듬더듬 자가치료를 한 결과 상처는 탈없이 20일 남짓 해서 아물었다. 내 눈에 띄지 않는 곳이라 즈네들 알아서 할 거라고 맡겨두었다.

어디서 살건 사람은 자기 식대로 살기 마련이다. 내가 바라는 것은 이웃에게 폐를 끼치지 않고 될 수 있는 한 신세를 덜 지면서 간소하게 사는 일이다. 그리고 할 수 있다면, 이 맑은 공기와 물과 흙과 햇볕과 바람 등, 자연으로부터 무상으로 입고 있는 은혜와 교훈을 같은 언어권에서 이 시대를 함께 살아가는 이웃들과 나누고 싶을 뿐이다.

얼마전 산 아랫마을에서 내 눈으로 본 씁쓸한 일을 하나 이야기하려고 한다. 10년 가까이 남의 밭을 거저 부치면서 그 밭에서 감자와 배추와 당근 등 고랭지 채소로 적잖은 재미를 보아온 사람이 있다. 그런데 밭 주인이 앞으로는 자기네가 그 밭을 쓸 계획을 알리자 그 사람은 자기가 돋아 놓은 흙값을 내놓든지 아니면 그 흙을 파가겠다는 것이다. 지금까지 남의 밭의 덕을 거저 입어온 사람이, 농사를 위해 흙을 얼마쯤 더 돋우어 놓았기로 그걸 파가겠다니 이 어찌 온전한 사람의 도리인가. 밭 주인은 하도 기가 막혀 흙을 파갈 테면 파가라고 했다. 그 사람은 흙을 파다가 자기네 밭에 부었다.

곁에서 지켜보면서 오늘의 농촌이 어쩌다 이토록 야박하고 박덕하게 전락되고 말았는가 통탄스러웠다. 흙의 은혜를 입고 사는 사람이 흙의 뜻을 저버리고서 어떻게 흙을 딛고 흙을 일구겠다는 것인가. 일찍이 우리 농촌에 이런 사람이 있었던가. 농업이 생명의 농업에서 벗어나 상업화될수록 이런 복 감할 일은 잇따를 것 같다.

이번에는 흐뭇한 이야기 하나. 달포 전 나는 낯 모르는 한 어머니로부터 편지를 한통 전해 받았다. 부산에서 사는 분인데 편지의 문면으로 보아 넉넉한 집안도 아닌 듯싶었다.

'모든 사람들은 다 행복한데, 나만 그렇지 못하다고 생각해 왔습니다. 그러나 이 시간만은 무척 행복하고 즐거운 마음입니다.

스님 저도 보시(布施)라는 것에 동참하고 싶었는데 이제서야 그 뜻을 이루게 되었습니다. 21개월 전에 계를 하나 들어 오늘 탔습니다. 돈이란 보면 쓸 곳도 많지만 절약이 얼마나 좋은 건지 오늘에야 알았습니다. 기분이 참 좋군요. 부처님과의 약속이었고 저 자신과 한 약속을 지키게 되어 무척 즐겁습니다.

저희집 두 남매는 학교에서 공부는 하위권이지만, 세상을 살아갈 때 늘 꿋꿋하고 즐거운 마음으로 살아갈 수 있도록 빌고 있습니다.'

내 책을 읽은 독자일 듯싶은데 나로서는 전혀 알지 못한 어머니다. 함께 부쳐온 돈을 어디에 써달라는 말도 없이 5백만원짜리 수표를 보내온 것이다. '맑고 향기롭게 살아가기' 모임에 어려운 이웃을 돕는 일에 써달라고 기탁했다.

　세상은 이렇다. 한쪽은 흙의 은혜마저 저버린 탐욕스런 배은망덕의 손이 있는가 하면, 넉넉잖은 살림에 푼푼이 모은 돈으로 어려운 이웃에게 따뜻한 가슴을 여는 은혜의 손길이 있다.

　우리 이웃에 이런 손길이 있어 이 땅에 밝은 해가 오늘도 뜬다.

〈95. 1〉

에게해에서

  눈 속에 갇혀 지내다가 바다를 보러 나갔다. 불쑥 생각이 일 때마다 들르는 바다인데, 모처럼 맑게 개인 화창한 날씨 덕에 봄바다처럼 싱그러웠다. 염분 섞인 갯내음이 가슴을 한껏 부풀게 했다.

  동해안은 걸리적거리는 것이 없어, 일망무제의 확 트인 바다를 대할 수 있다. 요즘은 해변 어디를 가나 양식장의 스티로폼으로 인해 바다 같지 않은 바다뿐인데, 수심이 깊은 강원도쪽 동해안은 천연 그대로의 바다를 이루고 있다.

  바다와 하늘이 맞닿은 아슴아슴한 수평선을 바라보고 있으면, 망망대해(茫茫大海)라는 말에 실감이 간다. 수평선은 하늘과 바다가 지닌 신비를 사람들의 손이 미치지 않는 곳에 고이 간직하고 있는 것 같다. 만약 저 바다 너머에 있는 어떤 도시가 그대로 우리 눈에 들어온다면, 누가 수평선에 무심히 눈을 팔고 있을 것인가.

  바다는 이렇게 텅 비어 있기 때문에 오히려 충만감으로 우리 앞에 다가선다. 우리가 지니고 있는 자질구레한 것들이 이 드넓은 바다에 와서 보면 한낱 소꿉장난의 사금파리처럼 시시하게 여겨지기도 한다.

반 고흐는 바다와 하늘이 맞닿은 그 가늘은 회색빛 선을 좋아한다고 동생 테오에게 편지를 띄운 적이 있다. 날씨가 맑을 때는 그 가늘은 회색빛이 드러나지만, 흐린 날은 어디까지가 하늘이고 어디서부터 바다인지 그 경계를 가늠할 수 없다. 이런 날의 수평선은 예측할 수 없는 우리들의 미래처럼 저만치서 흐려 있다.

바다에 대한 내 최초의 경험과 인식은 다섯 살 때 빠져 죽을 뻔했던 일로부터 시작한다. 여름날 이웃집 형을 따라 바닷가에 나갔다가 해초의 일종인 '갯건불'을 건지려다 물에 빠진 것이다. 궁핍했던 그 시절 해변의 아이들은 그 뿌리와 줄기가 달착지근한 갯건불이라고 불린 해초를 질겅질겅 깨물어 단물을 빨았다.

부두에 밧줄로 매어 있는 조그만 보트에 올라 고물에 엎드려 갯건불을 건지려다가 배가 흔들리는 바람에 그만 바다에 빠진 것이다. 물에 빠진 순간 코로 물이 들어와 숨이 차던 기억이 지금도 생생하다. 함께 간 아이는 내가 물에 빠지자 무서워서 아무한테도 알리지 않고 어디론지 달아나 숨어버렸다.

그때가 여름철이라 타작마당에서 보리타작을 하던 일꾼들이 아이가 물에 빠져 허우적거리면서 떠내려가는 것을 보고 배를 타고 와 구출했다고 한다.

내 소싯적에는(나도 늙었나 봐, 이런 표현을 하고 있으니) 유달

산에 올라가 다도해 섬 사이로 떠나가는 배 바라보기를 좋아했었다. 어디론지 모르게 떠나가는 배를 보고 있으면 마음이 좀 허전하고 쓸쓸해져 나도 어디론가 멀리 떠나가고 싶은 생각이 문득문득 일었다.

니코스 카잔차키스의 소설 〈그리스인 조르바〉를 읽고 나서부터 나는 그가 살았던 크레타에 한번 가보고 싶었다. 지난해 여름 볼일로 빠리에 갔다가 드디어 그리스로 날아갔다. 빠리에서 아테네까지는 비행시간 두 시간 반.

소크라테스와 플라톤 같은 철인들이 활약했던 도시 아테네. 한때 서양문명의 중심을 이룬 도시국가 아테네가 오늘은 역사의 뒤안길로 밀려나 돌덩이만 남은 유적으로 나그네들을 불러들이고 있다.

옛 철인들이 자신의 철학을 군중 앞에 펼치던 그 거리가 어디쯤인지 궁금했다. 피레우스 항에 인접해 있는 시장통 아고라가 그들의 활동무대였을 거라고 했다. 아고라는 시끌벅적하고 너절한 거리였다. 과일 가게가 늘어선 곳에서는 여기저기서 자기 물건을 사라고 큰소리로 외쳐대고 있었다. 무슨 소린지는 알아들을 수 없었지만, 그 분위기에 흥이 나서 나도 우렁찬 목소리로 '싸구려 싸구려 포도 한 관에 단돈 천원이요, 천원!' 하고 외쳤더니 둘레가 잠잠해지며 다들 나를 보고 웃어주었다. 아마 그들은 내가 동양에서 온 쿵후 마스터쯤으로 여겼을 것이다.

크레타(현지에서는 '크리티'로 부른다)로 가려면 아테네에서 남서쪽으로 10km쯤 떨어져 있는 피레우스에서 이라클리온으로

가는 밤배를 타야 한다.

〈그리스인 조르바〉는 이런 문장으로 시작된다.

'나는 피레우스에서 조르바를 처음 만났다. 크레타 섬으로 가는 배를 타려고 항구에 나가 있었을 때였다. 날이 밝기 직전인데 밖에서는 비가 뿌리고 있었다.'

그리고 조르바를 이렇게 묘사하고 있다.

'조르바는 내가 오랫동안 찾아 다녔으나 만날 수 없었던 바로 그 사람이었다. 그는 살아 있는 가슴과 커다랗고 푸짐한 언어를 쏟아내는 입과 위대한 야성의 영혼을 지닌 사나이, 아직 모태인 대지에서 탯줄이 떨어지지 않은 그런 사나이었다.'

크레타로 가는 배는 승객 2천 명을 태울 수 있는 1만9천 톤급 호화여객선이다. 오랜만에 듣는 우렁찬 뱃고동 소리. 출발 직전 '부웅 부웅 부웅…' 하고 세 차례 기적을 울리자 곁에 정박한 같은 회사의 배에서도 세 번 화답을 하고, 친지들을 싣고 전송나온 승용차들마다 경적을 울렸다.

에게해의 물빛은 짙은 감청색. 석양에 비낀 바다빛은 듣던 대로 포도주빛이었다. 지중해의 물빛은 투명한데, 에게해는 신화라도 잉태하고 있는 듯 신비롭고 어둡다.

갑판에 나가 저녁노을을 바라보다가 선창 안으로 시선을 돌리니, 어? 이게 어찌된 일이지? 텔레비전에서는 북한 김일성의 사망 소식이 보도되고 있었다. 땅을 치며 울부짖는 사람들의 모습을 보면서 이게 꿈이 아닌가 싶었다. 우리 한반도에서 한쪽의 역사가 막을 내리는 장면을 에게해에서 보게 되다니 그 감회가 실로 미묘했다.

오후 8시 20분에 떠난 배는 열 시간 항해 끝에 이튿날 아침 6시 30분 크레타에 도착했다.

이라크리온에는 카잔차키스를 기념하는 곳이 세 군데 있다. 역사 박물관 안에 '카잔차키스의 방'이 따로 있는데, 거기 장서와 그가 쓰던 책상과 의자, 지팡이, 만년필, 친필 원고, 그의 저서와 편지, 사진 등이 전시되어 있다. 또 유스 호스텔 가까이에 카잔차키스 거리가 있는데, 좁은 골목길 18번지는 한동안 그가 살았던 집이다. 지금은 주인이 바뀌어 밖에서만 바라볼 수 있다. 그리고 항구가 한눈에 내려다보이는 전망 좋은 성루에 그의 묘가 있는데, 그 묘비에는 다음과 같은 글이 새겨져 있다.

'나는 아무것도 원치 않는다.

나는 아무것도 두려워하지 않는다.

나는 자유.'

이라크리온에서 남쪽으로 올리브와 포도밭으로 둘러싸인 메마른 언덕길을 10km쯤 가면 메시아 마을 밀티아에 카잔차키스의 생가가 있는데, 그의 기념관으로 일반에게 공개되고 있다. 여러 나라 말로 번역 출간된 그의 저서와 사진, 화보, 원고와 연극 포스터며 초상화, 드라마와 오페라 등의 자료를 볼 수 있다.

그리고 영화 〈그리스인 조르바〉의 주역을 맡은 안소니 퀸이 미망인 엘레나 여사와 함께 찍은 사진에 그가 서명한 글씨도 있다.

'조르바 역을 맡게 된 것을 무한한 영광으로 생각합니다. 이 작품을 통해서 많은 것을 배웠으며 한 사람의 친구를 만난 느낌입니다.'

나는 어떤 작품을 읽고 나서 그 작가가 좋아지면 그의 작품을 모조리 읽어야 직성이 풀리는 그런 성미를 한때는 지니고 있었다. 멀리 크레타까지 가서 카잔차키스의 자취를 더듬어본 것도 그 고장 그 풍토에서 조르바를 느끼고 싶어서였다.

나는 크레타에서 에게해의 신비스런 물빛에 이끌리어 산에 들어온 후 처음으로 바다에 들어가 수영을 했다. 여장을 푼 곳이 비치 호텔이라 수영복 차림으로 바다에 뛰어들 수 있었다. 국내에서라면 엄두도 못낼 일인데 에게해는 그만큼 너그러웠다.

바다는, 너그러운 바다는 모든 것을 다 받아들인다.

〈95. 2〉

茶 이야기

　요며칠 동안 내 산거(山居)에는 사나운 풍신(風神)이 내려와 둘레를 온통 할퀴고 갔다. 그 바람에 산죽(山竹)을 엮어 덮어놓은 뒷간의 이엉이 벗겨져 흩어졌다. 또 일거리를 장만해 주고 간 것이다.

　바람도 산들바람은 사람의 마음을 부드럽고 느긋하게 하는데, 거센 바람과 삭풍은 우리 마음을 움츠러들게 하고 거칠게 만든다. 돌이켜보니, 내가 이 오두막에 와 살면서 말씨가 거칠어진 것 같다. 환경이 사람을 만든다더니 빈말이 아닌 모양이다.

　오고 가는 길에서 무례하고 몰염치한 운전자들 때문에 그때마다 내 입이 걸어지고, 골짜기를 할퀴며 휘몰아치는 바람이 때로는 아궁이에 군불을 지필 수 없도록 하기 때문에 화가 난다. 하지만 어쩌랴. 바람은 바람대로 뜻이 있어서 불어댈 것이다. 자연은 내 마음대로 다룰 수 있는 것이 아니지 않는가. 참고 견디는 것이 정진이라고 했으니 참고 견딜 수밖에 없다. 마음이 평정을 이룰 때 밖에서 불어대는 바람도 잠잠해진다.

자연현상은 우리들 마음이 나타난 바라고 한다. 그뿐 아니라 그대로가 우리 마음이라고도 한다. 그래서 '삼계 유심(三界唯心)'이란 말이 있다. 삼계란 욕망과 물질과 정신의 세계, 즉 우리들이 살아가는 이 세상이다.

요즘에 들어 지구 곳곳에서 지진과 홍수와 폭설과 가뭄 등 자연의 재난이 끊이지 않는 것도, 헤아려보면 단순한 자연현상이 아니라 우리 인간이 저질러 불러들인 재앙일 것 같다. 사람이 자연의 지배자가 아니라 그 일부분이라는 사실을 제대로 인식한다면 이런 재앙은 줄어들 것이다.

'얼굴에 내리는 비'라고 불리는 한 인디언은 침략자인 백인들을 향해 이런 말을 하고 있다.

"당신들은 이 땅에 와서 이 대지 위에 무엇을 세우려고 하는가? 어떤 꿈을 당신들의 아이들에게 들려주는가? 내가 보기에 당신들은 그저 땅을 파헤치고 건물을 세우고 나무들을 쓰러뜨릴 뿐이다. 그래서 행복한가? 강가에서 연어떼를 바라보며 다가올 겨울의 행복을 예상하는 우리만큼 행복한가?"

그는 이런 말도 하고 있다.

"이 땅에서 들짐승들이 사라진다면 인간이란 것도 무슨 의미가 있는가? 들짐승들이 저 어두운 기억의 그늘 속으로 모두 사라지고 나면 인간은 깊은 고독감 때문에 말라죽고 말 것이다. 모든 것은 하나로 이어져 있다. 짐승한테 일어나는 일은 똑같이 인간에게도 일어난다."

인간 스스로가 만들어낸 오늘의 문명에 어떻게 삶의 가치를 부여할 수 있을 것인지 암담하다. 항상 크고 많고 빠른 것과 새

것만을 추구하는 현대인들, 주어진 것에 만족할 줄도 감사할 줄도 모르면서 소모적이고 향락적인 우리들. 생명과 자연을 끝없이 파괴하고 자원을 낭비하면서 단 하나뿐인 삶의 터전인 고마운 이 지구를 거대한 쓰레기장으로 만들어가는 오늘의 문명에 더 무엇을 기대할 수 있을 것인가.

소유에 집착하는 것이 인간의 가장 큰 질병이요 약점인데, 오늘날 우리들은 개인이나 사회나 국가를 가릴것 없이 삶의 목표를 보다 더 많이 소유하는 데 두고 있다. 이 끝없는 야망 때문에 인간이 병들어간다.

우리가 추구하는 행복이란 어디에 있는가. 향기로운 한잔의 차를 통해서도 누릴 수 있고, 난롯가에서 읽는 책에도 그 행복은 깃들어 있다. 눈 속에 피어 있는 한 가지 매화나 동백꽃에도 행복은 스며 있다. 개울물소리처럼 지극히 단순하고 소박한 마음만 지닐 수 있다면, 우리가 누리고자 하는 그 맑고 향기로운 삶은 어디에나 있다. 사람들은 저마다 그 그릇에 알맞은 행복을 누릴 수 있다. 당신의 그릇은 어떤 그릇인가?

얼마 전 부산에 계시는 금당(錦堂) 최규용(崔圭用) 옹으로부터 소포를 하나 전해 받았다. 저서인 〈중국차문화기행(中國茶文化紀行)〉과 용정차 한 통과 서찰이 들어 있었다. 올해 아흔세 살인 노인께서 손수 붓으로 쓰신 고졸(古拙)한 서체와 사연이 몇 번이고 되읽게 했다.

지난 해 11월 하순 내가 참여하고 있는 한 모임의 일로 부산에 갔을 때 시민회관에서 옹을 뵈었었다. 예전이나 다름없이 정

정하셨다. 전에 마셨던 차 이야기를 나누던 끝에 한 통 보내주
마고 하셨다. 그후 나는 까맣게 잊어버리고 있었는데, 신문에서
내 칼럼을 보시고 그때의 일을 상기하셨는지 언약을 이행하신
것이다.

'(앞에 인사말 생략) 지난날 부산시민회관 내강시(來講時) 용
정차(龍井茶)와 졸저(拙著) 이제야 상송(上送)합니다. 차일피일
(此日彼日) 하다보니 언질(言質)을 어겼습니다.

구삼노령(九三老齡)이니 오전에는 신선(神仙)이고 오후에는
귀신(鬼神)이 됩니다.

일월 이십모일(一月二十某日) 금당(錦堂) 다취(茶醉) 합장(合
掌)'

'아흔셋 노령이라 오전에는 신선이고 오후에는 귀신이 된다'
는 이 표현이 가슴에 와 박히었다. 누구나 사람은 육신의 나이
를 먹기 마련이다. 나이를 먹게 되면 대개의 경우 몸과 정신이
함께 쇠락해져서 사는 일 자체가 짐스럽고 시들해질 듯싶은데,
금당 옹께서는 이름 그대로 찬란한 말년을 누리고 계신 것 같
다. 당신이 하신 언약을 어기지 않고 귀찮은 소포까지 손수 꾸
려 보내신 그 신의에 감격할 따름이다.

평생 차를 좋아하고 차에 대한 저술과 번역을 하여 동호인들
에게 차의 덕을 나누는 일을 즐기면서 말년을 정정하게 보내고
계신 듯싶다. 중국과 국교가 열리기 전 '89년 가을에 차의 원류
를 찾아 고령으로 불편한 여행을 단행한 그 기상과 의지는 젊은
후배들로도 감히 생각하기 어려운 일이다.

〈중국차문화기행〉을 보면 차의 성인으로 추앙되는 육우(陸

羽)의 고향에서 국제차회에 참석하고, 멀리 운남성 곤명(昆明)
- 베트남과 미얀마와의 국경에 인접한 곳 - 에까지 가서 수령
8백 년이 된 차나무(이른바 茶王樹) 앞에 마주선 감동은 이 글을
읽는 우리에게까지 절절하게 전해 온다. 차나무 가운데 왕이라
불려진 이 나무는 높이가 9.8m. 나무 둘레가 무려 10m라고
한다. 8백 살 묵은 차나무에는 거기 능히 차신(茶神)이 깃들어
있을 법하다.

옹은 다음과 같이 술회하고 있다.

'나는 차왕수가 있는 주위의 밀림지역에 들어서는 순간 가볍
게 흥분되었는데, 바로 차왕수 앞에 서는 순간 그냥 눈물을 흘
리고 말았다. 내 나이 이제 90을 바라보는데 어린아이처럼 눈물
을 흘리다니. 이 성스런 나무 앞에 서자 어떤 감동으로 나도 모
르게 눈물을 흘렸던 것이다. 내가 차를 접한 지 한평생을 거쳐
비로소 차의 근원지에 섰다는 그 감회를 어떻게 말로 표현할 수
있단 말인가.'

그리고 이런 말로 자신의 삶을 축복하고 있다.

'돌아오는 차 안에서 차를 마시며, 차를 널리 알리면서 살아온
지금까지의 나의 삶을 스스로 다행이라고 생각했다. 드디어 차
의 근원을 알았기 때문이다. 그것은 나에게 주어진 하나의 축복
이었다. 90년 세월의 궁극 목적이 차왕수를 보기 위함이 아니었
는가 하는 생각도 들었다.'

차를 가까이 하면서 내 기억에 아직도 생생하게 그 향기가 배
어 있는 차는 어느 해 겨울 불일암의 다실에서였다. 함박눈이
펑펑 내리는 해질녘 금당 선생이 찾아오셨다. 주방에 내려가 함

께 저녁을 먹고 다실에 들어와 밤이 이슥하도록 차에 얽힌 이야기를 나누면서 차를 마셨다.

그때 가져온 차가 납작한 곽에 든 용정차였는데, 향기와 맛과 빛깔을 제대로 갖춘, 눈이 번쩍 뜨이는 일급품이었다. 보통 차는 두세 번 우리면 그것으로 그만인데, 그 용정차는 대여섯 번을 우려도 한결같은 맛과 향기였다.

그후로는 같은 용정차인데도 그런 차를 접하지 못했다.

좋은 차는 좋은 물을 만나야 제맛을 낼 수 있다. 사람도 좋은 짝을 만나야 좋은 사람이 될 수 있겠다고 생각했다.

이 글을 쓰고 있으니 문득 차를 마시고 싶다. 홀로 마시는 차를 신(神)이라고 했던가.

〈95. 3〉

직업인가 천직인가

무슨 서류를 만들 때 직업란을 두고 나는 망설일 때가 더러 있다. 생계를 위해서 일상적으로 하는 일을 직업이라고 한다면, 내가 생계를 위해서 무슨 일을 하고 있을까? 선뜻 그 답이 떠오르지 않는다. 그렇다고 해서 '무직'이라고 써넣기도 그렇고, 불교승단에 소속되어 있는 몸이라 하는 수 없이 편의상 '승려'라고 쓰긴 하면서도 석연치 않다.

부처님의 제자가 된 덕에 생계를 유지하고 있긴 하지만, 그것이 직업이 될 수 있을지 모르겠다. 막말로 해서, 부처님의 이름을 팔아서 그것으로 먹고 살아가는 수단을 삼는다면 그건 하나의 직업이 될 수 있을 것이다. 그러나 나는 아직 그런 단계에 이르지는 않았다. 승려가 과연 직업이 될 수 있을지 늘 갸우뚱거려진다.

세상에는 별의별 직업이 많다.

즉 의식주의 생계를 위해서 일상적으로 하는 일이란 사람의 수만큼이나 다양하다. 병아리 감별사도 있고 피아노 조율사도 있다. 나무꾼도 있고 꽃을 가꾸는 사람도 있다.

미국 정부당국의 조사에 따르면 미국에는 대략 2만 3천5백59종류의 직업이 있다는데 그중에는 희한한 직업도 많다. '매트리스 워커'라는 직업은 침대 매트리스의 부드러움을 검사하기 위해 날마다 여덟 시간씩 맨발로 침대 요를 밟고 다니는 일로 생계를 삼는다. 또 '수염 닦기'라는 작업은 지하철 같은 곳의 광고에 그려진 미인의 그림에 장난으로 그어놓은 수염을 닦으며 돌아다니는 일이다.

　이것은 내가 직접 빠리의 지하철에서 겪기도 한 일인데, 출퇴근시간의 혼잡 속에서 사람을 완력으로 전동차 안으로 밀어넣는 이른바 '푸쉬맨'이다. 체력이 좋은 젊은 남녀들이 눈에 띈 유니폼을 입고 웃으면서 사람들을 밀어넣는 모습은 피차가 유쾌하게 여겨졌다.

　현대사회가 고도로 분업화됨에 따라 직업 또한 더욱 다양해질 수밖에 없다. 인간끼리 어울려 살아가는 세상에 천한 직업은 없다. 다 필요에 의해서 벌어진 일들이기 때문이다. 직업에 귀천은 없지만 천한 사람이 있을 뿐이다. 이웃과 사회에 덕이 되는 것은 좋은 직업이고, 해독을 끼치는 것은 그런 일을 하는 사람을 천하게 만든다.

　자기 자신이 참으로 하고 싶은 일을 하고 있다면, 그는 그 일을 통해서 삶의 기쁨과 보람을 마음껏 누릴 수 있다. 그러나 하기 싫은 일을 마지 못해 생활의 한 방편으로 하고 있다면, 그의 삶은 날로 생기를 잃어갈 것이다.

　현대인들은 대부분 자기 직업에 대해서 애착과 긍지를 갖지 못하고 있다. 그 자신이 지금 하고 있는 일에 흥미를 느끼지 못하고 있다. 그 사람의 얼굴에 그대로 나타난다. 따라서 그들은 일정한 수입과 생활의 안정을 위해 직업을 선택한다. 자신의 직업에 대해서 애착과 긍지를 갖지 못하기 때문에 돈 몇푼에 이 직장에서 저 직장으로 팔려가는 일이 허다하다. 개인적으로나 사회적으로 볼 때 불행한 일이다.

윤오영의 〈방망이를 깎던 노인〉이 생각난다. 동대문 맞은편 길가에 앉아서 방망이를 깎아 파는 한 노인이 있었다. 주문을 받고 나서 노인은 열심히 깎아 나갔다. 처음에는 빨리 깎는 것 같더니 이리 돌려보고 저리 돌려보며 굼뜨기 시작, 마냥 늑장이다. 곁에서 보기에는 그만하면 다 된 것 같은데 자꾸만 더 깎고 있다.

시외로 떠나는 차 시간에 초조해진 주문자는, 이제 다 됐으니 그냥 달라고 해도 노인은 못들은 척한다. 더 깎지 않아도 좋으니 그대로 달라고 했더니 노인은 화를 버럭 내며 '끓을 만큼 끓어야 밥이 되지 생쌀이 재촉한다고 밥 되나?' 한다. 그는 기가 막혔다. '살 사람이 좋다는데 뭘 더 깎는단 말이오. 노인장 외고집이시구먼. 차 시간이 없다니까.'

노인은 퉁명스럽게 내뱉는다.

'다른 데 가서 사우. 난 안 팔겠소.'

방망이를 깎아달라고 했던 그는 지금까지 기다리고 있다가 그냥 갈 수도 없고, 차 시간은 어차피 틀린 것 같아 될 대로 되라는 심경에서 체념한다.

'그럼 마음대로 깎아보시오.'

'글쎄 재촉을 하면 점점 거칠고 늦어진다니까. 물건이란 제대로 만들어야지 깎다가 놓치면 되나.'

노인은 비록 길가에 앉아 방망이를 깎고 있을망정 자신이 하는 일에 애착과 긍지를 지니고 있었다. 노인이 단지 돈벌이의 수단으로 그 일을 하고 있었다면 대충대충 깎아 하나라도 더 만들어 팔면 되었다. 그러나 노인은 자신이 하고 있는 일을 그렇게 함부로 내던져버릴 수가 없었다.

그가 하고 있는 일은 생활의 방편이 아니라 생활의 목적이고 삶 그 자체였던 것이다. 이것은 바로 꿋꿋한 장인정신이다. 노인은 방망이를 깎는 일을 통해서 당신 스스로를 깎고 다듬은 것이다. 그러기 때문에 '돈벌이'의 유혹에 넘어지지 않고 자기 자리를 꿋꿋하게 지켜가면서 의연히 살았던 것이다.

노인은 또 얼마 동안 일을 하고 나서 방망이를 들고 이리 돌려보고 저리 돌려보더니 그제야 다 됐다고 내주었다. 그는 값을 치르고 그 자리를 떠나와 뒤를 돌아다보니, 노인은 태연히 허리를 펴고 동대문 지붕 추녀를 바라보고 서 있었다. 그 모습이 어딘지 모르게 노인다워 보이고 부드러운 눈매와 흰 수염에 내 마음은 약간 누그러졌다고 저자는 말하고 있다.

그 사람의 천성에 알맞는 직업을 천직(天職)이라고 한다. 인간사회의 균형과 조화를 위해 저마다 몫몫이 필요한 일이 주어져 있을 것 같다. 천직을 가진 사람은 꽃처럼 날마다 새롭게 피어날 것이다. 그리고 그가 하는 일을 통해 '인간'이 날로 성숙되어가고 그 일에 통달한 달인이 되어간다. 천직이 따로 있는 게 아니라, 자신이 하는 일에 애착과 긍지를 지니고 전심 전력을 기울여 꾸준히 지속하게 되면 그 일이 바로 천직이 아니겠는가.

얼마 전에 읽고 감명을 받은 〈마지막 손님〉(다께모도 고노스께 지음)을 소개하고 싶다. 어떤 제과점에 4년째 근무하는 열아홉 살 게이꼬(惠子)라는 아가씨의 이야기다. 제과점 이름은 춘추암 (春秋庵).

눈이 내리는 겨울 밤 가게 문을 닫고 큰길로 나섰을 때 지붕 위에까지 눈이 쌓인 자동차 한대가 어느 집을 찾는 듯 멈칫멈칫 지나갔다. 게이꼬는 혹시나 해서 돌아보니 그 차는 자기네 가게 앞에 정차했다. 게이꼬는 달려가 자동차 창에 노크를 하자 창문 이 열렸다.

차 안에서 한 남자가 말했다. 자기 어머니가 암으로 오랫동안 병상에 계셨는데 앞으로 하루 이틀이란 말을 오늘 아침 의사로 부터 듣고, 어머니에게 뭐 잡숫고 싶은 것이 있느냐고 물으니 '전에 오오쓰의 춘추암의 과자를 먹었더니 무척 맛있더라. 한번 더 그걸 먹고 싶구나' 하셨단다. 아들은 곧 '제가 사올테니 기다 리세요' 하고 집을 나왔지만 때마침 눈이 내려 고속도로에 차들 이 밀리는 바람에 이렇게 밤늦게 도착했다고 한다. 그렇지만 이 미 가게의 문이 닫힌 후라 난감해 하던 참이다.

이 말을 들은 게이꼬는 가게 문을 열고 환자가 먹을 만한 과자 를 손수 골랐다. 손님이 값을 치르려 하자 게이꼬는 이렇게 말 한다. '이 과자는 대금을 받을 수 없습니다.'

'어째서죠?' 하고 의아해한 손님에게 '이세상 마지막에 우리

가게의 과자를 잡숫고 싶다는 손님께 모처럼 저희들의 성의니까
요.'

'눈 오는 밤이니까 운전 조심하셔서 돌아가십시오', 문 밖에
나가 전송을 한 뒤 가게로 돌아온 게이꼬는 자신의 지갑에서 돈
을 꺼내어 그날 매상에 추가시켰다. 코트를 사기 위해 저축해
온 그 돈에서.

'조그만 가게임을
부끄러워하지 말라
그 조그만 당신의 가게에
사람 마음의 아름다움을
가득 채우자.'

이 말을 게이꼬는 자신이 근무하는 일터에서 손님을 대할 때
마다 그대로 실천해 나갔다. 그 가게에 들른 손님들은 게이꼬의
이런 직업정신에 하나같이 감동하여 그녀를 좋아하였다.

우리에게 주어진 직업은 그것이 한낱 생계를 위한 방편이나
수단이 아니라 삶의 소재임을 알아야 한다. 그 일을 통해 아름
다운 인간관계를 이루고 자기 자신을 알차게 만들어가야 한다.
그 사람이 그 일을 하지만, 또한 그 일이 그 사람을 만들기도 한
다. 그러니 남을 위한 일이 어디 있겠는가. 모두가 내 일이고 내
삶의 몫이다.

〈95. 4〉

친절하고 따뜻하게

송나라의 선승(禪僧) 차암 수정(此庵 守靜)은 이와 같이 읊었다.

개울물이 산 아래로 내려감은
무슨 뜻이 있어서가 아니요
한 조각 구름 마을에 드리움은
별다른 생각없이 무심함이라
세상 살아가는 일
이 구름과 물 같다면
무쇠 나무(鐵樹)에 꽃이 피어
온 누리에 봄이 가득하리.

이 세상 모든 것은 그것이 우리 눈에 보이는 세계에 모습을 드러내기 전에 안 보이는 상태로 존재한다. 마치 입 밖으로 말이 나오기 전에 침묵으로 잠겨 있듯이. 그러므로 안 보이는 상태는 뿌리이고 드러난 상태는 줄기와 가지다. 따라서 눈에 안 보이는 것이 영원한 것이고, 눈에 보이는 것은 늘 변하는 것이며 일시적인 것이다.

한겨울 아무것도 없는 빈 가지에서 꽃을 보고 그 향기를 맡을 수 있다면 그는 이미 봄을 맞이한 사람이다.

우리 육체란 콩이 들어찬 콩깍지와 같은 것이라고 옛사람들은 말한다. 콩깍지는 세월의 풍상에 닳아 없어질지라도 콩 자체는 그대로 남는다. 겉모습은 수만 가지로 바뀌면서도 생명 그 자체는 절대로 소멸되는 법이 없다. 생명은 우주의 영원한 원리이기 때문이다.

그러므로 근원적으로 죽음이란 존재하지 않는다. 다만 변화하는 세계가 있을 뿐이다. 그렇다면 이미 우리 곁을 떠나 유명을 달리한 사람들은 어떻게 된 것인가? 그들은 다른 이름으로 어디선가 그답게 존재하고 있다고 눈밝은 현자들은 말한다.

우리는 단편적이나마 문득 자신의 전생과 마주칠 때가 더러 있다. 어떤 길목이나 장소에 갔을 때, 혹은 그 이름을 들으면 까닭없이 호감을 갖거나 거부감을 느낄 때가 있다. 마치 자력에라도 이끌리듯 어떤 특정한 장소에 가보고 싶고, 그곳에 가면 오래 전에 살았던 집에 온 것처럼 편안하고 아늑한 느낌을 갖는다. 어떤 사람과 마주쳤을 때 전류에 감전되듯 그 눈빛에서 문득 신뢰와 친근감을 느끼기도 하고, 목소리만 듣고도 거부감을 지니기도 한다.

내 자신이 한때 몸담아 살았던 몇몇 절에서 느끼며 겪은 그 '자력'으로 인해 나는 전생에도 그곳에서 살았을 거라고 믿고 있다.

남쪽은 한창 꽃이 피어나는데, 이곳 오두막 둘레는 아직도 춘설이 분분하다. 얼음장 밑으로 흐르는 개울물소리가 차갑게 들려온다. 한밤중 잠에서 깨어나 개울물소리에 귀를 모으다가 문득 허허로운 생각이 일어 생명의 실상에 대해서 이런저런 생각의 실마리를 풀어봤다.

　20년쯤 지나면(제 명대로 살 경우) 나도 현재와는 다른 이름으로 어디선가 존재하겠구나 생각하니 세상일이 허무하기보다는 호기심이 일고 또 다른 세상에 대한 기대감마저 갖게 된다. 삶은 어차피 영원한 시작이요 지나가야 할 과정이니까. 한편 남은 세월을 보다 유용하게 보내면서 이웃에게 좀더 따뜻하고 친절하게 대해야겠다는 생각이 든다.

　며칠 전 나는 새로 짝을 이룬 화가인 최 교수 내외와 함께 부석사와 봉정사를 거쳐 안동 하회마을을 다녀온 일이 있다. 절은 어디나 어슷비슷해서 별다른 기대나 감흥없이 지나왔지만, 하회마을은 그 전부터 한번 가보고 싶은 곳이었다. 오래된 마을이라면 볼 만한 고가(古家)가 있을 걸 예상했는데 남도의 예전 반상(班常)촌에 견주어 이렇다 할 고가가 없어서 기대에 어긋났다.

　그리고 반민속촌이 되어버린 하회마을은 찾아드는 관광객들을 위해 길목마다 음식점과 기념품 가게가 즐비하다. 고즈넉한 마을 분위기는 사라지고 상업주의에 물들어가고 있었다.

　요즘 어디를 가나 각박해진 인심은 우리가 지금 서 있는 세월이 어떤 세월인가를 실감케 한다. 절 인심도 각박하기는 세상과 별로 다를 바 없다. 하회마을은 그 어귀에 번듯하고 깨끗한 화장실이 있다. 이 골목 저 골목 기웃거리면서 다니다 보면 '볼일'이 생기게 마련인데, 마을 어귀에 있는 그 화장실 말고는 눈에 띄지 않았다.

강변에 있는 가게에서 한 노인을 만나 이 근처에 화장실이 없느냐고 물었더니 건너 집을 가리키며 그곳에 가보라고 친절히 일러주었다. '민박 식사'라고 간판을 붙여 놓은 그 집은 대문도 없는데 토담으로 가려진 재래식 시골 뒷간이(화장실이란 말은 여기에 전혀 어울리지 않는다) 안채와는 떨어진 입구에 있었다.

낡고 허름한 판자문을 열고 변소에 한걸음을 막 들여놓으려고 하자 안채 문이 열리면서, 누가 남의 집 변소에 들어가느냐고 앙칼진 목청으로 소리소리 질러댔다.

머쓱해서 되돌아나올 수밖에 없었다. 60대쯤 되어 보이는 할머니가 도끼눈을 해가지고 뭐라고 계속해서 고래고래 짖어댔다. 나도 한 마디 큰소리로 짖어대지 않을 수 없었다.

"여보시오 소변 좀 보려는데 이럴 수가 있소? 민박집이라고 해서 들어왔는데 소변도 못누게 한단 말이요? '고객만당'이라고 써붙여 놓고 장사 잘 하겠소. 에이 고얀 인심이로고."

그 집 벽에는 '입춘대길' '고객만당'이라는 입춘방이 한자로 써붙여 있었다. 시골 인심이 언제부터 이렇게 되었는가. 새마을운동인지 뭔지 하면서 소득증대에 정신을 쏟으면서 이웃끼리 나누어 먹는 풍습도 사라지고 말았다는 말을 들었는데, 각박한 인심을 보고 못내 우울하고 불쾌했다.

예정대로라면 하회마을에서 하루를 묵어오려고 했었는데 일

요일 날 길이 막힐 줄 알면서도 서둘러 떠나오고 말았다.

집이나 논밭 자동차나 가재도구 등, 우리 둘레에 있는 것들은 삶의 소도구요 무대 배경에 지나지 않는다. 우리가 지니고 있는 여러 가지 물건과 몸담아 사는 장소와 생계 수단 등은 혼이 없는 무대장치일뿐이다.

우리는 그 허구적인 배경이나 장치에 헛눈을 팔면서 진짜 삶의 알맹이는 망각하고 있다. 우리들 삶의 마지막 종점에 이를 때까지 가장 중요한 것은, 우리가 얼마나 이웃에게 따뜻한 마음을 기울였는가, 그리고 그 따뜻한 마음의 본질이 무엇이었는가를 아는 일이다.

알베르 까뮈는 이런 말을 한 적이 있다.

"우리들 생애의 저녁에 이르면, 우리는 얼마나 이웃을 사랑했느냐를 놓고 심판받을 것이다."

이웃을 기쁘게 해줄 때 내 자신이 기뻐지고, 이웃을 괴롭게 하면 내 자신도 괴로워진다. 이웃에 대해서 따뜻한 마음을 가지고 있으면 그 이웃을 행복하게 할 뿐 아니라 내 자신의 내적인 평화도 함께 가져올 수 있다. 감정은 소유되지만 사랑은 우러난다. 감정은 인간 안에 깃들지만 인간은 사랑 안에서 자란다.

사랑한다는 것은 무엇을 뜻하는가. 동정과 이해심을 지니는 것, 자연스럽게 이웃을 돕는 일, 낯선 사람에게도 너그러운 것, 따뜻한 미소를 보내는 일, 부드럽고 정다운 말씨를 쓰는 일 등 등. 바로 이런 것들이 사랑이며 친절 아니겠는가. 다시 말하면, 이웃으로서 그 도리를 다하는 이것이 사랑이며 친절이다.

삶이란 누구에게서 배우는 것이 아니다. 직접 내 눈으로 보고 귀로 듣고 순간순간 부딪히고 이해하면서 새롭게 펼쳐가는 기운 같은 것. 아름다움이 무엇인지 이해하는 가운데서 우리는 사랑을 알게 된다. 아름다움에 대한 이해는 곧 가슴 속의 평화를 이룬다.

우리가 살아가는 데 가장 중요한 것은 이웃에게 좀더 따뜻하고 친절해지는 일이다. 이 따뜻함과 친절이야말로 모든 삶의 기초가 된다. 따뜻함과 친절이 없는 지식은 자칫 파괴의 수단으로 전락되어 그 자신과 이웃에 상처를 입힌다.

우리가 좀더 따뜻하고 친절하고 사랑한다면 우리들의 정신 세계가 그만큼 확장될 것이다. 이웃에게 좀더 친절하고 우리 서로 사랑하세. 우리는 어디선가 다시 만나게 된다네.

〈95. 5〉

박새의 보금자리

　며칠 전부터 창 밖에서 '톡톡 톡톡' 하는 소리를 들으면서도 무심히 흘리고 말았었다. 옮겨 심은 나무에 물을 주러 나갔다가 톡톡 소리를 내는 그 실체를 비로소 알게 되었다. 그것은 난로 굴뚝의 틈새에서 박새가 포르르 날아가는 것을 보고서였다. 박새가 그곳에 깃을 치고 사는 모양이었다.

　박새는 여느 새와는 달리 거처를 별로 가리지 않는다. 웬만한 곳이면 아무데나 보금자리를 친다. 뒤꼍에 놓아둔 상자 속이나 혹은 처마 밑 모서리 같은 데 둥지를 틀 만하면 그곳에 거처를 마련하여 알을 낳아 새끼를 친다.

　다른 새 같으면 쇠붙이로 된 난로 굴뚝 같은 데에는 보금자리를 마련하지 않을 텐데, 겨우 그 몸이 드나들 만한 그 틈새를 어떻게 찾아냈는지 그곳에 깃을 친 것이다. 자신의 거처에 이렇듯 무심한 박새의 대범한 생태를 지켜보면서, 그동안 내가 살아온 거처에 대해서 이런 저런 생각을 하게 되었다.

　출가 수행자에게는 원래 자기의 집이란 따로 없다. 설사 자신의 힘으로 지어놓은 절이나 암자라 할지라도, 그것은 어디까지

나 공유물이지 개인의 사유물이 될 수가 없다. 그러기 때문에
수많은 절이 1천여 년을 두고 우리 모두의 절로서 오늘에까지
이른 것이다. 그저 인연 따라 한때 머물다가 그 인연이 다해 떠
나면 그뿐이다. 언젠가는 이 몸뚱이도 버리고 떠나갈 텐데, 나
무와 흙과 돌과 쇠붙이 등으로 엮어놓은 건조물에 얽매일 수 있
겠는가.

산에 들어와 산 지 어느새 40년이 가까와졌네 라고 생각이 미
치자, 갑자기 '어느새'란 말이 이마를 치는 것 같았다. 시간이
지나고 날이 가고 달이 가고 해가 바뀌다보니, 40년이 훌쩍 지
나간 것이다. 40년 동안 내가 기대고 살던 곳이 어디어디였나,
오늘 새벽 두견새소리를 들으면서 헤아려보았다.

중 되러 찾아간 절이 통영 미래사. 집이 낮아 문지방에 연방
머리를 받히면서, 배가 고파서 우물가에 흘린 국숫발도 맛있게
주워먹던 시절이었다. 행자실에서 딱딱한 목침을 베고 자는데
도 일이 고되어 잠이 늘 꿀맛 같던 그런 시절이었다. 그때는 조
촐한 선원(禪院)이었는데, 요즘은 집도 커다랗게 세워졌고 절
분위기도 예전과는 딴판이 되었다.

중이 되어 스승을 모시고 처음으로 지낸 곳이 지리산에 있는
하동 쌍계사 탑전. 섬진강 건너 백운산이 아득히 바라보이는 선
원이었다. 입선(入禪)시간이 되면 방이 비었을 때도 죽비 소리
가 저절로 울린다는 그런 곳이었다. 나는 이곳에서 착실한, 아
주 착실한 풋중시절을 보냈다. 지금 돌이켜보아도 맑고 투명한
시절이었다.

한겨울 맨밥에 간장만 먹고 지내면서도 선열(禪悅)로 충만하던 나날이었다. 오늘과 그 시절을 견주어볼 때 그때가 A학점이었다면 오늘은 D나 E밖에 안될 것 같다. 그것도 점수를 후하게 주어서. 《화엄경》에 '초발심 때 바로 깨달음에 이른다'는 말은 모든 발심 수행자에게 귀감이 될 교훈이다.

천릿길도 맨 처음 내딛는 그 한걸음에 달렸다는 옛말이 있는데, 우리가 되새겨 볼 만한 가르침이다. 첫걸음을 어떻게 내딛느냐에 따라 목표 지점은 얼마든지 달라진다. 그 맑고 아늑하던 도량이 지금은 어떻게 이어지고 있는지 궁금하다.

다음으로 의지해 살던 곳이 합천 해인사. 팔만대장경판이 봉안된 장경각 담 밖에 있는 퇴설당 선원이었다. 큰절에서 많은 대중과 어울려 살게 되니, 보고 듣고 느끼면서 배울 것도 많지만 무가치한 일에 시간을 쏟아버리는 그런 아쉬움도 있었다. 어쨌든 이곳 가야산 해인사에서 열두 해를 살면서 말하자면 중으로서 잔뼈가 굵은 셈이다.

아침저녁 큰 법당에서 대중과 함께 예불을 마치고 나서, 따로 장경각에 올라가 절을 하면서 기도하던 그 정진이 지금도 좋게 기억된다. 기도란 무슨 소원을 비는 일이 아니라, 마음을 활짝 여는 수행이란 걸 겪었던 시절이다.

해인사에서 운허 스님과 만나게 된 인연으로 내 중살림살이는 크게 바뀌게 되었다. 그전까지는 걸망 하나 메고 이산 저산 찾아 다니는 운수승(雲水僧)이었는데, 이때부터 원고지 칸을 메꾸는 일에 발을 적시게 되었다. 좋게 말하면 수도생활이 사회성을 띠게 되었다고 하겠지만, 억새풀처럼 시퍼렇던 기상이 가시게 된 분수령이 되었을 것이다.

양산 통도사 원통방(圓通房)에서 불교사전 편찬 일을 거들면서, 비로소 신문을 보고 라디오 뉴스를 들었다. 움직이는 세상과 접하게 된 것이다. 절에 들어오기 전에 익혔던 업이 서서히 움트기 시작했다. 이른 봄부터 늦가을까지 통도사에서 지내는 그해 4·19를 맞이했었다. 종교의 역사의식에 대해서 골똘하게 생각하면서 세상 일에 관심을 갖기 시작한 시기였다.

서울 안국동에 있는 선학원은 내가 처음으로 스승을 친견, 머리를 깎고 먹물 옷을 걸치게 된 인연 있는 절인데, 불교사전 일로 이곳에 올라와 있으면서 5·16 군사 쿠데타를 겪었다. 그날 아침 총성이 여기저기서 들려왔고 노스님 한분이 절 마당에서 어정거리다 팔에 유탄을 맞아 피를 흘리는 것을 목격하고, 아하 혁명이란 무력으로 피를 흘리게 하는 일이구나 싶었다.

사전이 출간되자 나는 다시 옛 보금자리로 돌아갔다. 해인사 관음전, 앞산이 내다보이는 전망 좋은 맨 끝방. 이름하여 소소산방(笑笑山房).

동국대학에 대장경을 번역하는 역경원이 개원되자 원장으로 취임한 운허 스님께서 함께 일을 하자는 간곡한 권유로, 그때는 경기도 광주군 언주면이었던 봉은사로 거처를 옮겼다. 판전 아래 별당이 내게 배당된 집이었는데, 노스님도 아닌 젊은 것의 처소가 별당이란 명칭이 어울리지 않아 다래헌(茶來軒)이라고 이름을 지어 편액을 달았다. 이곳에서 나는 차맛을 비로소 알았기 때문이다.

6년 남짓 지낸 다래헌 시절. 독 묻은 세월에 뛰어들어 군사독

재에 저항, 민주화 운동에 참여하면서 뜻을 같이 하는 이들끼리 맺은 동료의식이 어떤 것이란 걸 절문 밖에서 체험하게 되었다. 이때 제도권 불교교단에 환멸을 느껴 오늘날까지도 나는 제도권 교단에 발을 붙이지 않고 있다.

그 다음으로 옮겨간 곳이 승보 사찰인 조계산 송광사. 산중 빈 암자터에 열다섯 평 삼칸짜리 집을 지어 이름을 불일암이라고 했다. 중 노릇을 다시 시작한다는 결의로 집을 지은 것이다. 이때부터 나는 철저하게 홀로 사는 연습을 해온 셈이다. 홀로 있을수록 함께할 수 있다는 이상야릇한 말뜻도 알게 되었다.

한곳에서 15, 6년을 살다보니 삶이 무료하고 당초의 생기가 점점 사라져갔다. 그리고 헛이름에 속아 찾아오는 사람들로 인해 '함께할 수'가 없었다. 불일암은 참으로 아름다운 곳이지만, 내 삶을 다시 시작하기 위해 훌쩍 떠나와 머문 곳이 이 오두막이다. 네번째 여름을 맞이하게 되었다.

이산 저산, 이절 저절을 다니면서도 이곳이야말로 영원한 내 안식처라고 생각한 데는 아직 없다. 인연 따라 머무는 날까지 머물면서 나를 가꾸고 다듬을 따름이다. 언젠가는 이 껍데기도 벗어버릴 텐데, 영원한 처소가 어디 있겠는가. 그전 같으면 필요한 일이 있으면 자다가도 벌떡 일어나 옮기고 고치면서 당장에 해치우고 마는 그런 성미였는데, 이제는 어지간하면 주어진 여건을 그대로 수용하면서 일없이 간소하게 사는 쪽으로 생각을 바꾸었다. 그 대신 어디에도 집착함이 없이 나답게 살고 싶다.

난로 굴뚝 터진 모서리에 깃을 치고 사는 박새를 보면서 지나온 내 보금자리를 뒤돌아보았다. 나도 저 박새처럼 무심할 수 있다면 그 어디에도 집착함이 없이 홀가분하게 살겠구나 싶다. 그러나 저 박새가 알을 까 새끼를 데리고 보금자리를 떠나갈 때까지는, 보리누름에 추위가 있더라도 난로에 불을 지필 수가 없겠다. 내가 오늘 그 보금자리를 보았으니, 그것을 지키고 보살필 책임이 내게 주어진 것이다.

보는 자에게는 책임이 따른다. 그리고 그 속에서 함께 사는 기쁨도 누린다.

〈95. 6〉

너는 누구냐

감기를 치르고 났더니 맛과 냄새를 제대로 느낄 수 없다. 오랜만에 미역국을 끓여 먹었지만 간이 짠지 싱거운지 도무지 알 수가 없었다. 그러는 대로 맑은 아침, 건너 숲에서 우는 뻐꾸기 소리 들으면서 광주 한국제다에서 보내온 햇차 '감로(甘露)'를 마시니 차향기만은 조금 알 것 같았다.

어제 담가놓은 속옷을 개울물에 빨아 뒤꼍 빨랫줄에 널고, 쌀 항아리 정리하여 흘린 낱알들 새들 먹이로 헌식대 위에 놓아주었다. 장에서 사온 고추모와 케일을 세 두렁에 나누어 심었다. 5월 하순까지 서리가 내리는 곳이라 일부러 느지막이 심은 것이다.

오두막을 비운 사이 처마 끝에 매달아놓은 풍경을 어느 손이 떼어갔다. 짐승은 그렇지 않은데 사람은 꼭 그 자취를 남긴다. 바다가 먼 산골이라 생선 대신 풍경에 매달린 물고기라도 떼어다 삶아 먹으려고 그랬는지, 아니면 고기가 용이 되어 승천을 했는지, 일찍이 없었던 일이라 이런 저런 생각을 하게 되었다. 그전 같으면 없어진 풍경을 다시 구해다가 매달아놓을 텐데, 이

제는 없으면 없는 대로 지낸다. 풍경 소리 없는 적막의 상태도
즐길 만하다.

엊그제부터 모란이 핀다. 아랫녘에서는 자취도 없이 벌써 지
고 말았는데, 이 산중에서는 장미의 계절인 6월에야 모란이 핀
다. 지대가 높은 곳이라 그러는지 꽃 빛깔이 아주 투명하다. 늦
추위와 미친 바람에 시달리면서도 꽃을 피운 그 모습이 기특하
고 애처롭게 여겨졌다.

내가 별로 좋아하지 않는 말 가운데 하나가 '부처'라는 용어
다. 입만 벌리면 부처가 어떻고 보살이 어떻고 하는 말로 귀에
못이 박혔기 때문일 것이다.

며칠 전 장바닥에서 수염이 덥수룩하고 눈빛이 좀 이상하게
보인 웬 사내가 나를 보더니 불쑥 물었다.

"스님, 뭣 좀 물읍시다."

"뭔데?"

그는 나를 빤히 보더니 내뱉듯 말했다.

"부처란 어떤 사람입니까?"

나도 내뱉듯 즉석에서 대구를 했다.

"이렇게 묻는 너는 도대체 누구냐?"

그는 어릿어릿 더 말이 없었다.

헛눈을 팔지 말게. 그대 마음 밖에서 따로 부처를 찾지 말게.
그대가 바로 '그대 자신'일 때 어디에도 거리낌이 없는 자유인이
다. 세속에 살면서도 그 세속적인 것에 물들거나 얽매이지 않을
때 그대는 그대 자신일 수 있다. 개체인 그대가 전체인 그대로

탈바꿈하면, 네가 어떻고 내가 어떻고 하는 시시콜콜한 일상의 늪에서 훌쩍 벗어날 수 있을 것이다.

우리를 지금의 우리로 만든 것은 다름아닌 바로 우리 마음이다. 내 마음이 악한 일에 머물면 그것이 곧 지옥을 만들고, 내 마음이 착한 일에 머물면 그것이 곧 천국을 만든다. 누가 그렇게 만들어놓은 것이 아니라, 내 스스로 그렇게 지어서 만드는 것. 그러기 때문에 이 마음이 곧 부처(卽心卽佛)라 하고, 마음 밖에 따로 부처는 없다(心外無佛)고 말한 것이다.

선종(禪宗)의 역사상 가장 큰 영향력을 끼친 분은 6조 혜능(惠能, 638~713)과 마조 도일(馬祖 道一, 709~788)이다. 마조의 흡인력은 대단해서 그 문하에서 선의 꽃이 열매를 맺게 된다. 마조는 어려서 출가하여 스님이 된 후 남악산으로 들어가 열심히 참선을 했다. 그때 회양선사가 남악산 반야사에서 가르침을 펴고 있었는데, 마조를 보는 순간 그가 큰 그릇임을 알아차린다.

스승은 제자에게 가까이 다가가 묻는다.
"너는 거기서 무엇 하고 있느냐?"
제자는 솔직하게 대답한다.
"좌선합니다."
"좌선을 해서 무엇 하게?"
"부처가 되려고 좌선합니다."
이튿날 스승은 제자가 좌선하고 있는 그 앞에서 벽돌을 득득 돌에 갈았다. 제자는 궁금해서 물었다.

"무엇 하려고 벽돌을 가십니까?"

"갈아서 거울을 만들까 하고."

"아니, 벽돌을 갈아 거울을 만들다니요?"

이때 스승은 정색을 하고 말한다.

"그래 앉아만 있으면 부처가 될 줄 아는가?"

이 말에 제자는 정신이 번쩍 들었다.

"그럼 어떻게 해야 합니까?"

"소수레가 가지 않을 때는 수레를 때려야 하는가 소를 때려야 하는가? 선은 앉거나 눕는 데 상관없는 것이며, 부처는 한군데 가만히 앉아 있는 것이 아니다. 집착이 없어 취하고 버릴 게 없는 것이 선이지!"

이 가르침에 제자는 마음이 열렸다. 스승에게 예배드린 다음 다시 물었다.

"마음을 어떻게 가져야 집착이 없는 삼매(無相三昧)에 들 수 있습니까?"

"마음의 지혜를 가꾸는 것은 씨를 뿌리는 일이고, 내가 법을 말하는 것은 하늘에서 내리는 비와 같다. 다행히 너는 내 가르침을 받기에 알맞은 인연을 갖추었으니 곧 도를 보게 될 것이다. 내 시를 들어보라."

마음밭에 갖가지 씨앗 있어
비를 맞으면 다 싹이 트리라
삼매의 꽃은 그 모습 없나니
어찌 이루어지고 부서지고 하리.

이 시를 듣고 마조는 귀가 번쩍 뜨여 본래의 자신이 된 것이다. 그후 10년 동안 마조는 스승을 가까이서 모셨다. 이 기간 동안 그의 도는 더욱 원숙해졌다. 회양선사 문하에 탁월한 제자들이 많았지만 스승의 혼을 이어받은 사람은 마조 한 사람뿐이었다고 역사는 전한다.

마조의 가르침은 '마음이 곧 부처'라는 이 한마디로 요약할 수 있다. 이 가르침 아래서 무수한 인재가 쏟아져 나왔다.

한 수행자가 마조를 찾아왔을 때 그의 우람한 체격을 보고 이렇게 말한다.

"아따, 그 법당 한번 웅장하구나. 그런데 그 법당 안에 부처가 안 계시군."

수행자는 예배드린 후 공손히 여쭈었다.

"저는 여러 경전을 읽어 그 뜻은 대강 이해하고 있지만, 마음이 곧 부처라는 말은 이해할 수가 없습니다."

스승은 말한다.

"이해하지 못하는 그 마음이 바로 부처다. 그밖에 따로 무엇이 있는 게 아니다."

"그러면 달마 조사께서 은밀히 전해 준 법은 무엇입니까?"

"그대는 쓸데없는 일에 마음을 빼앗기고 있군. 물러가 있다가 다음에 오게."

그가 일어나 절을 하고 물러가려고 하자 마조는 그의 등에 대고 고함을 쳤다.

"어이!"

그가 고개를 돌리자 마조는 물었다.

"이게 무엇이지?"

이 물음에 그는 크게 깨달았다.

또 이런 이야기가 전해 온다. 중들 꼴도 보기 싫어하던 한 사냥꾼이 사슴을 쫓다가 우연히 마조의 암자를 지나게 된다. 도망가는 사슴을 못 보았느냐고 묻는 사냥꾼에게 마조가 물었다.

"그대는 누구인가?"

"사냥꾼이오."

"그럼, 화살 하나로 몇마리나 잡나?"

"그야 한번에 한 마리씩이지요."

"그 정도라면 시원찮은 솜씨군."

사냥꾼은 슬그머니 부아가 돋았다.

"그렇다면 스님은 활을 쏠 줄 아시오?"

"알고 말고."

"화살 하나로 몇마리나 잡소?"

"나야 한 화살로 한 무리를 잡을 수 있지."

"스님이 어찌 그리 많은 살생을 한단 말이오?"

"그렇게 잘 알면서 어째서 그대는 자기 자신을 쏘지 않는가?"

사냥꾼은 비로소 풀이 죽었다.

"그 방법을 모르겠습니다."

"이 사람, 억겁을 두고 무명번뇌를 쌓아오기만 했는데, 다행히 시절인연을 만나 오늘에야 빛을 찾았구나."

사냥꾼은 활을 버리고 그 길로 수행자가 되었다. 착실한 정진

끝에 마침내 본래의 자신을 되찾게 된다. 선종사에 나오는 석공 혜장(石鞏 慧藏)이 그의 이름이다.

　장바닥에서 만난 그 사나이를 위해 쓴 글인데, 읽어서 득이 될 수 있는 인연이 닿을지 모르겠다.

　마음 밖에서 찾지 말게.

〈95. 7〉

신선한 아침을

　신선한 아침입니다. 간밤에 한줄기 소나기 지나더니 풀잎마다 구슬 같은 이슬이 맺혀 있습니다. 나뭇가지마다 아침 햇살을 받아 더욱 투명한 초록으로 빛을 발합니다. 세상이 새로 열린 듯한 이런 아침은, 일찍 깨어난 살아 있는 것들만이 누릴 수 있는 축복입니다.

　나는 이 여름 앞뜰에서 풀 뽑는 일로 무심(無心)을 익히면서 풀 향기 같은 잔잔한 기쁨을 누릴 때가 있습니다. 해가 뜨기 전 미명(未明)의 예감 속에서, 그리고 해가 기운 뒤 산그늘 아래서 풀을 하나하나 뽑고 있으면 내 마음이 아주 한적하고 편해집니다. 방안에서 좌선을 하거나 독경하는 시간보다 훨씬 생생하고 그윽한 정신상태입니다.

　번뇌무진(煩惱無盡)이라더니 잡초 또한 무진입니다. 뽑아도 뽑아도 끝이 없이 돋아납니다. 한동안 오두막을 비워두었다가 돌아오면, 앞뜰에 잡초가 무성하게 자라 있습니다. 처음에는 어디서부터 손을 댈지 엄두가 나지 않습니다. 채소밭에 돋아난 잡초도 매주어야 하니까요. 그리고 비워둔 집에 군불을 지피고 먼지 털고 걸레질하고 이것저것 정리 정돈하려면 시간과 기운이 함께 달려요. 그러나 이제는 요령이 생겨 일을 한꺼번에 하지 않고 한 가지씩 차근차근 하기로 했습니다.

마당에 풀 뽑는 일만 하더라도 그전 같으면 잡은 참에 지치도록 단박에 해치우고 나야 직성이 풀리곤 했는데, 요즘에 와서는 조금씩 조금씩 전혀 부담이 되지 않을 만큼씩만 합니다. 일에 쫓기지 않고 그 일 자체를 삶의 여백을 즐기듯 해나갑니다. 풀을 뽑기 전에, 오늘 아침에는 이만큼만 하자고 미리 눈대중으로 금을 그어놓아요. 일을 하다 보면 재미가 붙어 번번이 그 경계를 넘기 마련이지만요.

장갑을 끼고 호미로 흙을 파서 풀을 뽑아냈는데, 일을 하고 나면 마당이 밭처럼 일구어져 개운한 맛이 없습니다. 그래 요즘에는 텁텁하고 답답한 장갑을 끼지 않고 맨손으로 뽑습니다. 엄지와 집게 손가락을 쓰고 뿌리가 뽑히지 않는 것은 호미 대신 대꼬챙이를 쓰니 밭처럼 일구어지지 않아 일이 적습니다.

풀을 뽑으면서 문득 일어난 생각인데, 우리가 인생을 살아가는 것도 이런 풀뽑기와 같지 않을까 싶습니다. 잇달아 풀이 돋아나듯이 우리가 해야 할 일은 끝이 없습니다. 어떤 일에 마주쳤을 때 미리 겁부터 먹고 엄두를 못 내거나 미리 무서워하면서 미적미적 미룬다면 아까운 시간만 허송하면서 짐스런 삶이 되고 맙니다.

지금 마주친 이 일이 현재의 나에게 주어진 삶의 과제라고 생각하고, 하나하나 삶의 의미를 음미하듯 차근차근 헤쳐 나간다면 우리 인생에서 극복 못할 일은 없을 듯싶습니다. 그리고 모든 일은 시작이 있으면 반드시 끝이 있게 마련입니다. 그래서 옛말에 시작이 반이라고 하지 않았습니까.

간밤에 내린 비로 땅이 촉촉히 젖어 오늘 아침에는 풀이 아주 잘 뽑혔습니다. 일에 재미가 붙어 부풀듯 충만한 시간이었습니다. 마저 풀을 뽑고 나서 싸리비로 뜰을 말끔히 쓸었더니, 내 마음속 뜰도 아주 산뜻하고 말끔해졌습니다. 그래요, 모든 일은 마음에서 시작해서 결국은 마음으로 귀착됩니다.

한 마음이 맑고 평안하면 그 둘레에 맑고 평안한 그늘을 드리우게 됩니다. 이와는 달리 한 마음이 흐리거나 불안하면 그 둘레도 흐리고 불안한 기운으로 감싸게 되는 게 생명의 메아리입니다.

이와 같이 신선한 아침에는 많은 것이나 번잡한 일에 접하지 말아야 합니다. 이런 축복받은 시간에 시끄러운 세상 소식에 귀를 기울이거나 신문이나 잡지 같은 것에 눈을 파는 것은 모처럼 찾아온 축복을 밀어내는 거나 다름이 없습니다. 명상 서적이나 경전의 한두 구절을 읽고 그 내용을 그날 하루치 영혼의 양식으로 삼을 수 있어야 합니다.

일 마치고 눈부신 초록의 햇살 받으면서 개울가에 나가 흐르는 물을 한 바가지 떠마셨습니다. 순간 산천의 맑은 정기가 내 영혼과 몸에 스며드는 것 같았습니다. 자신도 모르게 손을 모으면서 두런두런 이런 말이 새어 나왔습니다.

산하대지(山河大地)여, 고맙고 고맙습니다!
이 오두막이여, 감사하고 감사합니다!

이토록 신선한 아침이여, 지극한 마음으로 귀의하나이다!

좁쌀영감 같은 잔소리 그만하고 몇마디 소감을 전합니다. 우리는 우리 둘레에서 일어나고 있는 온갖 일에 직접적이건 간접적이건 얽혀 있습니다. 지난 7월 한달 우리는 삼풍백화점 붕괴 참사에 우리 모두가 짓눌려 그 고통과 울분을 나누어 갖지 않을 수 없었습니다. 그것이 오늘의 우리 얼굴이고 존재양식이라고 생각하니 그저 참담할 뿐이었습니다.

정치꾼들은 마치 우리가 선진국의 문턱에라도 들어선 듯 착각하여 선전하고 있지만 선진국이 어디 말 끝에 달렸습니까. 지은지 5년 밖에 안된 건물이, 겉으로는 멀쩡해 보이던 다리가 순식간에 폭삭 주저앉아 수많은 목숨을 앗아가게 한 그런 참사의 요인이 우리 안에 세균처럼 만연되어 있다는 사실에 정신을 차려야 합니다.

건물 주인과 건축업자, 그리고 부패공무원에게만 부실공사의 책임이 있을까요? 그와 같은 비리와 부정이 공공연히 관행화되고 거래된 이 사회에 몸담아 살고 있는 오늘 우리들에게는 그 책임이 없었을까요?

책임이란 외부에서 일어나고 있는 일뿐 아니라 우리들 내면에서 일어나는 것들에 대해서도 관심을 갖고 주의를 기울인다는 뜻입니다. 우리들 개개인이 심리적으로나 행동으로 무질서 속에서 살고 있는 한, 우리가 하는 그 어떤 일도 결과적으로 무질서를 만들어냅니다.

교통질서 하나만 가지고 보더라도 우리는 우리 자신의 자질과 속얼굴을 그대로 드러냅니다. 집안이나 직장에서는 어엿한 인격체가 일단 차량의 행렬에 끼어들면 난폭해지고 인격부재의 뻔뻔스런 짓도 서슴지 않습니다. 안과 밖이 다른 것을 위선이라고 합니다. 위선은 무질서와 함께 일종의 사회악입니다. 이와 같은 사회악을 극복하고 일어설 수 있을 때 비로소 우리도 선진국을 꿈꿀 수 있습니다.

생각 같아서는 선진국에 끼어들지 않더라도 좋으니, 사람인 우리가 사람답게 살 수 있는 그런 세상을 만들었으면 합니다. 사람은 어디로 간 채 물건과 돈만 나도는 세상은 너무 삭막하고 비정합니다. 사람이 사람답게 살아가는 데에는 그토록 많은 것이 필요하지 않습니다.

온갖 얽힘과 갈등의 늪에서 벗어난 사람에게는 평안이 따릅니다. 그의 삶에는 새로운 지평이 열립니다. 새로운 시작이 없다면 사람은 누구나 진부하고 시들하고 굳어지게 마련입니다.

책을 읽다가 눈에 띈 구절이 있어 함께 음미하고자 옮겨 적습니다.

'…혼자서 자란 아이들은 혼자 살 수밖에 없도록 길들여져 있다. 그는 혼자 있는 것이 좋았고 그렇게 훈련되어 왔다. 혼자서 자란 아이들은 결국은 누구나 혼자라는 사실을 이해한다. 그래서 혼자가 되는 이런 순간을 맞닥뜨릴 것에 대비하여 미리 연습을 하면서 살아간다.'

현자들은 말합니다. 홀로 명상하라고. 그리고 모든 것을 놓아버리라고 합니다. 그렇습니다. 한번 지나간 일들은 기억에 담아두지 말아야 합니다. 그것은 이미 죽어버린 일들입니다.

우리들이 겪는 불행 중 어떤 것은 이미 지나가버린 과거의 기억들을 되새기는 데서 옵니다. 지나간 기억에 얽혀들거나 매달리면 현재의 삶이 소멸되고 맙니다. 그리고 홀로 순수하게 존재할 수 없습니다. 모처럼 벗어난 갈등의 늪에 다시 뛰어들지 마십시오.

지금 내가 하고 있는 생각과 행위가 곧 내일의 나를 만들어냅니다. 제자리에서 맴도는 타성과 게으름은 더 말할 것도 없이 악덕입니다. 일찍 깨어나 신선한 아침을 맞으십시오. 그래서 새로운 시작을 이루십시오.

〈95. 9〉

연꽃 만나러 가서

　지난번 태풍보다 앞서 내린 폭우로 다리가 또 떠내려갔다. 해마다 한두 차례씩 겪는 일이라 이제는 놀라거나 마음 쓸 일도 못된다. 물이 빠질 때까지 밖에 나가지 말라는 소식으로 받아들일 수 있는 여유를 지니게 되었다.

　약속도 예정된 일도 없으니 길이 끊어져도 불안하거나 초조해할 건덕지가 없다. 언젠가는 신문 원고 마감 때문에 허리께까지 불어난 개울물을 건너느라고 혼이 났었는데 요즘에는 그런 얽힘에서 벗어나 있으니 이 또한 홀가분하다.

　무슨 일에고 얽힌다는 것은 그만큼 부자유스럽다. 안으로나 밖으로나 얽힘이 없어 거리낄 게 없는 것을 해탈이라 하던가.

　쌀독에 아직 쌀이 남아 있고, 밭에 감자와 풋고추와 된장이 있어 굶주릴 염려 없고, 땔감 또한 넉넉하니 걱정 근심이 없다. 벌레도 끼지 않고 실하게 자라던 케일은 노루가 몇차례 와서 깨끗이 먹어 치운 바람에 식단도 한결 간소해졌다.

　예년 같으면 가을철에 뜯어먹을 채소를 조금 갈아야 하는데 올해에는 노루 덕분에 밭 갈고 씨 뿌리고 가꾸는 수고도 덜게 되었다. 농사일에 서투르고 게으른 사람에게는 노루 평계로 일손이 한결 가벼워졌다.

밖으로 나가는 길이 한동안 이어지지 않는다 하더라도, 읽을 책이 있고 마실 차가 있고, 또 어둠을 밝힐 기름과 초가 있으니 살아가는 데에는 별 지장이 없을 것이다.

아직도 내게는 타오르는 지적 호기심이 있어, 새로운 세계에 대한 탐구와 인식에 귀를 기울인다.

최근에 안드레이 타르코프스키의 〈일기초(日記抄)〉를 다시 읽으면서, 나는 쓰다 말다 한 산거일기(山居日記)를 다시 챙기게 되었다. 이 오두막에 들어와 지내면서는 영화를 거의 보지 못했다. 그래서 타르코프스키가 만든 영화는 한편도 접해 보지 못했다.

그에 대한 소개와 일기초를 읽으면서 삶의 열기 같은 것을 느낄 수 있었다. 그의 일기는 1970년에서 1986년 생을 마치기 직전까지 기록된 것인데, 그에게 깊은 영향을 준 작가, 사상가들에 대한 흥미로운 성찰과 작품 계획과 그 일지, 가족관계, 그 자신의 작업환경, 구소련의 영화당국과의 갈등, 현대 문화와 사회에 대한 예리한 성찰 등을 담고 있다. 솔직하고 따뜻한 그의 인간성에 친화력을 느끼게 된다.

1977년 5월 28일자 일기에 그는 '차다예프의 철학적 편지'를 인용하고 있다.

'우리는 우리의 삶을 파괴하고 더럽히는 온갖 유치한 호기심으로부터 벗어나야 한다. 무엇보다도 우리는 무엇이든지 새로운 것이라면 정신을 빼앗기는 고질적인 경향, 화제거리를 찾아

다니며 그 결과로 다음날엔 어떤 일이 일어날까 기다리면서 늘 들떠 있는 그 병적인 경향을 뿌리뽑지 않으면 안된다.

그렇게 하지 않으면 우리는 평화와 행복이 아니라 실망과 역겨움만을 안게 될 것이다. 모든 소음, 외부에서 진행되는 온갖 메아리에 대해서 그대의 문을 굳게 단속하라. 그대가 충분한 결의를 지녔다면 경박한 문학도 피해야 한다. 왜냐하면 그것은 본질적으로 글로 씌여진 소음밖에 아무것도 아니기 때문이다.'

다소 긴 인용이지만 자칫 속물 근성에 빠져들기 쉬운 오늘날 우리들 삶의 현실을 비춰주고 있는 내용이다. 어느 날의 일기에는 이렇게 적어 놓았다.

'인간은 굉장히 오랫동안 존재해 왔다. 그럼에도 불구하고 인간은 가장 중요한 것, 자기 존재의 의미에 대해선 여전히 불확실하다. 이것이 우리를 당혹스럽게 만든다.'

그는 50회 생일을 앞두고 이렇게 탄식한다.

'내일, 아니 오늘 두 시간만 지나면 나는 쉰 살이다. 맙소사, 내 인생이 이다지도 빨리 지나갔다니….'

우리가 산을 건성으로 바라보고 있으면 산은 그저 산일 뿐이다. 그러나, 마음을 활짝 열고 산을 진정으로 바라보면 우리 자신도 문득 산이 된다. 내가 정신없이 분주하게 살 때에는 저만치서 산이 나를 보고 있지만, 내 마음이 그윽하고 한가할 때는 내가 산을 본다.

대상과 그를 인식하는 주체가 따로 따로 떨어져 있지 않고 하나가 될 때 갈등과 불화는 사라진다.

뜰가에 해바라기가 오늘 아침 처음으로 두 송이 피어났다. 오, 해바라기네 하고 나는 탄성을 질렀다. 사나운 비바람에도 꺾이지 않고 꿋꿋하게 자라 자신의 속얼굴을 꽃으로 열어보인 것이다.

탐욕스런 사람들에 의해 날로 더럽혀지고 허물어져가는 이 지구촌에 철따라 피어나는 꽃이 없다면 얼마나 살벌하고 삭막할 것인가. 꽃이 피어나는 이 생명의 신비와 아름다움을 오늘의 인간들이 겸허하게 맑은 눈으로 받아들일 수 있다면, 이 세상은 덜 훼손되고 살기 좋은 동네가 될 것이다.

지난 8월 중순 연꽃을 만나기 위해 천리길을, 왕복 2천리길을 다녀온 일이 있다. 머나먼 길인데도 그만한 가치가 있고도 남았다. 10만평이나 되는 드넓은 저수지에 백련(白蓮)이 가득 피어 있다는 소식을 전해 듣고 그 다음날로 부랴부랴 찾아 나섰다.

전남 무안군 일로읍 복룡리 복룡저수지. 끝이 가물거리는 33만 여m² 넓이에 백련이 빽빽이 들어차 있었다. 실로 장관이었다. 전주 덕진 연못은 홍련뿐인데 이곳은 백련 일색이었다. 홍련은 흔하지만 백련은 귀하다. 그리고 꽃의 모습이 백련쪽이 훨씬 격이 있다.

어째서 이런 세계적인 규모의 백련이 지금껏 세상에 알려지지 않았는지 그 까닭을 알 수 없었다. 우리 일행을 길잡이 해준 바로 이웃면에 사는 몽평요의 주인도 그때까지 모르고 있었단다. 궁벽한 시골에서는 식용으로 연뿌리를 캐서 이용했을 뿐 연꽃의 아름다움에는 관심이 없었던 모양이다. 다행히 무안군에서 예산을 들여 그 진입로와 조경시설 등을 내후년까지 완비할 거라고 하면서, 한참 도로를 넓히는 중이었다.

해마다 연꽃이 피어나는 7, 8월이 되면 다녀가기로 마음먹고 발길을 돌렸다. 돌아오는 길 광주시 매곡동 선임이네 집에 백련이 있다는 말을 듣고 나선 걸음에 찾아갔었다. 연못이 집 안팎으로 두 곳 있는데, 집 안에 있는 소담스런 연못에 피어 있는 백련은 실로 황홀했다. 앞서 본 것보다 꽃도 훨씬 크고 향기도 더욱 맑았다. 너울너울한 잎과 정갈한 꽃이 얼마나 잘 어울리는지, 바로 그 꽃에 그 잎이었다.

여러 꽃 향기 중에서도 영혼에까지 스며드는 듯한 신비스런 향기는 단연 연꽃일 거라고 나는 말하고 싶다. 이런 연못가에 조촐하게 정자를 지어 아침 저녁으로 연꽃을 가까이서 느끼고 지켜보면서 은은한 꽃 향기로 숨결을 고를 수 있다면 참 행복하겠구나 싶었다.

중국 북송(北宋)시대의 학자 주무숙(周茂叔)은 그의 '애련설(愛蓮說)'에서 이와 같이 말한다.

'내가 오직 연꽃을 사랑함은, 진흙 속에서 났지만 거기에 물들지 않고, 맑은 물결에 씻겨도 요염하지 않기 때문이다. 속이 비어 사심이 없고, 가지가 뻗지 않아 흔들림이 없다. 그 그윽한 향기는 멀수록 더욱 맑고, 그의 높은 품격은 누구도 업신여기지 못한다. 그러므로 연은 꽃 가운데 군자라 한다.'

연은 하나도 버릴 게 없다. 그 뿌리는 식용과 약으로 널리 쓰이고, 잎은 음식을 싸서 찌는 데 쓰이며, 그 열매인 연실은 신선들이 즐겨 먹는 음식으로 혹은 약재로 예전부터 쓰였다. 그리고 꽃과 향기는 나같이 철이 덜 든 사람을 천리 밖에서도 끌어들이는 흡인력이 있다.

한여름 더위를 모르고 지내다가 연꽃 만나러 갔던 그날은 더위 속에 땀깨나 흘렸었다. 그러나 정든 사람을 만나고 온 듯한 그런 두근거림과 감회를 느끼면서 살아 있는 기쁨을 누렸었다.

이 다음 생애 어느 산자락에 집을 짓게 되면, 꼭 연못을 파서 백련을 심고 연못가에 정자를 지어 연꽃 향기 같은 삶을 누리고 싶다. 아, 생각만으로도 가슴이 부풀어 오르네!

〈95. 10〉

새로 바른 창 아래서

어제는 창문을 발랐다. 모처럼 날씨가 화창해서 바람기도 없고 햇볕이 따뜻해 잘 말랐다. 여느 때 같으면 대개 추석 전에 창문을 바르는데, 올해는 그 무렵에 연일 날씨가 궂어 시기를 넘기고 말았다.

혼자서 창문을 바르고 있으면 마음이 아주 차분하고 느긋해진다. 새로 바른 창호처럼 기분도 아늑하고 정결하다. 종이를 파는 지물포에서 창호지와 풀을 구해 오고, 문 크기를 자로 재어 미리 종이를 재단해 놓는다. 그리고 나서 문을 떼어내어 낡은 창호지에 풀비로 물을 묻혀 불린다.

한 5분 지나 가장자리에서부터 칼 끝으로 창호지를 들추면 물에 불린 종이는 깨끗하게 떨어진다. 이때 온장이 그대로 떨어지면 그 솜씨가 대견해서 기분이 아주 좋다.

그런데 도배사들이 발라놓은 창문은 그들의 편의대로 대개 화학풀(본드)을 쓰기 때문에, 다시 창문을 바를 때는 종이가 잘 떼어지지 않아 애를 먹는다. 창문에 바르는 풀은 밀가루 풀이어야 뒤탈이 없고 종이도 잘 펴진다.

낡은 창호지를 떼어낸 창문은 물걸레로 먼지를 닦아낸 다음 말려서 발라야 한다. 이때 창살에 물기가 남아 있으면 새 창호지에 그 얼룩이 누렇게 배어나온다. 종이가 모자라 잇댈 때는 그 이음새가 창살과 일치하도록 겹쳐야지, 그렇지 않으면 두고두고 께름칙한 느낌을 지니게 된다.

새로 바른 창은 햇볕에 풀기가 가실 때까지 말린다. 그런데 이때 따가운 가을 햇볕에 너무 오래 두게 되면 종이의 이음새가 떨어지는 일이 있으니 풀기가 마르면 문을 제자리에 달아두는 것이 좋다.

이와 같이 창문 바르는 일을 장황하게 늘어놓은 것은, 자신이 거처하는 방의 창문은 남에게 맡기지 말고 손수 발라보라는 뜻에서다. 예전에는 직업적인 도배사가 따로 있지 않고 집집마다 손수 발랐었다. 요즘은 한옥이 사라져가고, 또 창문의 구조가 창호지가 아닌 유리로 대체되었기 때문에 전통적인 창호는 보기 드물다.

나는 절에 들어와 살면서부터 내가 거처하는 방의 창문은 손수 발라왔기 때문에 마음만 내키면 언제든지 고쳐 바를 수 있는 기량을 지니게 되었다.

자신이 거처하는 방의 도배를 손수 하고 나면 그렇게 뿌듯할 수가 없다. 모르긴 해도 자신이 입는 옷을 손수 마름질하고 바느질해서 입는 그 느낌도 어쩌면 이와 같지 않을까 싶다.

오두막의 창문은 이 집에 어울리게 모두가 띠살창호다. 띠살창이란 문 울거미에 가는 살을 똑같은 좁은 간격으로 수직으로

짜 넣고, 수평 방향으로 서너 줄씩 상 중 하 세 곳에 띠 모양으로 댄 창호를 말한다. 내가 좋아하는 창문은 용(用)자창이지만, 덧문이 없는 이 오두막에는 어울리지 않을 것이다.

불일암의 창문은 앞마루가 있고 덧문이 있어 미닫이로 된 용자창이 제격이다. 용자살이 가장 단순하고 정갈할 뿐 아니라 실내 조명도 밝다. 그리고 상하 좌우 이른바 황금률이 적용된 쾌적한 비례의 아름다움은, 온갖 기교를 부린 그 어떤 창살보다도 그 격이 높다. 여러 형태의 창문 중에서 가장 단순하면서도 세련된 창이 용자창이라고 여겨진다. 방안에 불이 켜졌을 때 밖에서 바라보는 용자창은 참으로 조용하고 편안하게 보인다.

창문은 그 집의 눈이라고 할 수 있다. 어떤 창문이 어디에 달렸느냐에 따라 그 집의 모습과 분위기는 달라진다. 물론 창문은 들어오고 나가는 출입구의 역할을 하고, 조명과 환기의 기능도 한다. 그러나 이런 실용적인 용도 이외에 눈으로 보아서 벽면과의 비례로 인해 아늑하고 푸근하고 정다운 그런 정서적인 기능도 하고 있다.

밝은 햇살이 스며드는 그런 창 아래 앉아 있으면 지나가는 시간도 아깝지 않다. 저절로 창밖에 귀를 기울이게 된다. 이런 창 아래서 가랑잎 구르는 소리도 듣고 풀벌레 우는 소리에도 귀를 모은다. 부스럭거리면서 짐승이 지나가는 소리도 듣고 가을을 재촉하는 찬비 뿌리는 소리도 듣는다. 그리고 때로는 아무 생각 없이 무심히 밝은 창을 바라보는 즐거움도 있다.

가람 이병기 선생은 창을 두고 이렇게 쓴 적이 있다.

우리 방은 창으로 눈을 삼았다
종이 한장으로 우주를 가렸지만
영원히 태양과 함께 밝을 대로 밝는다
너의 앞에서는 술 먹기도 두렵다
너의 앞에서는 참선하기도 어렵다
진귀한 고서를 펼쳐 서권기(書卷氣)나 기를까
나의 추와 미도 네가 가장 잘 알리라
나의 고와 낙도 네가 가장 잘 알리라
그러니 나의 임종도 네 앞에서 하려 한다.

평소에 창 앞에서 술잔을 기울이고 좌선을 하고 고서를 읽으면서 살아온 시인이라, 생애를 막음하는 그 순간도 창 앞에서 맞이하겠다는 것이다. 그러니 창문은 이 다음 생으로 이어지는 관문이기도 하다.

불이 환히 밝혀진 창은 우리가 그 창문을 바라보기 전부터 그 창이 먼저 우리를 보는 것 같다. 집의 눈이 그 집안에 사는 우리를 살피고 있다. 그런 창에서 어둠을 몰아내는 일이 그 집에 사는 사람의 도리일 것이다.

바늘구멍으로 황소바람 들어온다고 하니 묻힌 김에 풍지까지마저 발랐다. 겨울밤 눈바람이 몰아칠 때면 이따금 이 문풍지가 운다. 갑작스런 이 소리에 놀라기도 하지만, 어떤 때는 몹시 구슬프게 들려서 하던 일을 멈추고 물끄러미 눈길을 줄 때도 있다.

한옥은 구조적으로 바깥 세계와 밀접한 관계를 지니지 않을 수 없다. 창호지 한장으로 외부와 접해 있으니, 산속에서는 산의 일부나 다름이 없다. 그래서 바람소리 물소리며 새와 짐승들의 동정에도 저절로 관심을 갖게 된다. 어쩌면 창문 밖에서 어정거리는 토끼나 노루도 방안에 있는 내 동정에 귀를 기울이고 있을지 모르겠다.

　　새로 바르기 위해 창문에서 떼어낸 낡은 창호지를 예전에는 결코 함부로 버리지 않았다. 내가 처음 절에 들어왔을 때만 해도, 물에 젖은 그 종이를 햇볕에 말렸다가 낱낱이 오려서 노(紙繩)를 꼬았다. 거기에 촛농을 묻혀 촛불을 붙이는 용심지로 썼다. 그리고 어떤 노스님들은 여가에 그 노로 방석을 짜기도 했었다.

　　그러나 요즘에는 물건 아끼는 습관이 사라져, 절에서도 헌 문종이를 아궁이에 군불 지필 때 불쏘시개로나 쓰고 있다. 옛 어른들이 보시면 깜짝 놀랄 일이지만, 오늘의 우리는 이와 같이 물건 아낄 줄을 모른다. 어디 물건뿐이겠는가. 복과 덕을 지을 줄은 모르고 함부로 까먹기만 하고 있지 않는가.

　　새로 바른 정갈한 창문 아래서 헤세의 〈유리알 유희〉를 읽었다. 벌써 오래 전에 이 책을 펼쳤다가 지루하고 관념적인 '서문'에 질려서 그만 책장을 덮어버리고 말았었다. 최근에 문득 생각이 나서 다시 책을 구해다가 읽게 되었다. 밤이 이슥하도록 맑은 정신으로 읽히는 양서임을 뒤늦게 알았다.

　　'이 세계의 신비스러운 내면에서는 호흡의 들숨과 날숨이, 하

늘과 땅이, 그리고 음과 양이 서로 어우러짐으로써 무언가 신성한 것이 끊임없이 이루어지고 있다.'

이 세상의 대립된 양극은 우주적인 조화와 질서로 인해 그 생명력과 신비를 드러낸다고 하면서, 주인공 요제트 크네히트의 입을 빌려 '명랑성'에 대해서 다음과 같이 말한다.

'명랑성은 지고의 인식과 사랑, 모든 현실에 대한 긍정이다. 모든 심연의 기슭에 서서 자각하는 일이다. 나이를 먹고 죽음에 가까워질수록 더욱 밝아지는 것, 그것은 미의 비밀이고 모든 예술의 본질이기도 하다. 속세의 초월자나 불타의 미소와 같은 것. 심원한 인물은 한결같이 명랑성을 지니고 있다.'

명랑성은 집으로 치면 창문과 같은 것. 창이 밝아야 그 집안의 어둔 구석이 사라진다.

우리가 지닌 그 명랑성으로 한 사람을 행복하고 즐겁게 해줄 수 있다면, 그 사람이 우리에게 부탁을 하건 말건 그렇게 해주는 것이 이웃된 도리일 거라고, 새로 바른 창 아래서 생각을 펼쳤다.

⟨95. 11⟩

어떤 家風

몇차례 눈이 내리더니 개울가에 얼음이 얼기 시작했다. 기온이 더 내려가면 밤 사이에 얼어붙을 염려가 있어, 개울에서 집안으로 끌어들인 물줄기를 오늘 오후에 끊었다. 새봄이 올 때까지는 개울에서 직접 물을 길어다 써야 한다. 일이 좀 많아지겠지만 이 오두막의 형편이 그러니 어쩔 수 없다.

마루방에 장작난로를 지피기 시작했다. 이 오두막의 쓰임새로 보아 마루방은 듣기 좋은 표현으로 거실 겸 주방이다. 난로 곁에 의자가 하나 놓여 있고, 뒷창문 아래 지극히 간소한 주방이 설치되어 있다. 그리고 주방과 문턱을 사이 두고 식탁이 있는데, 벽에 기대놓은 라디오에서 시끌시끌한 세상소식을 전해준다. 한쪽에 조그만 오지 화병이 놓여 있어 간단 명료한 차림새이지만 식탁에 운치를 거들어주고 있다. 들꽃도 자취를 감춘 뒤라 노박덩굴을 꽂아두었더니 노란 껍질과 빨간 열매가 볼 만하다.

잎이 져버린 숲에는 새들도 떠나가고 이따금 거센 바람만 횡횡 휘몰아친다. 나는 오두막의 이 훈훈한 난로 곁에서 네 번째

겨울을 맞이하고 있다. 거지도 제멋에 산다는 말이 있지만, 나는 이 오두막이 그 어떤 절보다도 조용하고 맑아서 좋다. 요즘은 어디를 가나 모든 것이 풍족해서 넘치고 있는데, 이곳은 불필요한 것으로부터 벗어나 있어 지낼 만하다.

새벽 4시에 일어나 저녁 10시에 잠자리에 들기까지 비슷비슷 단조로운 하루 일과인데, 겨울철에는 오후에 뒤꼍에 나가 장작을 패는 일이 곁들여진다.

어제는 질긴, 아주 질긴 나무등걸을 팼다. 전에 패려고 하다가 너무 질기고 단단해서 기운만 빼앗기고 말았는데, 이번에는 마음을 단단히 먹고 기어이 쪼개놓았다.

열 번 찍어 안 넘어간 나무 없다는데 너는 어째서 말을 안 듣느냐고 어르면서, 도끼로 내리칠 때마다 하나 둘 셋을 셌다. 열 번을 찍어도 끄떡 않더니 열두 번째 내리치는 도끼날에 마침내 나무등걸은 두 쪽으로 빠개졌다. 그래, 열 번 찍어 안 넘어가는 나무도 열두 번을 찍으니 넘어가는구나. 새로운 묘리를 터득했다.

그러나 돌이켜보니, 나도 모진 놈이로구나 하고 자탄을 했다. 어지간히 하다가 안되면 그만둘 것이지 끝까지 물고 늘어져 그토록 질기고 여문 나무등걸을 기어이 쪼개놓고만 그 외고집에 스스로 씁쓸해 했다. 하기야 이런 고집과 기상 때문에 이 산중에서 혼자 살고는 있지만….

불일암에서 지낼 때와 견주어보면, 이곳은 사람들과 접촉할 일이 전혀 없으니 우선 쓸데없는 말을 안하게 되고 신경 소모도 적어 내 삶은 더욱 활기차다. 그리고 보다 단순하고 간소하게 지내면서 본질적인 삶을 추구할 수 있다.

그러면서도 가끔 게으름을 피울 때가 있어 스스로 꾸짖으며 돌이킨다. 며칠째 기상시간을 어기고 나서, 내일부터는 반드시 4시에 일어날 것을 부처님 앞에 약속드립니다 하고 꾸벅꾸벅 절을 하면서 다짐을 했다. 그런 다음부터는 제 시간에 일어나 정해진 일과를 차질없이 치르게 되었다. 혼자서 사는 사람들은 꿋꿋한 의지력과 투철한 자기 질서가 없으면 이내 무너지고 만다.

불일암을 떠나온 후로 그곳은 인연 있는 사람들에 의해 그런대로 유지되고 있다. 내가 '신원보증인'이 되어 그 곳에서 다섯 사람이 출가 수행승이 되었는데, 그들이 번갈아 도량을 가꾸면서 정진하고 있다. 내가 혼자서 살던 그전과는 달리 여러 모로 편리하게 고쳐졌다.

나는 일 벌이기를 싫어해서 불편하지만 그전에 쓰던 대로 답습해 왔는데, 덕문이가 살면서 입식 주방으로 고쳐 위생적이고 편리해졌다. 비바람을 맞아가면서 우물가에 쭈그리고 앉아 설거지를 할 일이 이제는 사라졌고, 우물에서 물을 길어 나르느라고 내 한쪽 팔이 늘어났는데 이제는 수도꼭지만 틀면 샘물이 집안에까지 들어오게 되었다.

겨울철이면 추워서 끓여먹으러 아래채 부엌에 들어가기가 죽으러 가는 일만큼이나 아주아주 머리 무거웠는데, 이제는 난방이 되어 오들오들 떨면서 먹지 않아도 된다.

불일암으로 오르는 길이 너무 가팔라서 언제부터 길을 돌리려고 마음만 먹었지 실행을 못했는데, 지난해 가을 여럿이 모인 김에 의논이 되어 대숲 안으로 길을 돌려놓았다. 올라가는 데 힘이 덜 들고 운치 있는 길이 되었다. 목수 일에 능한 덕현의 솜씨로 아담한 대사립문도 하나 짜서 달아놓았다.

그리고 덕운이가 살면서 오르는 길목 두어 곳에 통나무로 걸터앉을 자리를 마련하고 쉬면서 음미하도록 선시(禪詩)도 몇구절 적어놓았다.

청산은 나를 보고 말없이 살라 하고
창공은 나를 보고 티없이 살라 하네
탐욕도 벗어놓고 성냄도 벗어놓고
물같이 바람같이 살다가 가라 하네.

다섯 사람들은 여기저기 선원(禪院)을 찾아다니며 정진을 하고 있다. 대만에서 몇해 동안 교학 공부를 하고 돌아온 덕조도 글줄이나 새기면서 메마른 이론에 팔리지 않고 선원에서 지내고 있으니 다행이다.

올 겨울은 덕인의 차례가 되어 그가 암주 노릇을 하는데, 목욕할 수 있는 시설을 했으면 하기에 그렇게 하라고 했다. 그전부터 아쉬웠던 것이 더운 물로 목욕할 수 있는 시설인데, 혼자 살면서 너무 호사스러운 일 같아 나는 결단을 못 내리고 미루어 왔었다.

저마다 성격과 취향이 다르기 때문에 그 나름의 생각을 지니고 있다. 분수에 어긋나지 않는 일이라면 관리하는 암주의 뜻에 따르고 있다. 그러나 내가 거처하던 위채만은 불편하더라도 예전 대로 이어가도록 당부해 두었다. 요즘은 돈을 들여가면서 망쳐놓은 절이 너무나 많기 때문이다.

지난 가을 오랜만에 불일암에 내려가 쉬고 왔는데, 생각한 바가 있어 곧바로 수칙(守則)을 하나 마련하여 벽에다 붙여놓으라고 보내주었다. 우리가 살다간 후에라도 청정한 생활규범이 그 도량에서 이어져 내렸으면 하는 염원에서다.

요즘의 절은 크고 작은 데를 가릴 것 없이 너무 세속화되어 가고 있다. 전통적인 승가의 청정한 규범들이 있지만 거의 사문화되어버린 현실이다. 그리고 주인이나 객의 생각이 미치지 못해 절의 법도를 어기고 무너뜨리는 일이 적지 않다. 예전에는 절마다 그 절 나름의 가풍이 있어 미덕으로 지켜져 내려왔는데, 요즘에 와서는 그런 가풍은 자취도 없이 사라지고 질이 낮은 쪽으로 평준화되고 말았다.

승보사찰이라고 해서 불자들의 기대와 신망을 모았던 송광사의 경우만 하더라도, 보조국사 이래 효봉 선사와 구산 스님으로 이어져 내려온 목우가풍(牧牛家風)이 이제는 그 자취를 찾아보기 어려운 실정이다. 안타까운 일이다.

가풍은 누가 만들어 이루는가. 더 물을 것도 없이 그 도량에 몸담아 사는 사람들의 삶의 질서와 양식이 그 가풍을 만들며 이루고 있다. 또한 그 가풍이 그들을 지켜주고 형성시키면서 이웃에 메아리를 전한다.

불일암 수칙

이 도량에 몸담아 사는 수행자는 다음 사항을 엄격히 지켜야 한다.

1. 부처님과 조사의 가르침인 계행(戒行)과 선정(禪定)과 지혜(智慧)를 함께 닦는 일로 정진을 삼는다.

1. 도량이 청정하면 불 법 승 삼보가 항상 이 암자에 깃든다. 검소하게 살며 게으르지 말아야 한다.

1. 말이 많으면 쓸 말이 적다. 잡담으로 귀중한 시간을 낭비하지 않고 침묵의 미덕을 닦는다.

1. 방문객은 흔연히 맞이하되 해 떨어지기 전에 내려가도록 한다. 특히 젊은 여성과는 저녁 공양을 함께 하지 않고 바래다 주거나 재우지 않는다.

1. 부모형제와 친지들을 여의고 무엇을 위해 출가 수행자가 되었는지 시시로 그 뜻을 살펴야 한다. 세속적인 인정에 끄달리면 구도정신이 소홀해진다는 옛 교훈을 되새긴다.

이 수칙을 지키는 수행자에게 도량의 수호신은 환희심을 낼 것이다.

이상.

〈95. 12〉

마하트마 간디의 오두막

가을을 재촉하는 밤 소나기 소리에 자다가 깼다. 개울가에는 벌써부터 울긋불긋 잎이 물들기 시작이다. 물가의 차가운 기운 때문에 산 중턱보다 일찍 단풍이 든다.

양철 지붕에 비 쏟아지는 소리는 너무 시끄럽다. 지붕의 자재로 양철(함석)은 부적합하다. 그러나 운반하기 쉽고 그 값이 다른 것에 비해 헐하기 때문에 이 고장에서는 거의 양철을 쓰고 있다. 이 오두막의 분위기로 봐서는, 소나무 토막을 쪼개서 이은 너와가 제격일 것이지만 기왕에 덮여진 지붕이라 그대로 이고 있다.

오며 가며 눈에 띄는 수많은 집 중에서도 내 눈길을 끄는 것은 조그마한 오두막이다. 산자락에 단아하고 조촐하게 자리잡은 그런 집을 보면, 그 어떤 집보다도 호감이 간다. 그리고 그 집에 사는 사람들의 인품 같은 것을 헤아리게 된다.

집은 본래 사람이 살아가는 데 필요해서 지은 건축물인데, 필요 이상으로 크고 넓게 그리고 호사스럽게 세우는 것이 요즘의 경향이다. 기껏해야 너댓 사람이 몸 담아 살아갈 집인데, 그 많은 건축 자재와 거액을 들여 개인의 주택을 짓고 있는 일은 우리 같은 처지에서는 이해하기 어렵다.

　도시나 시골을 가릴 것 없이 그 둘레와의 조화를 무시한 살풍경하고 반자연적인 건축물은 이 시대의 괴물처럼 여겨진다. 그리고 요즘에 지어진 집들은 집 자체가 숨을 쉴 수 없도록 쇠붙이와 콘크리트와 합성수지와 유리로 감싸 놓았다. 그러기 때문에 그 안에 사는 사람들도 정상적인 숨을 쉴 수 없어 온갖 질병을 지니게 되지 않을까 싶다.

　이집트 출신으로 영국에서 건축을 공부한 세계적인 흙 건축가인 하싼 파디는, 노벨상에 버금가는 스웨덴의 '바른 생활상'을 수상하는 자리에서 이런 말을 하고 있다.

　"신은 식물과 동물 세계로 둘러싸인 자연 속에 인간을 창조하였다. 그런데 우리의 도시에는 아스팔트와 철, 알루미늄, 콘크리트밖에 없다. 우주의 기운(방사선)을 고려할 때 우리 주위를 둘러쌀 수 있는 가장 좋은 물질은 나무이며, 가장 나쁜 것은 이로운 기운을 차단하는 콘크리트다.

　물은 달에서 오는 우주선(宇宙線)에 영향을 받는데, 우리 몸은 거의 물로 되어 있으므로 역시 영향을 받는다. 그렇지만 우리는 이런 것들에 대해서 생각하는 일이 없다. 현대인은 이런 우주적인 의식을 잃어버렸다."

　하싼 파디가 이상적으로 여기는 건축물은 진흙벽돌집이다. 콘크리트로 지어진 건물은 기상 조건에 따라 내부의 온도 변화가 심한데, 진흙벽돌집의 내부 온도는 하루 24시간 동안 섭씨 2도 이상 변하지 않는다고 그는 말한다.

어쩌다 시골에 남아 있는 초가에 토담집을 만나면 나는 옛 고향집이라도 보듯 너무 반갑다. 초가와 토담집을 마치 가난의 상징처럼 생각하고 모조리 헐어버린 군대식 새마을 운동의 폐해로 인해 우리는 아름답고 좋은 우리 것을 많이 잃어버렸다.

옛 우리 조상들은 집을 자연의 일부로 생각하고 자연과의 조화를 이루려고 하였다. 고산(孤山) 윤선도는 이렇게 노래한다.

산수간 바위 아래 띠집을 짓노라 하니
그 모른 남들은 웃는다 한다마는
어리고 향암의 뜻에는 내분인가 하노라.

어리고 향암이란 어리석고 촌스럽다는 뜻인데, 세상물정에 어둡고 촌스런 자신의 분수에는 산과 물이 있는 바위 아래 얽어놓은 초막이 어울린다는 것이다. 가난하면서도 편안한 마음으로 자연과 일체감을 이루려는 안빈낙도(安貧樂道)의 경지다.

옛 사람들은 넉넉지 않은 살림살이에도 소유에 집착하지 않고 삶의 운치인 풍류를 즐길 줄 알았다. 가난한 생활 가운데서도 편안한 마음으로 분수를 지키며 도를 즐겼던 것이다.

십 년을 경영하여 초려 삼간 지어내니
나 한간 달 한간에 청풍 한간 맡겨두고
강산은 들일 데 없으니 둘러두고 보리라.

강과 산은 들여놓을 데가 없으니 병풍처럼 둘러두고 보겠다니, 이 얼마나 멋진 풍류인가. 옛 선비들의 맑은 가난의 모습이, 모든 것이 넘치는 요즘에는 더욱 귀하게 여겨진다.

이반 일리치는 마하트마 간디가 살았던 오두막(아쉬람)을 방문하고 나서 이런 글을 남기었다.

"내게는 두 가지가 크게 감명적이었다. 하나는 그 정신적인 면이었고, 다른 하나는 그 쾌적함이었다. 나는 그 오두막을 지을 때의 간디의 관점을 이해해 보려고 했다. 내게는 그 집의 단순성과 아름다움과 청결함이 참으로 마음에 들었다. 간디의 오두막은 모든 사람과의 사랑과 평등의 원칙을 선언하고 있다."

간디는 그 자신 이런 말을 한 적이 있다.

"이 세상은 우리의 필요를 위해서는 풍요롭지만, 우리의 탐욕을 위해서는 궁핍한 곳이다."

오늘날 우리들은 온갖 풍요 속에서도 얼마나 궁핍하게 살고 있는지 되돌아보게 하는 교훈이다. 위에 견주면 모자라고 아래에 견주면 남는다고 한 옛말은, 기쁨을 찾는 가장 오묘한 방법이 어디에 있는지를 넌지시 깨우쳐주고 있다. 생활의 가장 큰 즐거움은, 가능한 한 필요를 적게 하는 데 있을 것 같다. 적을수록 더욱 귀하니까.

〈95. 10〉

먹어서 죽는다

우리나라는, 한반도의 남쪽은 어디를 가나 온통 먹을 거리의 간판들로 요란하다. 도심에서 조금만 벗어나면 웬 '가든'은 그리도 많은지, 서너 집 건너 너도나도 모두가 가든뿐이다. 숯불갈비집을 가든이라고 부르는 모양이다.

사철탕에다 혹염소집, 무슨 연극의 제목 같은 '멧돼지와 촌닭'집도 심심치 않게 눈에 띈다. 이 땅에서 이미 소멸해버리고 없는 토종닭도 '처갓집'을 들먹이며 버젓이 간판은 내걸고 있다. 바닷가는 동해와 남해, 서해안을 가릴 것 없이 경관이 그럴 듯한 곳이면 다닥다닥 횟집들로 줄을 잇고 있다.

우리 한국인들이 이렇듯 먹을거리에, 그중에도 육식에 열을 올린 지는 그리 오래된 일이 아니다. 60년대 이래 산업화와 도시화에 따라 식생활도 채식 위주에서 육식 위주로 바뀌게 된 것이다. 국내산만으로는 턱도 없이 부족하여 엄청난 물량을 외국에서 수입해다 먹는다.

국민 건강을 생각할 때, 그리고 한국인의 전통적인 기질과 체질을 고려할 때, 이와 같은 육식 위주의 식생활은 결코 바람직하지 않다.

미국의 환경운동가로 널리 알려진 제레미 리프킨은 〈쇠고기를 넘어서〉라는 그의 저서를 통해, 개인의 건강을 위해서든, 지구 생태계의 보존을 위해서든, 굶주리는 사람들을 위해서든, 또는 동물 학대를 막기 위해서든, 산업사회에 있어서 고기 중심의 식사습관은 하루 빨리 극복되어야 한다고 역설하고 있다.

그가 인용한 자료에 의하면, 소와 돼지, 닭 등 가축들은 지구상에서 생산되는 곡물의 3분의 1을 먹어치우고 있다. 미국에서 생산되는 곡물의 70% 이상이 가축의 먹이로 사용된다. 초식동물인 소가 풀이 아닌 곡식을 먹게 된 것은 금세기 우리 시대에 일어난 일인데, 이런 사실은 농업의 역사에서 일찍이 없었던 새로운 현상이다.

오늘날 미국에서 1파운드의 쇠고기를 생산하는 데에 16파운드의 곡식이 들어간다. 곡식을 먹여서 키운 고기 중심의 식사법을 만들어낸 이런 생산 체계가 한정된 지구자원을 낭비하고 파괴하고 있다.

가난한 제3세계에서는 어린이를 비롯해서 수백 만의 사람들이 곡물이 모자라 굶주리며 병들어 죽어가는 동안, 산업화된 나라들에서는 수백 만이 넘는 사람들이 동물성지방의 지나친 섭취로 인해, 심장병과 뇌졸증과 암으로 죽어가고 있다.

미국 공중위생국의 한 보고서에 의하면, 1987년에 사망한 2백 10만 명의 미국인들 중에서 1백 50만 명의 경우는 먹는 음식과 관련되는데, 여기에는 포화지방의 과잉섭취가 주요 원인으로 지적된다. 특히 미국에서 두번째로 흔한 질병인 대장암은 연구 결과 육식과 직접 관계가 있다고 한다. 한 연구보고서는, 고기 소비와 심장질환 및 암 발생과의 높은 관련성을 보여주고 있는데, 쇠고기 문화권에서 심장병 발생률은 채식문화권보다 무려 50배나 더 높다. 그러니 오늘날 미국인들과 유럽인들은 말 그대로 '먹어서 죽는다'고 할 수 있다.

이와 같은 연구사례를 읽으면서 내가 두려움을 느낀 것은, 요즘 우리나라에서는 어른 아이 할 것 없이 전통적인 우리 식사습관을 버리고 서양식 식사습관을 그대로 모방하고 있기 때문이다. 병원마다 초만원을 이루고 있는 그 원인이 어디에 있는지 우리는 곰곰이 되돌아보아야 한다. 먹어서 죽는 것은 미국인과 유럽인들만이 아니다. 우리도 먹어서, 너무 기름지게 먹어서 죽을 수 있다.

동물들의 사육장에 대한 기록을 읽으면서 우리 인간이 얼마나 잔인하고 무자비한 존재인가를 같은 인간으로서 부끄러워하지 않을 수 없었다. 어린 숫송아지들은 태어나자마자 좀더 순종적으로 되고 그 고기의 질을 개선하기 위해 거세시킨다. 또 짐승들끼리 비좁은 우리 안에서 서로 상처를 입히지 않도록 쇠뿔의 뿌리를 태워버리는 화학약품이 마취도 하지 않은 채 사용된다.

뿐만 아니라, 최소한의 시간 안에 최대한의 무게를 얻기 위해서 사육관리자들은 성장촉진 호르몬과 사료 첨가물을 포함한 여러 가지 약제들을 소들한테 투여한다. 사육장에서 기르는 미국 소 전체의 95%가 현재 성장촉진 호르몬을 투여받고 있다는 것이다. 또 가두어 기르는 사육장 안에서 발생하기 쉬운 질병을 예방하기 위해 항생제를 쓰는데, 특히 젖소들에게 많이 투여된다. 사람들이 먹는 쇠고기에 항생제 잔류물이 들어 있을 것은 묻지 않아도 뻔하다.

거세되고 유순해지고 약물을 주입받으면서 소들은 여물통에서 옥수수와 사탕수수와 콩 같은 곡물을 얻어 먹으면서 긴 시간을 보내는데, 그 곡물들은 온통 제초제로 절여진 것들이다. 현재 미국에서 사용되고 있는 모든 제초제의 80%는 옥수수와 콩에 살포된다고 한다.

말 못하는 짐승들이 이런 곡식을 먹고 난 다음 그 제초제들은 동물의 몸에 축적되고, 그것은 또 수입 쇠고기라는 형태로 고기를 즐겨 먹는 이 땅의 소비자들에게 그대로 옮겨진다.

미국 학술원의 국립조사위원회에 의하면, 쇠고기는 제초제 오염의 제1위이고, 전반적인 살충제 오염으로서는 제2위를 차지한다. 제초제와 살충제로 인한 발암 위협이 따르는 것은 더 말할 필요도 없다.

이와 같은 리프킨의 글을 읽으면서, 육식 위주의 요즘 우리 식생활이 얼마나 어리석고 위태로운 먹을 거리인가를 되돌아본다. 일찍이 우리가 농경사회에서 익혀온 식생활이 더없이 이상적이고 합리적이라는 사실을 깨우쳐주고 있다. 우리는 그릇되게 먹어서 죽는 어리석음에서 벗어나야 한다.

〈95. 11〉

얼마만큼이면 만족할 수 있을까

　여름철 그토록 무성하던 잎들은 서릿바람에 다 지고, 빈 가지만 앙상하게 남아 묵묵히 겨울을 맞이하고 있다. 묵은 잎을 떨쳐버리지 않고는 새 잎을 펼쳐낼 수 없는 이 엄숙한 생명의 원리를 지켜보는 사람은 자신의 처지와 둘레를 살펴볼 줄 알아야 한다.

　우리들 안에서, 혹은 생활주변에서 일어나고 있는 일들은 모두가 그 나름의 의미를 지니고 있을 것이다. 그 뜻을 우리들 삶의 교훈으로 거두어들일 수 있다면, 좋은 일이건 궂은 일이건 다 받아들일 만한 것이다.

　전직 대통령의 비자금 문제가 터지면서 사람들은 허탈과 분노와 실의에 빠져 일할 맛이 안 난다고 한다. 그리고 천문학적인 돈의 단위로 인해 우리들이 일상에 익혀온 돈의 개념에 큰 혼란을 가져오게 되었다. 권력과 금력의 어두운 상관관계를 알지 못하고 살아온 대다수 순진한 국민들에게, 이번 일은 적잖은 혼란과 상처를 안겨주었다.

　권력을 이용한 이 세기적인 부정축재가 우리에게 무엇을 가르쳐주고 있는지, 허탈과 분노와 실의를 딛고서 그 의미를 새겨 볼 수 있어야 한다. 얼마만큼이면 만족할 수 있는가. 현대인들은 무엇을 가지고도 만족할 줄을 모른다. 하나를 가지면 열을 가지려 하고, 열을 갖게 되면 또 백을 원한다. 그리고 가진 것만큼 행복할 수 있는가? 가지고 있으면서도 행복할 수 없다면 그것은 허황한 탐욕일 뿐 참으로 가진 것이 아니다.

≪법구경≫에는 이런 구절이 있다.

황금이 소나기처럼 쏟아질지라도
사람의 욕망을 다 채울 수는 없다.
욕망에는 짧은 쾌락에
많은 고통이 따른다.

우리는 '내것'이라고 집착한 것 때문에 걱정하고 근심한다. 누구에게 빼앗길까 봐 어디로 새어나갈까 봐서 마음 편할 날이 없다. 그러나 원천적으로 개인이 소유하고 있는 것은 영원할 수 없다. 다만 한때 맡아서 지니고 있을 뿐이다. 자기 자신도 영원한 존재가 아닌데 자신이 지닌 것들이 어떻게 영원할 수 있을 것인가.

돈이나 물건은 그것을 지닌 사람이 이웃과 함께 그 혜택을 고루 나누어 가지면 관리 기간이 연장되지만, 탐욕의 수단으로 묵혀 두면 그 돈과 물건에 '곰팡이'가 슬어 그 빛을 잃는다. 어디 그뿐인가. 그 재물은 보이지 않는 손에 의해 단박 회수되고 만다.

사람이 살아가는 데에는 얼마만한 재물이 필요할까? 개인이 쓸 수 있는 것은 한도가 있다. 그 밖의 것은 개인의 소유가 아니라 인류가 함께 나누어 누려야 할 세상의 공유물이다. 사람은 무엇이 필요하고 무엇이 불필요한 것인지, 그것을 가려볼 줄 알아야 한다. 이것은 어디에 삶의 가치를 두고 살아야 할 것인가를 뒷받침해 주고 있다.

아이들을 불행하게 만드는 가장 확실한 방법은, 언제든지 무엇이든지 마음 먹은 대로 곧바로 손에 넣을 수 있도록 해주는 일이라는 말이 있다. 문제는 무엇이든지 마음대로 손에 넣기만 하면 행복한가이다. 우리가 바라는 행복은 결코 차지하고 갖는 데에만 있지 않다. 행복의 척도는 필요한 것을 얼마나 많이 가지고 있느냐에 있지 않고 불필요한 것으로부터 얼마만큼 자유로워졌느냐에 있다.

남보다 적게 가지고 있으면서도 그 단순과 간소함 속에서 삶의 기쁨과 순수성을 잃지 않고, 자기 자신다운 삶을 조촐하게 살아가고 있는 사람이야말로 살 줄 아는 사람이다.

소유물은 우리가 그것을 소유하는 것 이상으로 우리 자신을 소유하고 만다. 돈이나 물건에 집착하면 그 돈과 물건이 인간존재보다 훨씬 중요한 것이 되어버린다. 그러기 때문에 필요에 따라 살아야지 욕망에 따라 살지는 말아야 한다.

힌두교 성전인 《우파니샤드》에 이런 가르침이 있다.

'인간의 욕망이 바로 그의 운명이다. 왜냐하면 그의 욕망이 다름아닌 그의 의지이기 때문이다. 그리고 그의 의지가 곧 그의 행위이며, 그의 행위가 곧 그가 받게 될 결과이다. 그것이 좋은 것이든 나쁜 것이든.

인간은 그가 집착하는 욕망에 따라 행동한다. 죽은 다음에 그
는 그가 평소에 익힌 행위(業)의 미묘한 인상을 마음에 지닌 채
다음 세상으로 넘어간다. 그리고 그의 행위들의 열매를 그 곳에
서 거둔 다음 그는 이 행위의 세계로 다시 돌아온다. 이와 같이
욕망을 가진 자는 윤회(환생)를 계속할 수밖에 없다.'

불교에서는 생사윤회의 근본 요인을 탐욕이라고 한다. 분수
밖의 욕구가 탐욕이다. 탐욕이 많은 사람은 이익을 추구하는 일
이 많기 때문에 걱정 근심도 많다. 그러나 탐욕이 적은 사람은
기를 쓰고 차지하려고 하지 않기 때문에 걱정과 근심도 적다.

사람은 자신의 분수를 생각하여 만족할 줄을 알아야 한다. 만
족할 줄을 모른다면 자기에게 주어진 것마저도 잃게 될 것이다.

사람이 어디 천년 만년 살 수 있는 그런 존재인가. 적어도 이
몸을 가지고는 일회적인 삶을 산다. 내 자신의 한번뿐인 그 삶
을 남의 삶에 견주기 때문에 거기에서 허탈과 분노와 실의가 생
긴다. 이번 사건을 한편의 드라마를 보듯 관객의 입장에서 바라
볼 수 있다면 거기에서 우리는 많은 교훈을 얻을 수 있을 것이
다.

당신은 얼마만큼이면 만족할 수 있는가? 가을 나무에서 잎이
떨어지듯이, 자신의 인생에서 나이가 하나씩 떨어져간다는 사
실을 아는가? 적게 가지고도 얼마든지 잘살 수 있다. 자신이 서
있는 자리를 내려다보라.

(95. 12)

흥겹고 멋진 음악처럼

얼어붙은 개울에서 도끼로 얼음을 깨고 물을 길어다가 장작난로 위에 물통을 올려놓으니 물방울 튀기는 소리가 요란합니다. 뜨겁고 차가운 것끼리 서로 부딪치며 밀어내는 소리지요. 한 집안이나 일터에서도 구성원들끼리 성격과 취향이 맞지 않으면 이런 마찰이 있겠구나 싶습니다.

혼자서 사는 우리 같은 사람은 그런 갈등과 마찰에서 벗어나 있음을 다행하고 고맙게 여길 법도 한데, 평소에는 이런저런 분별없이 본래부터 그렇게 살아온 것처럼 무심히 지냅니다. 그러다가 여럿이 모여 사는 곳에서 시시콜콜한 시비와 갈등이 이는 것을 보게 되면, 이전에 그런 환경에서 어떻게 살아왔는가 되돌아보입니다. 그리고 무리로부터 떨어져 나온 것을 다행하고 고맙게 여깁니다.

난롯가에 앉아 돋보기를 걸치고 신기료장수처럼 해진 옷가지를 꿰매고 있자니, 내 처지가 문득 '산울림영감'처럼 여겨졌습니다. 심심 산골에서 바위에 앉아 이나 잡으면서 홀로 산다는 그 산울림영감 말이지요.

사람의 생각이나 말은 그것이 씨가 되어 훗날 그 생각과 말대로 되기 십상입니다. 지금 이런 오두막의 내 삶은, 돌아보니 30여 년 전부터 생각과 말로 꿈꾸어오던 그 결과인 것 같습니다.

그 무렵 나는 청마(靑馬)의 〈심산(深山)〉이란 시를 애송하고 있었습니다.

심심 산골에는
산울림 영감이
바위에 앉아
나같이 이나 잡고
홀로 살더라.

현재 우리가 마음속에 지니고 있는 한 생각이나 입에 담는 말, 그리고 몸으로 하는 행동은 지금 한때로 그치지 않고 이 다음의 나를 형성한다는 사실에 주의를 기울여야 합니다. 내 삶은 내가 선택하고 결단한 의지력으로 그렇게 되는 것이지 누가 대신해서 해줄 수 없습니다. 그러기 때문에 저마다 자신의 삶에 책임을 질 수밖에 없지요.

지난 11월 하순 '맑고 향기롭게 살아가기' 모임에서 주관한 자선 음악회가 있었는데, 그때 느낀 바를 이야기 합니다. 요즘에 와서 나는 음악회 같은 데에 어울릴 기회가 거의 없습니다. 일부러 먼길을 찾아 나서기가 그렇고, 사람이 많이 모이는 곳에는 섞이고 싶지 않기 때문입니다. 그날 밤 음악을 들으면서 생각했습니다.

이 땅의 정치도 음악처럼 흥겹고 멋지게 할 수는 없을까. 관객들의 박수와 갈채를 받는 연주자처럼, 온 국민의 환호와 신뢰를 받을 수 있는 멋진 정치인은 없을까. 그런 정치인들이 이 나라를 다스려야 우리도 당당한 세계시민으로서 국제사회에서 기가 죽지 않을텐데….

현 정부는 국정의 제일 목표로 세계화를 내세우고 있지만, 문민정부 출범 이래 우리나라는 온갖 대형 사고와 사건으로 깜짝깜짝 놀랄 빅뉴스만을 세계화시키고 있는 것 같습니다. 여야끼리 지겹도록 서로 물고 뜯는 싸움과 정치부재의 혼미가 무고한 국민들에게 얼마나 무거운 부담을 안겨주고 있습니까.

좋은 음악회는 연주자나 지휘자만으로는 이루어질 수 없습니다. 여기에는 음악을 이해하고 사랑하는 청중이 그 음악을 함께 만들지 않으면 안됩니다. 연주자와 청중이 한마음 한뜻이 되어 일체감을 지닐 때 비로소 좋은 음악회가 이루어질 수 있습니다. 연주자와 청중이 호흡이 맞지 않아 물위에 기름 돌 듯이 한다면 결코 좋은 음악이 창조될 수 없습니다.

정치인과 국민과의 관계도 마찬가지일 것입니다. 불성실하고 정직하지 못한 질이 낮은 정치꾼들을 이 땅의 정치권에 발붙이지 못하도록 하려면, 무엇보다도 유권자인 국민이 맑은 의식을 지니고 깨어 있어야 합니다.

그들의 말보다도, 그 행동을 주시해야 합니다. 개인적인 이해관계나 지역적인 감정 때문에 무조건 거부하거나 감싸고 돈다면 결과적으로 나라를 멍들게 하고 우리 모두에게 피해를 가져옵니다.

음악을 이해하고 사랑하는 청중 앞에 엉터리 연주자가 함부로 나설 수 없듯이, 도덕성과 역사의식이 결여된 정치인들도 깨어 있는 국민 앞에는 감히 나설 수 없도록 해야 합니다.

《열자(列子)》〈탕문편(湯問篇)〉에 보면 중국 춘추전국시대에 거문고의 명수인 백아(伯牙)와 그의 음악을 누구보다도 잘 이해한 친구 종자기(鍾子期) 사이의 지음지교(知音之敎)에 대한 이야기가 나옵니다.

백아가 거문고를 탈 때 높은 산을 오르는 데 뜻을 두자 종자기는 말합니다.

"훌륭하도다. 높이 솟아오름이 마치 태산과 같구나!"

흐르는 물에 뜻을 두자 다시 종자기는 말합니다.

"훌륭하도다. 넘실넘실 장강(長江)이나 황하(黃河) 같구나!"

종자기는 백아가 생각하는 것을 환히 꿰뚫고 있었던 것입니다.

백아가 태산의 북쪽으로 놀러갔다가 갑자기 소나기를 만나 비를 피해 바위 아래 머물게 되었습니다. 마음이 슬퍼져 곧 거문고를 타기 시작했는데, 처음에는 장마비의 곡조를 타다가 나중에는 산이 무너지는 소리를 내었습니다. 곡조를 연주할 때마다 종자기는 곧 그 뜻한 바를 알아내었습니다. 그러자 백아는 거문고를 내던지고 말합니다.

"참으로 훌륭하도다. 그대의 들음이여! 내 뜻을 알아냄이 마치 내 마음과도 같구나. 내 거문고 소리는 그대로부터 벗어날 수가 없네."

홋날 백아는 자기의 음악을 이해해 주던 친구 종자기가 죽자 거문고 줄을 끊어버리고, 세상에 자기 음악을 이해해 줄 사람이 없음을 통곡했다고 《여씨춘추(呂氏春秋)》는 전합니다.

단 한 사람일지라도 자신을 진심으로 이해해 주는 친구를 가진 사람은 그 삶이 든든할 것입니다.

같은 《열자》에 진(秦)나라의 유명한 가인(歌人) 이야기가 나옵니다. 설담이란 사람이 스승 밑에서 끝까지 배우지 않은 채 스스로는 다 배웠다고 생각하여 집으로 돌아가겠다고 말합니다. 스승은 굳이 말리지 않고 갈림길까지 바래다주면서 악기를 어루만지며 이별의 슬픈 노래를 불렀습니다. 노랫소리가 숲과 나무를 뒤흔들고 그 울림은 지나가는 구름에까지 이르렀습니다. 설담은 곧 사과하고 그후로는 평생토록 돌아가겠다는 말을 하지 않았습니다.

스승은 어느 날 그의 친구들을 돌아보며 말했습니다.

"옛날 한(漢)나라의 가인 한아(韓娥)가 동쪽으로 제(齊)나라에 갔다가 식량이 떨어진 일이 있었소. 도성의 서쪽문을 지날 때 노래를 팔아 밥을 빌어서 먹었는데, 그가 떠나간 뒤에도 소리가 남아 기둥과 들보에 맴돌면서 사흘 동안이나 끊이지 않았다오. 그래서 곁에 있던 사람들은 그가 떠나가지 않고 그대로 머물러 있는 줄 알았다고 합니다.

한번은 여관에 들렀는데 여관에 있던 사람들이 그를 욕보였다오. 그러자 한아는 소리를 길게 뽑으며 슬피 울었는데, 십리 안에 있던 노인으로부터 어린이에 이르기까지 함께 슬퍼하고 눈물을 흘리면서 사흘 동안 음식을 먹지 않았다고 합니다.

이런 일로 인해서 도성 서문 근처에 사는 사람들은 지금도 노래와 곡(哭)을 잘하는데, 그것은 한아가 남긴 소리를 본뜬 때문이라고 합니다."

가인이 부른 노래의 여음이 그가 떠나간 후에도 기둥과 들보에 맴돌면서 사흘 동안이나 끊이지 않았다니, 그리고 그가 부른 노래가 십리 안에 사는 사람들을 하나같이 감동시켜 사흘이나 먹고 싶은 생각이 나지 않게 했다니, 그는 참으로 인류 역사에 기억할 만한 훌륭한 가인입니다.

저 암울했던 우리 시대의 두 전직 대통령이 부정축재와 반란 수괴죄로 감옥에 갇히는 것을 보면서, 착잡하고 참담한 심경이었습니다. 우리는 어느 때가 되어야 온 국민이 흠모하며 존경하는 국가 원수를 맞이하게 될까요? 정치를 흥겹고 멋진 음악처럼 할 수는 없을까요?

〈96. 1〉

가족끼리 대화를 나누라

"가화만사성(家和萬事成)"이란 옛말이 있다. 집안이 화목하면 모든 일이 다 잘 되어간다는 뜻이다. 행복한 가정은 가족들 서로가 닮아 있지만, 불행한 가정은 그 구성원들 각자가 따로따로다.

흔히들 말하기를, 집(家屋)은 있어도 집안(家庭)은 없다고 한다. 가정의 본질은 아버지와 어머니 그리고 아이들 사이에 이해와 사랑으로 엮어진 영원한 공동체다. 이 공동체 의식이 소멸되면 썰렁한 집만 휑뎅그렁하게 서 있게 마련이다. 그것은 마치 혼이 나가버린 육신과 같다.

오늘날 청소년들의 비행이 사회문제로 대두하게 된 그 근원을 추구해 보면 가옥만 남은 가정의 부재에 까닭이 있을 것 같다. 이해와 사랑이 있는 따뜻한 가정에서 자란 아이들에게는 비행이나 탈선에 물들 위험이 적다.

가정이란 어떤 곳인가. 우리가 언제든지 갈 수 있는 곳, 우리가 없으면 우리를 기다리며 그리워하는 곳, 우리가 죽으면 통곡하는 곳, 우리가 우리 자신이 될 수 있고 거절당할까 봐 두려워할 필요가 없는 아늑하고 따뜻한 보금자리다.

이런 아늑하고 따뜻한 보금자리가 산업화와 도시화로 인해서 크게 위협받고 있는 것이 오늘날의 현실이다. 일찍이 농경사회에서는 이런 위협이 적었는데, 일터가 집안이나 농경지가 아닌 산업사회의 냉혹한 기구로 옮겨지면서 그 위협이 가속화되었다.

가정의 구성원인 가족들 - 아버지와 어머니와 아들, 딸 혹은 할아버지와 할머니 그리고 형제자매들끼리 마주앉아 차분히 속마음을 열어놓고 대화를 할 기회가 별로 없다. 부모자식 사이에도 '~해라, ~하지 말라' '~해 달라, 싫다' 등 일방적인 명령이나 요구와 불만의 표시만 있지, 거기에 이해와 사랑으로 주고받는 대화가 없기 때문에 딱딱하고 무표정한 집만 버티고 있을 뿐이다. 감수성이 예민한 청소년들이 어떻게 이런 재미없는 집에 머무르려고 할 것인가. 자연히 밖으로 나돌 수밖에. 밖에 나가 유유상종, 같은 무리들끼리 어울리다 보면 해서는 안될 일에도 빠져들기 십상이다.

오늘날의 가정은 한낱 숙박소로 변모되어 간다. 각자 하는 일이 다르기 때문에 얼굴을 맞대고 이야기할 기회가 별로 없다. 식사시간도 각각이고 밖에서 돌아오면 저마다 자기방에 틀어박혀 컴퓨터나 TV 아니면 전화에 매달려 지낸다.

해체되어 가는 가정에 활기를 되찾게 하려면 어머니나 아버지 쪽에서 의식적으로 대화의 자리를 마련해야 한다. 사랑스런 자식을 기르려면 먼저 사랑스런 부모가 되는 일로부터 시작되어야 한다. 부부끼리 혹은 집안 식구들 사이에 대화를 이루려면 기본적인 원칙들이 지켜져야 한다.

첫째, 대화할 때 중요한 것은 내가 말하는 것보다 상대방에게 말할 기회를 주어 그의 말을 귀기울여 듣는 일이다. 아내나 어린 자식들이라 할지라도 대등한 인격체로서 그들을 대해야만 온전한 대화를 나눌 수 있다. 일방적인 훈계나 타이름은 결코 대화가 아니다. 상대방이 무엇을 원하며 바라고 있는지 자유롭게 말할 수 있어야 한다. 중요한 것은 당신이 무엇을 말하는가가 아니라 그들이 무엇을 듣는가이다.

둘째, 대화를 할 때는 우리가 미리 짐작하고 있는 상대방에 대한 선입관념을 버려야 한다. 한 집안에서 살아온 가족들이므로 오래 전부터 가까이서 지켜보아 온 관념 때문에 새로운 면을 찾아보려고 하지 않는다. 어른들은 세월의 무게에 짓눌려 생각이나 몸이 굳어져 있지만, 아이들은 꽃처럼 날마다 새롭게 피어나고 있기 때문에 낡은 자로 재려고 해서는 그들의 실체를 제대로 파악할 수 없다. 영혼에는 나이가 붙지 않으므로 나이가 어리다고 지레짐작으로 단정하지 말아야 한다.

더 따질 것도 없이, 우리 자신들이 어렸을 때, 고정관념에 사로잡힌 완고한 부모님들과 허심탄회한 대화가 이루어질 수 없었던 일을 되돌아보라. 대화에는 서로의 눈높이를 맞추도록 해야 한다.

셋째, 대화할 때 상대방의 생각을 바꾸려고 논쟁하지 말아야 한다. 상대방을 설득하려고 하거나 이기려고 하는 것은 대화가 아니다. 우리가 대화를 갖는 것은 우리 마음과 느낌을 서로 나누기 위해서다. 나눔으로써 이해의 길이 열리고 풍요로워진다.

대화에는 이기거나 지는 일이 있을 수 없다. 우리의 느낌을 상대방에게 드러내고 상대방의 느낌을 받아들이는 태도가 중요하다. 우리는 자신의 느낌이 받아들여질 때 바로 자기 자신이 받아들여지고 있음을 느낀다. 그러나 자신의 느낌이 거절당할 때는 자기 자신이 거절당하고 있다고 느낀다. 이와 같은 느낌을 통해 사람의 사이가 가까워지기도 하고 멀어지기도 한다.

우리나라의 전통적인 가정에서는 유교적인 근엄 때문인지 칭찬과 격려의 말이 적다. 자식이나 아내 자랑은 못나고 어리석은 불출로 몰아붙였다. 우리 어린 시절을 되돌아보아도 꾸중과 야단을 맞았던 기억만 남아 있지, 칭찬과 격려의 말을 들었던 기억은 별로 없다. 가족과 친지들에게서 듣는 칭찬과 격려의 말은 우리 삶을 이루는 데 커다란 영향을 받는다. 이 칭찬과 격려가 우리에게 자신감과 용기를 갖게 한다.

우리가 누군가를 위해 무엇을 하는 것은, 지속적으로 무엇인가를 얻는다는 사실을 알아야 한다. 시간과 친절과 관심을 기울일 때, 또는 집안 식구들과 우리 자신을 나눌 때, 그것은 결코 그날 하루 일어났다가 곧 잊혀지고 말 일이 아니다. 이 기울임과 나눔은 평생을 두고 아름다운 기억으로 남아 우리 안에서 살아 숨쉰다. 오늘의 체험은 내일의 기억이 된다.

부부간이건 부모자식 간이건 가족 상호간의 관계가 이해와 사랑에 바탕을 둔 관계일 때, 그 가족이 이해와 사랑을 삶의 원리로 택했을 때, 이 이해와 사랑은 그 집안의 울타리를 넘어 이웃에 널리 퍼져나간다. 이것이 사랑의 메아리다.

가족끼리 대화를 나누라. 이해와 사랑으로 열린 대화를 나눔으로써 차디 차고 무표정한 집을 맑고 향기로운 집안으로 바꾸어야 한다.

〈96. 1〉

넘치는 정보 속에서

해가 지기 전에 램프의 등피(燈皮)를 닦았다. 등피란 말이 사전에나 실려 있을 정도로 이제는 귀에 선 말이 되었지만, 내게는 아직도 심지와 함께 익숙하다. 추운 겨울철이라 외풍에 펄럭거리는 촛불보다는 램프불이 아늑하고 정답다.

요즘은 아무리 깊은 산중의 절이라 할지라도 전기가 들어와 램프를 켤 일이 없어졌다. 그러나 우리가 처음 절에 들어왔을 때만 해도 전기가 들어오지 않았었다. 또 그 시절은 석유(石油)라고 부르는 등유가 질이 나빠 불을 켜면 그을음이 많이 생겼다. 타는 냄새가 역겹고 눈이 시그러웠다. 따라서 그을음 때문에 번번이 등피를 닦아야 했다.

요즘은 그런 등피도 어디서 구할 수 없게 됐지만, 등피를 만드는 기술이 너무 조잡해서 기포(氣泡) 투성이라 자칫하면 깨뜨려졌다. 그래서 등피를 아주 조심스럽게 다루어야 했다.

깊은 밤 창 밖에는 바람소리가 스산하고 뒷골에서 노루 우는 소리가 메아리칠 때, 벽에 등을 기대고 램프불을 바라보고 있으면 세월이 고개를 넘어가는 소리가 들린다.

조금 전에 밤 아홉 시 뉴스를 라디오에서 듣다가 그만 꺼버렸다. 오두막의 유일한 정보매체이지만 별로 귀담아 들을 것도 없는 한낱 시끄러운 소음이기 때문이다. 밖에서 들려오는 소리를 그때그때 통제하지 않으면 듣는 쪽의 속뜰을 마구 어지럽혀 놓는다. 이런 쓸데없는 바깥 소음 때문에 우리는 참으로 귀를 기울여 들어야 할 '소리 없는 소리'를 듣지 못한다.

흔히 우리가 사는 요즘 세상을 일컬어 '정보화 사회'니 '정보화 시대'니 하여 그 정보에 대한 접촉이 많을수록 좋고 정보를 모르면 뒤처진 걸로 여긴다. 특히 통신시설이 발달되고 날이 갈수록 생존경쟁이 치열하고 비정한 현대 산업사회에서는 정보가 차지하는 비중은 먹고 먹히는(이런 표현이 우리 언어 감각에는 지극히 불쾌하지만) 일로 직결된다.

그러나 그토록 중요하게 여기는 정보도 사람의 처지와 그 직업에 따라 한결같을 수만은 없다. 때로는 과다한 그 정보가 도리어 혼란을 가져오게 할 수도 있고, 멀쩡한 사람을 정보의 노예로 전락시킬 수도 있다.

세상의 흐름을 누구나 똑같이 타야 할 이유는 없다. 사람에 따라 삶의 뜻과 그 양식이 다르기 때문에, 흐름을 따를 수도 있고 그 흐름을 거스를 수도 있어야 한다.

라디오나 TV 혹은 신문을 두고 한번 생각해 보자. 라디오와 TV는 그 프로그램의 정해진 시간의 제약을 받기 때문에 엄선할 겨를도 없이 정해진 시간만큼 쏟아놓아야 한다. 이것이 우리 생활에 모두 유용한 정보일 수 있겠는가. 열 중에서 둘이나 셋이 필요한 정보라면 여덟이나 일곱은 무용한 정보들이다. 어디 그뿐인가. 우리가 진심으로 관심을 가지고 유용하게 써야 할 시간과 기운을 무가치한 일에 빼앗기고 있는 것이다.

신문의 경우도 마찬가지다. 신문은 한정된 지면으로 짜여지기 때문에 그 지면을 메꾸느라고 일반 독자들에게는 필요치도 않는 잡다한 정보를 늘어놓는다. 특히 요즘의 신문은 광고의 홍수로 언론의 사명보다는 상업주의에 추종하면서 과소비를 부채질하고 있다. 이런 신문에 쓰일 신문용지를 만들어내느라고 이 지구상에서 수많은 나무가 베어지고 숲이 사라져 지구의 사막화를 재촉하고 있다는 사실을 알고 있는가. 할일도 많은데 이런 신문지에 시간과 생각을 빼앗긴다면 우리 삶이 너무도 아깝다.

삶에 필요한 지식은 오로지 삶 그 자체 안에서 얻어질 수 있다. 돈으로 살 수 있는 지식은 참 지식이 아니다. 우리에게 참으로 필요한 것은 메마른 지식이 아니라 밝은 지혜. 지혜는 밖에서 얻어지는 것이 아니라 내 안에서 움튼다. 그러므로 진정한 스승은 입을 열어 가르치지 않는다. 그렇지만 그의 곁에서 우리는 배운다. 무엇을 할 것인가를 가르치는 것도 좋지만, 어떻게 하는지를 보여주는 것은 더욱 좋다.

왕년에 한 나라의 정보를 혼자서 다 거머쥐고 흔들던 정보책임자가 남긴 다음 같은 말은 오늘을 사는 우리에게 암시하는 바가 크다. 실종되어 아직도 생사를 알 수 없는 그는 말했다. 정보를 많이 가지고 있는 사람은 불행하다고. 그 많은 정보 때문에 그는 마음 편안할 날이 없었을 것이다. 아는 것이 병이란 속담도 우리 옛 어른들의 삶의 지혜에서 나온 말이다.

맑은 정신을 지니고 마음을 편안하게 유지하는 일이야말로 삶을 즐기는 태도일 것이다. 세상 돌아가는 대로 덩달아 움직인다면 마음의 평온과 충실을 기하기 어렵다. 남들처럼 사는 생활과 적당한 거리를 두고 자기 자신을 살필 수 있는 여유도 가져야 한다. 바로 그것이 살아가는 기쁨이 될 수 있다.

정보에 대한 지나친 욕구도 일종의 소유욕이다. 인간을 한정시키는 소유욕에 사로잡히면 그 비좁은 울 안에 갇혀서 지혜의 문이 열리지 않는다.

마하트마 간디의 정신을 이어받은, 인도의 비폭력주의 사회운동가이면서 구루(영적인 스승)이기도 한 비노바 바브는 교육에 대한 글에서 이런 말을 하고 있다.

'어떤 사람의 집안에 약병들이 가득 차 있으면 우리는 그 사람이 병을 앓고 있다고 미루어 헤아린다. 그러나 그 사람의 집이 책으로 꽉 차 있을 때 우리는 그가 지성적인 사람이라고 생각한다. 정말 그게 옳은 생각일까?'

이런 의문을 던지면서 그의 말은 이어진다.

'건강의 첫째 법칙은 절대로 필요한 경우에만 약을 복용한다는 것이다. 이와 마찬가지로 지성의 첫째 법칙은 가능한 한 책 속에 눈을 파묻지 않도록 하는 일이어야 한다.

약병들을 병든 신체를 나타내는 신호로 보듯이, 우리는 세속적인 것이든 종교적인 것이든 모든 책들은 병든 마음을 나타내는 신호로 보아야 한다.'

처음 이 글을 대하면 누구나 갸우뚱할 것이다. 서가에 꽂혀 있는 책들을 병든 마음을 나타내는 신호로 보아야 한다니 어찌 된 말인가. 그러나 한 걸음 물러서서 곰곰이 생각할 일이다. 저 많은 책들. 관념의 세계에 묻혀서 책 밖의 생동하는 세상을 모른다면 그게 어찌 온전한 지성일 수 있을 것인가.

세상에 나도는 책이란 그게 다 양서일 수는 없다. 두 번 읽을 가치도 없는 책들이 세상에는 얼마나 많이 쌓여가고 있는가. 삶을 충만케 하는 길이 책에만 있는 것은 아니다. 책을 넘어 서서 어디에도 의존함이 없이 독자적인 사유와 행동을 쌓아감으로써, 사람은 그 사람만이 지니고 누릴 수 있는 독창적인 존재가 된다.

여기서 비노바 바브가 말하고자 한 것은 책에만 의존하는 책의 노예가 되지 말라는 뜻이지, 아예 책을 등지거나 멀리하라는 말은 아니다.

몇권 안되는 내 둘레의 책을 돌아보면서 그 책들이 시끄러운 소음으로 여겨질 때가 더러 있다. 대형서점에 들어서면 눈이 어지럽고 귀가 멍멍해질 때도 있다. 이 넘치는 지식과 정보를 우리는 어떻게 받아들이고 소화할 것인지 막막해진다.

지식과 정보는 음식과 같은 것이라고 생각된다. 그 사람의 식성과 체질에 알맞게 먹으면 제대로 소화를 시켜 영양을 섭취할 수 있다. 그러나 체질과 소화력을 고려하지 않고 지나치게 먹으면 소화불량을 일으켜 도리어 해가 된다. 조화와 균형에 대한 감각은 정보와 지식을 받아들이는 데에도 필수적인 요건이 되어야 한다.

　무엇이든지 넘치는 것은 모자람만 못하다. 포만과 탐욕의 시대에 자제하고 절제할 줄 아는 인간의 품위에 대해서도 우리는 생각할 줄 알아야 한다. 세상의 흐름과 소용돌이에 휩쓸려 끝없이 표류할 게 아니라, 자기 자신의 의지로 삶을 새롭게 하고 그 가치를 드높이는 일이 우리에게 주어진 삶에 대한 의무가 아닐까.

〈96. 2〉

눈 속에 매화 피다

이 깊은 겨울, 오두막 지붕 아래 살아 있는 생물은 나하고 한
그루 매화분(盆)뿐이다. 살아 있는 것끼리 마주보면서 이 겨울
을 지내고 있다. 곁에 화분이 하나 있으니 혼자서 지내는 것 같
지가 않다. 내 마음과 눈길이 수시로 가면서 보살피다 보면 지
붕 밑이 훈훈하고 따뜻하다.

바깥은 영하 18도를 오르내리는 그런 추위인데도 '두 식구'의
둘레는 늘 훈훈하다.

이 매화분은 작년 겨울도 나와 함께 지내면서 그 꽃과 향기로
오두막을 가득 채워주었었다. 양재동 꽃시장에서 구해 온 것인
데, 꽃을 보고 나서는 화분채 흙에 묻어 두었다가 늦가을에 집
안에 들여 놓았다. 차 찌꺼기 삭힌 물을 가끔 주었을 뿐 따로 거
름은 주지 않았다.

초겨울에 접어들면서 꽃망울이 부풀어오르기 시작했다. 낮에
는 방안에 들여놓아 창호로 비쳐드는 햇볕을 쪼여주고 밤으로는
대청마루에 내놓았다.

지난 1월 초순, 양철 지붕에 싸락눈 뿌리는 소리가 들리던

날, 매화는 마침내 문을 열기 시작했다. 청초한 꽃과 은은한 그 향기로 함께 사는 식구의 가슴을 맑고 향기롭게 채워주었다. 식물은 공을 들인만큼 보답을 한다. 결코 은혜를 등지는 일은 하지 않는다.

그날부터 열네 송이의 꽃이 차례차례 피어났다. 눈 속에 피어난 이런 매화를 설중매(雪中梅)라고 한다. 봄소식을 알린다는 뜻으로 일지춘(一枝春)이라고도 하고, 맑은 손님에 견주어 청객(淸客)이라 부르기도 한다. 그리고 꽃 빛깔이 희고 그 자태가 고결하다고 해서 매화를 일명 옥골(玉骨)이라고도 한다.

매화에도 백매, 홍매 등 몇가지 종류가 있는데 꽃받침이 연초록인 단엽(單葉) 청매(靑梅)가 그중 귀하다. 이를 벽매(碧梅)라고도 하는데, 옥색이 감돌 만큼 꽃이 희고 그 향기 또한 다른 매화보다 훨씬 격이 높다. 특히 분에 기르는 매화는 단연 이 청매를 으뜸으로 친다.

소식(蘇軾)은 그의 매화성개(梅花盛開)에서 이렇게 읊었다.

남해의 신선이 사뿐히 땅에 내려
달빛에 흰옷 입고 와서 문을 두드리네.

매화를 신선에 견준 발상도 발상이지만 그 신선이 흰옷을 입고 찾아와 달밤에 문을 두드린다니 한폭의 그림 같은 정감이다. 옛 사람들은 한 그루 화목(花木)을 통해서 이렇듯 삶의 운치와 풍류를 누릴 줄 알았다.

육개(陸凱)는 매화가지를 꺾다가 우연히 역부(驛夫, 옛날의 배

달부)를 만나 멀리 있는 연인에게 새로 핀 매화를 보내면서 이
런 시를 남기었다.

　매화가지를 꺾다가 역부를 만나서
　몇 가지 묶어서 멀리 계신 그대에게 보내오
　강남에 별로 자랑할 게 없어서
　오로지 한 가지 봄을 드리오.

　한 가지 봄은 일지춘(一枝春)을 옮긴 말인데, 일지춘 쪽이 매
화의 분위기에 어울린다.
　다른 꽃도 그렇지만 특히 매화는 고목의 가지에서 부풀어오르
는 그 꽃망울이 좋다. 우리가 무슨 일을 계획하면서 기대감에
부풀 때의 그것처럼, 꽃도 피어나기 직전 터질 듯 부풀어오른
그 꽃망울에, 꽃보다 진한 충만감이 깃들어 있다.
　매화는 원산지가 중국의 남쪽인데, 중국에서는 옛부터 매화
에 네 가지 귀함(四貴)이 있다고 전한다. 드문 것을 귀하게 여기
고 무성한 것은 귀하게 여기지 않는다. 해묵은 노목을 귀하게
여기고 어린 나무는 귀하게 여기지 않는다. 여윈 것을 귀하게
여기고 살찐 것은 귀하게 여기지 않는다. 꽃망울을 귀하게 여기
고 피는 것은 귀하게 여기지 않는다.
　이것은 비단 매화에만 해당될 귀함이 아니라, 우리 인생살이
에도 견줄 만한 교훈일 듯싶다. 매화를 사랑하는 심미안(審美
眼)은 무성하고 살찐 것보다는 그 가지와 꽃이 드물고 여윈 것
을 아름답게 여기고, 미숙한 것보다는 노숙한 것을, 피어나기

전 부풀어오르는 그 충만감을 높이 산 것이다.

매, 란, 국, 죽은 그 품성이 군자와 같이 고결하다는 뜻에서 사군자(四君子)라고 이른다. 그중에도 매화를 으뜸으로 치는 것은 매화의 품격이 그만큼 높기 때문일 것이다.

조선조 세종 때의 명신 강희안(姜希顔)이 지은 〈양화소록(養花小錄)〉에는 꿈에서 본 매화에 대한 이야기가 실려 있다.

'…내가 매화나무 아래서 졸고 있었더니 한 사람이 예스럽고 기이한 모습으로 나타났다. 흰 옷을 입고 전신이 맑고 깨끗하였다. 나에게 인사를 하고 나서 장난삼아 다음과 같이 말하였다.

"당신이 나를 좋아하니 당신은 나를 잘 알고 있는가? 나를 알려고 하는 이가 누구며, 나를 찾는 이는 또 누구인가? 아마도 당신은 예스럽고 질박함을 숭상하여 벗을 삼는 자로다.

나는 성품이 시정의 번거로운 곳을 싫어하고 오직 산과 숲을 좋아하여 이름을 세속에서 피하여 사니, 비록 초나라의 영균(靈均)이라도 나를 듣고 알지 못하였다. 죽을 때까지 이름이 없으니 세상 사람들이 나와 더불어 자취를 감추고 사는 이가 또한 얼마인가.

나는 사실 초나라 굴원(屈原)을 원망하지 않고 송나라 소동파를 원망하고 있도다. 그가 공연히 나를 일러 '얼음처럼 차고 맑은 넋, 구슬처럼 희고 깨끗한 골격'이라고 평하여 나의 자취를 누설시켰고, 제일 좋은 물건으로 나를 지목하였도다.

당신이 만일 나를 이해한다면 저 거칠고 적막한 산수 모퉁이 세상에서 버려둔 땅에 같이 살고 죽고 할지니라. 그리하여 속세와 가까이함을 면하고 텅 빈 듯, 없는 듯이 살며, 함께 타고난 성품이나 온전히 하는 것이 어떻겠는고?"

내 매형(梅兄) 뜻을 이해하고 "예!" 대답하고 꿈을 깨어 기록하였다….'

이 매화에 대한 꿈 이야기가 재미있어 나도 이렇게 기록한다. 〈양화소록〉 말미에 '섣달 그믐 밤에 매화를 대하여'라는 오언 절구(五言絶句)가 들어 있다.

매화 옛 등걸에 새봄이 오니
맑은 향기 산가(山家)에 넘쳐 흐른다.
가물가물 타는 심지 다시 돋우고
이 밤을 함께 새는 두 해 된 꽃.

감로(甘露) 녹차에 매화꽃을 한 송이 따서 띄우면 매화차가 된다. 이런 차는 아마도 신선들이 마시는 차일 것이다.

〈96. 2〉

얻는 것만큼 잃는 것도 있다

봄이 시작된다는 입춘날, 눈발이 휘날리는 속에 길을 나섰다. 경기도 성남 모란장까지 차로 달렸다. 모란장에서 장을 보고 한 군데 더 들를 곳이 있어 가는데, 여느 때 같으면 4, 50분이면 넉넉히 갈 수 있는 거리를 무려 네 시간이나 걸려 겨우 당도할 수 있었다.

눈이 살짝 내려 얼어붙기 시작하자 질주하던 차들이 옴짝 못하고 슬슬 기거나 멈추어 움직일 줄을 몰랐다. 차 안에 갇혀 생각하니, 이것이 현대 문명의 현주소요 한계로구나 싶었다.

인간이 필요에 의해서 이루어낸 과학기술은 인간생활에 말할 수 없는 편의와 속도와 쾌적을 가져온 게 사실이다. 그러나 한편 과학기술의 진보는 우리 인간의 능력을 퇴화시킨 점도 없지 않다. 인간은 다른 동물과는 달리 직립 보행(直立步行)의 능력을 타고 났다. 똑바로 서서 걸어다니면서 인간적인 기능을 마음껏 누릴 수 있었다.

그러나 차를 만들어내어 거기에 의존하게 되자, 행동반경이 넓어지고 시간을 보다 효율적으로 활용할 수 있는 이로움에 못지 않게, 활개를 치면서 휘적휘적 걸어다니던 힘을 빼앗기게 되고 남보다 앞서 가려는 경쟁심과 이기심을 낳게 되었다. 배출 가스로 지구 환경을 오염시키고 찻길을 내느라고 아름답고 천연스런 강산을 갈기갈기 허물고 찢어놓았다. 그리고 질주의 열기 때문에 무수한 생명들이 제 명대로 살지 못하고 말 그대로 도중 하차를 당하고 만다.

어디 그뿐인가. 차가 밀려 길이 막히면 제 아무리 똑똑한 사람일지라도 차 안에 갇혀 무기력한 무골충으로 퇴화된다. 차 안에 갇혀 있으면 직립 보행의 그 당당한 인간은 어디론지 소멸되고, 바퀴 달린 쇠붙이를 시중드는 무표정한 부속품으로 전락한다.

우리는 지금 일찍이 우리 인간이 쾌적한 생활을 위해 만들어낸 것들에 의해서, 이제는 우리 스스로가 어떻게 감당하고 제지할 수 없을 만큼 거대해지고 괴물로 변한 그런 것들에게 지배를 당하고 있다.

1. 2백년 전에 이 땅에서 살았던 우리 조상들이 오늘 우리 곁에 와서 후손들의 생활상을 보신다면 어떤 생각을 하고 무슨 말을 하실까? 거대한 괴물로 변해버린 주거 형태며, 교통지옥과 쓰레기 더미, 기계와 화학에 의한 자연 파괴, 공허한 지식과 정보의 범람, 한계를 모르고 쏟아내는 생산과 소비, 인류의 생존을 위협하는 각종 화학무기와 핵무기 등등.

모르긴 해도 조상들은 당신네 후손들에게 크게 실망하실 것이다. 물질의 더미에 가려 왜소하고 좀스러워진 인간을 보고 한탄하실 것이다.

오늘 우리는 옛것을 후지고 미개한 것으로 깔본다. 낱낱의 예를 들 것도 없이 그런 점이 없지 않았다. 그러나 예전에는 어렵고 가난하게 살면서도 따뜻한 인간미가 있었다. 이웃이 있어 어려움과 즐거움을 함께 나누어 가질 수 있었다. 이웃의 불행이나 행복이 결코 남의 일이 아니었다. 오늘날 우리는 예전에 없던 많은 것을 차지하고 누리면서도, 이웃이 없고 인간의 정이 메말라간다.

내가 오고 가는 길에 이따금 기웃거린 그 어느 장보다도 모란장은 그 장판이 걸다. 모란장은 4일과 9일 닷새마다 서는 오일장이다. 요즘처럼 각박한 세상에는 예전 장의 풍물도 사라져 보기 드문데, 이 모란장에는 아직도 그 잔영이 남아 있다.

시골장은 우선 시끌벅적 좀 소란스러워야 한다. 그게 장터의 생기요 활기다. 만약 장바닥이 조용하다면 그것은 죽은 장이다. 슈퍼마켓 같은 데서 할인판매를 내세워 떠들어대는 확성기 소리는 얼마나 시끄러운가. 그러나 시골장의 소란은 그 자체가 장터의 공기요 활기찬 분위기다.

모란장에는 없는 게 없다고 할 만큼 장바닥에 나온 물건들이 아주 다양하다. 각종 곡물과 채소와 어물은 말할 것도 없고, 엿기름과 누룩, 치자 열매 등도 있다. 여기저기 몇군데 한약제가 무더기 무더기로 쌓여 있어 옛 장터의 면목을 그대로 이어가고 있다. 심지어 꿈틀꿈틀 살아 있는 굼벵이며 두더지까지 나와 있다.

한쪽에서는 장돌뱅이 약장수가 시골 사람들에게 소용될 듯한 약을 파느라고 무성영화 시대 극장에서 듣던 변사조의 목청으로 약 선전을 하고 있다. 그 언저리에는 으레 장꾼들이 빙 둘러서게 마련이라 누구나 한번쯤은 기웃거리고 싶어진다.

내가 발길을 멈춘 곳은 밥솥이나 냄비를 닦는 수세미를 파는 곳인데, 50대의 아저씨가 수세미로 냄비를 닦아보이면서 쏟아놓은 입담이 어찌나 구수한지 한참을 귀기울이다가 두 장을 사 주었다.

"물 잘 나고 때 잘 나고 윤 잘 나고 광 잘 나고, 닦으면 닦을수록 비까번쩍 광이 난다. 아침 먹고 설거지냐 저녁 먹고 설거지냐, 슬슬 문지르면 비까번쩍 광이 난다…."

한쪽에서는 뻥 하고 뻥튀기는 소리가 있어 그때마다 깜짝깜짝 놀라면서도 시골장의 정취에 젖을 수 있다. 백발이 성성한 할아버지 한 분은 채색으로 된 당사주 책을 펼쳐 놓고 사주 팔자를 볼 사람을 기다리고 있지만, 그 앞에 쪼그리고 앉아 자신의 사주 팔자에 관심을 기울이는 장꾼들은 아무도 없었다.

장 들머리에는 화분과 꽃을 파는 전이 있어 여느 장보다도 화사하게 느껴진다. 요즘은 화원마다 동백도 겹꽃이 주종을 이루고 있는데, 재래종 홑 동백꽃을 보니 아주 반가웠다. 눈 속에 핀 꽃이라 이름 그대로 동백(冬栢)꽃이다. 귀한 흰 동백도 나와 있었지만 겹꽃이라 조화처럼 보여 흰 동백의 격이 없다.

동백은 고창 선운사나 강진 만덕사 동백숲도 좋지만, 보길도 예송리 바닷가에 무리지어 핀 동백꽃이 단연 일품이다. 돌자갈밭을 쏴아르륵 쏴아르륵 씻어 내리는 물결소리 들으면서, 바닷바람에 여기저기서 뚝뚝 떨어지는 동백꽃을 보고 있으면, 지는 꽃도 꽃의 아름다운 한 모습임을 느낄 수 있다.

아직도 내 눈에 서언하게 떠오른 것은, 한 할머니가 그날 장에 팔려고 소쿠리에 담아온 세 마리 강아지의 맑은 눈망울이다. 그 눈망울에서 나는 문득, 각종 생활의 도구라고 불리는 '문명의 이기'들에 길들여지기 전 우리네 눈망울이 그처럼 맑지 않았을까 싶었다.

눈을 가리켜 마음의 창이라 하는데, 눈망울이 흐리면 마음이 흐려 있다는 증거이고 그 눈망울이 맑으면 마음이 그만큼 맑다는 소식일 것이다.

현대를 살아가는 우리는 무엇이든지 편리하고 손쉬운 것만을 선호한 나머지 잃어버리는 것은 없는지 생각해 볼 일이다. 도시 생활에서 전기가 나가면 모든 것이 멎어버린다. 수도와 가스와 전화가 고장나면 어쩔 바를 모른다. 이른바 문명의 이기에는 이런 허점이 내재되어 있다.

예전에는 어지간한 셈은 암산으로 능히 해낼 수 있었다. 그러나 전자계산기에만 의존하여 머리를 쓰지 않다가 그 기계가 고장이 나면 지극히 간단한 셈도 많은 시간을 걸려서야 겨우 해낼 수 있다. 편리한 기계에만 의존하면 인간의 능력이 퇴화된다.

내 경험에 의하면, 생활에 불편한 점이 조금은 있어야 한다는 주장이다. 그 불편을 이겨내느라면 체력과 의식이 살아 움직여 삶에 리듬을 가져온다. 그리고 그 불편 속에서 사물의 본질과 마주칠 수 있고 또한 그 안에서 삶의 묘미를 터득할 수도 있다.

우리는 무엇인가 얻는 것이 있으면, 그 반대급부로서 반드시 무언가를 잃는 것도 있다. 모든 것을 두루 갖추고 편리하게만 지내려고 한다면, 사람은 그 틈새에 끼어 자주적인 활력을 잃게 된다. 인간의 자존과 창의력을 지키기 위해 얼마쯤의 불편은 감내할 수 있어야 한다.

내가 시골의 5일장을 즐겨 찾는 이유도 거기에 가면 우리의 옛 인정과 마주칠 수 있기 때문이다. 날이 갈수록 사라져가는 우리 고유의 풍물을 그 장터에서 느낄 수 있기 때문이다.

그날 길바닥에서 네 시간 남짓 갇혀 지내면서 오늘의 우리 삶을 되돌아보았다. 입춘대길!

〈96. 3〉

살아 있는 부처

설 잘 쇠셨습니까? 우리에게 주어진 세월 속에서 또 한해가 줄어들었습니다. 날이 가고, 달이 가고, 해가 가면, 마침내 우리는 어디에 마주치게 될까요? 하는 일 없이 일상에 묻혀 한해 한해 곶감 빼먹듯 세월을 빼먹기만 한다면, 언젠가는 앙상한 꼬챙이만 남게 되겠지요.

새해에는 무슨 원을 세우셨는지요.

지난 해에는 고3짜리 아이 때문에 조마조마 가슴 조이면서 불안한 나날을 거쳐 왔지만 이제는 그런 짐에서 벗어났으니 가슴을 활짝 열고 새해에는 새로운 원을 세울만도 합니다.

원은 삶의 목표이고 원동력입니다. 원이 있으면 어떤 어려운 일에 부딪히더라도 그 어려움을 능히 극복할 수 있는 저력이 생깁니다. 원이 없으면 바람부는 대로, 물결치는 대로 중심을 잃고 시류에 표류하게 됩니다.

오늘부터라도 원을 한 가지 세우십시오. 어떤 원을 세울지 막연하다면 제가 대신 귀띔해 드릴까요? '살아 있는 부처'가 되겠노라고 한번 크게 원을 세워보세요. '부처'를 너무 어마어마한 존재로만 생각지 마십시오. 부처란 곧 자비심입니다. 이것은 제 말이 아니고 여러 경전에 부처님의 입으로 전해진 말씀입니다. ≪관무량수경≫에는 '불심(佛心)이란 큰 자비심이다'라고 기록 되어 있어요.

대자(大慈)란 모든 중생(이웃)들에게 즐거움을 주는 일이고, 대비(大悲)란 모든 중생의 고통을 덜어주는 일입니다. 슬플 비 (悲)자의 원뜻은 '신음하다'입니다. 내 이웃이 겪고 있는 고통을 함께 앓으면서 신음한다는 뜻입니다. 자식에게 기울이는 어머 니의 마음이지요.

어머니가 되어보지 못한 우리 같은 처지에서는 지극히 관념적 일 수밖에 없지만, 곁에서 지켜보기만 해도 어머니의 자식을 위 한 그 지극하고 간절한 희생정신은 실로 거룩한 사랑입니다. 아 버지에게서는 그런 희생적인 사랑을 기대할 수 없습니다. 그러 기 때문에 이 세상의 모든 어머니들은 생명의 뿌리이고 보금자 리입니다. 따라서 뿌리가 튼튼해야 가지에서 맺어지는 꽃과 열 매도 제대로 열린다는 사실을 명심해야 합니다.

이와 같은 거룩한 사랑인 어머니는 어디서 이루어진 것일까 요. 한 사람의 여성은 더 말할 것도 없이 자식을 통해서 어머니 로 형성됩니다. ≪화엄경 입법계품≫에는 이런 법문이 실려 있 습니다.

'보살은 중생으로 인해 자비심을 일으키고, 그 자비심으로 인 해 보리심을 발하게 되며, 보리심으로 인해 깨달음을 이룬다.'

여기 보살을 어머니로, 중생을 자식으로 바꾸어놓으면 어머 니와 자식의 상관관계를 보다 분명히 알 수 있습니다.

또 이런 구절도 있습니다.

'자비의 물로 중생을 이롭게 하면 지혜의 꽃과 열매를 맺는다.'

그러니 중생이 없으면 보살은 깨달음을 이룰 수 없다는 논리입니다. 다시 말하면, 자식이 없으면 어머니는 사랑의 화신(化身)이 될 수 없다는 가르침입니다.

흔히들, 무자식 상팔자니, 자식이 웬수니 하고 푸념을 하지만 자식이 있어 상팔자가 되고 자식이 곧 선지식 노릇을 해주기 때문에 대지의 어머니로서 틀이 잡혀갑니다.

부모 자식 사이건, 부부 사이건 모든 인간 관계는 각자에게 주어진 삶의 상황이고 소재(素材)입니다. 그러니 엄숙하게 받아들이지 않을 수 없습니다. 복잡미묘한 인간관계는 내 부름에 대한 응답입니다. 그러기 때문에 소홀히 대할 수 없습니다. 살아 있는 부처가 되어 온 집안을 맑고 향기롭게 꽃 피워 보지 않으시겠습니까.

이런 이야기가 전해 옵니다.

한 고을에 홀로 된 어머니를 모시고 살아가는 젊은이가 있었습니다. 어느 날 탁발을 하러 온 스님을 본 순간, 그 젊은이는 스님의 맑고 기품 있는 모습에 압도되어 사라져가는 뒷모습을 묵묵히 지켜보면서 가슴에 새겨둡니다. 그날부터 그 젊은이는 어디에 가면 살아 있는 부처를 만날 수 있을까 하고 골똘히 생각합니다. 몇달이 지난 후 다시 그 스님을 만나게 되자, 젊은이는 크게 반기면서 속마음을 털어놓았습니다.

"스님, 어디 가면 살아 있는 부처를 만날 수 있을까요?"

젊은이의 당돌한 물음에 스님은 빙그레 미소를 지으면서 이렇게 대답했습니다.

"내가 일러준 말을 깊이 명심하게. 저고리를 뒤집어 입고 신발을 거꾸로 신은 이를 만나거든 그 분이 바로 살아 있는 부처인 줄 알게!"

고지식한 젊은이는 스님이 일러준 말을 그대로 믿고, 어머니를 하직하고 그날부터 살아 있는 부처를 만나기 위해 찾아나섰습니다.

먼저 스님들이 모여서 수도하는 깊은 산중의 절을 찾아가 이리 기웃, 저리 기웃하면서 저고리를 뒤집어 입고 신발을 거꾸로 신은 스님이 있는가 살폈지만 아무 절에서도 그런 분은 만날 수가 없었습니다. 살아 있는 부처는 깊은 산속이 아니라 평범한 사람들이 어울려 사는 시정에 묻혀 있다는 말을 어떤 사람한테서 듣고서는 복잡한 거리와 장바닥을 헤매면서 찾아보았습니다. 다 해진 저고리를 누덕누덕 기워서 뒤집어 입은 사람은 어쩌다 한번 보았지만 신발까지 거꾸로 신은 사람은 끝내 만날 수 없었습니다.

젊은이는 혹시 그 스님이 잘못 일러준 것은 아닌가 하는 생각도 들었습니다. 꼬박 3년을 두고 산을 넘고 물을 건너 온 세상을 누비듯 찾아보았지만 그런 사람은 눈에 띄지 않았습니다. 이제는 지칠대로 지쳐 하는 수 없이 어머니가 계신 고향집으로 돌아가야 했습니다. 3년 만에 정든 집앞에 당도하니 젊은이는 목이 메었습니다.

"어머니!" 하고 큰소리로 불렀습니다.

집을 나간 아들이 이제나 올까, 저제나 올까 어머니는 날마다 기다렸지만 허사였습니다. 무사히 돌아올 날만을 가슴 조이며 고대하던 어머니는 문밖에서 갑자기 아들의 목소리가 들려오자 너무 반가워서 엉겁결에 뒤집어 벗어 놓은 저고리를 그대로 걸치고 섬돌에 벗어 놓은 신발을 거꾸로 신은 채 달려 나갔습니다.

"아이고, 내 새끼야!"

아들은 어머니를 보는 순간,

"오메, 살아 있는 부처가 우리 집에 계셨네!"

하고 어머니의 가슴에 안겼습니다.

15세기 인도의 시인 까비르는 이렇게 읊었습니다.

물 속의 물고기가 목말라 하는 것을 보고 나는 웃는다
부처란 그대의 집 안에 있다
그러나 그대 자신은 이걸 알지 못한 채
이 숲에서 저 숲으로 쉴새 없이 헤매고 있네
여기 바로 지금 이 자리에 있는 부처를 보라
그대가 원하는 곳이면 어디든지 가보라
이 도시로 저 산속으로
그러나 그대 영혼을 찾지 못한다면
세상은 여전히 환상에 지나지 않으리.

〈96. 3〉

스승과 제자

달포 전, 예전에 내가 살던 암자에 들러 이틀을 쉬어서 온 일이 있다. 그때 큰절에서 행자(行者, 스님이 되기 전의 수련자) 두 사람이 올라와 나더러 자기네 스승이 되어달라고 했다. 한 마디로 나는 거절했다.

행자가 계(戒)를 받고 출가 수행승이 되려면 스승(恩師)이 정해져야 하는데, 그 스승감으로 그들은 나를 택하려고 한 것이다. 내가 거절한 이유는 '제도적인 스승'이 되고 싶지 않아서였다. 그리고 내가 그들이 어떤 사람인지 알 수 없고, 그들 또한 내가 누구인지 알 수 없는 그런 사이이기 때문이었다. 서로가 길을 들이지 않아 이해의 문이 열리지 않은 상태에서는 스승과 제자의 유대가 이루어질 수 없다.

무엇보다도 나는 어디에도 매이지 않고 안팎으로 홀가분해지고자 하기 때문에 스승의 멍에로부터도 놓여나고 싶다. 무리에서 떠나 홀로 사는 이유도 이 '매이지 않음'에 있다. 거절의 보다 정확한 표현이라면, 내가 어떻게 감히 남의 스승이 될 수 있겠는가 하는 뜻에서였다.

선생과 학생 사이라면 얼마든지 받아들일 수 있지만, 적어도 구도자의 세계에서 스승과 제자 사이는 영적인 메아리가 울리지 않는 한 한낱 세속적인 치레에 그치고 만다. 한 사람이 수십명씩 거느리는, 자신이 지어준 제자의 이름(法名)도 기억 못할만큼 대량으로 생산해 낸 그런 사제관계를 나는 구도의 양심상 결코 받아들일 수가 없다.

그 행자들이 다시 찾아와 간곡히 은사가 되어주기를 원하자, 나는 전래의 비법(秘法)을 꺼내놓지 않을 수 없었다.

그럼 내 시킨 대로 할 수 있겠느냐고 다그치자 그러겠다고 했다. 좋다, 그러면 너희들이 앞으로 3년 동안 행자 생활을 착실히 한다면, 그때 가서 내가 계 받는 절차상 필요한 은사가 되어주마. 이런 내 뜻에 그들은 동의했었다. 그때 나는 그들에게 덧붙여 말했다.

너희들이 지금은 내 앞에서 3년 동안 행자생활을 하겠다고 말했지만, 사람의 마음이란 늘 변하는 것이므로 이 자리의 다짐에 조금도 구애될 필요는 없다. 그리고 3년 동안 기간만 채우는 것으로 그치지 않고 행자로서 모범을 보여야 한다는 사실도 잊지 말라고 일러주었다.

현재 행해지고 있는 행자 기간은 대개 1년 전후다. 법도가 엉성한 절에서는 3, 4개월 만에 계를 받게 하는 일도 있는데, 이런 현상은 결코 바람직하지 않다. 쉽게 되는 일은 쉽게 무너진다. 단시일 안에 해치운 부실공사의 결과처럼.

겪어본 사람들은 익히 알고 있는 바이지만, 행자시절에는 스님들이 걸치는 가사와 장삼이 그렇게 부러울 수가 없다. 후원에서 맡겨진 허드렛일에서 벗어나 하루라도 빨리 스님이 되어 가사 장삼을 걸치고 싶어한다.

대개의 경우 행자 기간을 3년은 고사하고 1년을 넘기기도 어려워한다. 한번은 계 받을 시기가 임박해서 행자 두 사람이 찾아와 나더러 은사가 되어달라고 했다. '은사'란 은혜로운 스승이란 뜻인데, 내가 갑자기 어떻게 은혜로운 스승이 될 수 있겠는가. 더구나 오늘 처음 만난 생면부지 사이인데. 그래서 나는 은사로서 길들이는 기간도 있어야 할 테니, 6개월 후에 계를 받도록 하라고 했더니 예상했던 대로 그들은 다시 올라오지 않았다. 그들은 그때 다른 스님 앞으로 계를 받았는데, 그후 그들의 자취를 나는 알 수 없다. 쉽게 이루어진 것은 쉽게 무너진다는 교훈을 우리는 익히 알고 있다.

남의 스승이 된다는 것이 얼마나 어려운 일인가를 날이 갈수록 실감한다. '상좌 하나에 지옥이 하나'라는 승가에 전해 내려오는 말이 있는데, 그만큼 어려움이 많다는 뜻일 것이다. 글을 가르치고 잔소리를 하는 것은 누구나 할 수 있는 일이지만, 사람을 깨우쳐 바르게 이끄는 일은 말이나 글로 될 수 없다.

참다운 스승은 입 벌려 가르치지 않지만, 슬기로운 제자들은 그의 곁에서 늘 새롭게 배운다. 스승은 제자가 스스로 깨닫도록 열과 성의를 다해서 거들고 돕는다. 제자 내부의 본질이 스스로 꽃피어 나도록 끊임없이 관심을 기울여 도울 뿐이다.

온갖 지식과 정보를 지니고 명예로운 학위를 취득하여 아는 것은 많으면서도 마음이 불안한 학자가 스승을 찾아가 물었다.

"스승님, 제 마음이 몹시 불안합니다. 마음을 편하게 해주십시오."

스승은 대답한다.

"그래? 어디 그럼 그대의 마음을 가져오게. 편하게 해주겠네."

학자는 한참을 망설이던 끝에 이렇게 호소한다.

"아무리 마음을 찾아보아도 찾을 수가 없습니다."

이때 스승은 미소를 지으면서 말한다.

"찾는다 할지라도 그것이 어찌 그대 마음이겠는가. 이제 그대에게 마음을 편하게 해주었노라. 알겠는가?"

이 말끝에 학자는 크게 깨닫는다.

선종(禪宗)의 역사에서 유명한 달마와 혜가의 '안심(安心) 문답'이다. 스승은 제자에게 마음을 편하게 하는 방법을 가르친 것이 아니라, 지금 당장 그 자리에서 불안을 덜어주고 마음을 편하게 해주었다. 이것이 지혜로운 스승의 기능이요 가르침이다.

제자의 입장에서는 무엇보다도 먼저 스승에 대한 믿음이 전제되어야 한다. 전적인 헌신과 투신에 의해서 스승의 인격이 자신에게 메아리되어 울린다. 굶주린 사람이 먹을 것을 찾듯이, 그처럼 지성스럽고 절실하게 스승을 찾을 때 그는 반드시 스승을 만난다. 진실하고 진지하게 찾아야만 시절인연이 와서 스승 앞에 마주서게 된다.

스승에게서 배울 만큼 배웠으면 스승을 떠나야 한다. 스승에게 기대어 의존하고 있는 한 그는 스승의 그림자나 복제품이지

독자적인 인간이 될 수 없다. 스승의 굴레에서 벗어나 독창적인 자기 세계를 이룰 때 그는 비로써 스승의 은혜에 보답할 수 있다.

유능한 제자는 스승을 극복할 수 있어야 한다. 유능한 스승 또한 자기를 뛰어넘을 수 있도록 도와주어야 한다. 제자가 스승보다 뛰어남을 이르는 옛말에 '쪽에서 나온 푸른 물감이 쪽빛보다 더 푸르다(靑出於藍而靑於藍)' '얼음은 물에서 이루어지지만 물보다 차다'는 말이 있다.

돌이켜보면, 나는 입산출가 전이나 그 이후 수많은 스승들의 은혜 속에 형성되면서 살아왔다. 내 앞에서 직접 가르쳐 보인 현실적인 스승도 있었지만, 역사적인 인물로서 기록을 통해 많은 은혜를 끼친 스승들도 있다. 이런 수많은 스승들이 우연히 내 앞에 나타났다고는 생각되지 않는다. 내가 그만큼 탐구하고 열망하면서 찾았기 때문에 그 메아리로 응답된 것이라고 여겨진다.

특히 세속적인 인습과 기존의 가치와 전통을 극복하도록 부추긴 선사(禪師)들의 가르침은 우리들의 영혼을 늘 깨어 있도록 고무시킨다. 그리고 구도의 길에서 시들지 않는 영원한 젊음이 어디에 있는가를 일깨워주고 있다.

9세기의 스승 임제(臨濟) 선사는 말한다.

"그대들이 바른 깨달음을 얻고 싶거든 사람에게 홀리지 말라. 안으로나 밖으로나 만나는 것은 바로 죽이라. 부처를 만나면 부처를 죽이고, 조사(祖師)를 만나면 조사를 죽이고, 성자를 만나면 성자를 죽이고, 스승을 만나면 스승을 죽이라. 그래야만 비로소 해탈을 하여 그 어떤 것에도 구애받지 않고 자유자재하리라."

부처나 조사, 성자나 스승을 의지삼아 이들을 최고 가치로 삼을 경우, 거기에 붙잡혀 자신의 길을 활보할 수 없기 때문에 그들을 극복하라는 것이다. 그들의 노예가 되지 말고 자주적인 인간이 되라는 교훈이다. 선사의 주장은 어디에도 예속되지 않은 자유인(無位眞人)이 되라는 것.

스승이니 제자니 하는 이 말은 도대체 무엇인가. 이런 분별은 제자의 입장에서만 존재한다. '자신의 눈'을 지닌 사람에게는 스승도 제자도 없다. 모든 사람이 동등하게 보일 뿐이다.

진정한 스승을 만나고 싶은가?

밖에서 찾지 말고 자기 자신을 주시하라. 자신의 영적인 자아 속에서 스승을 찾으라.

〈96. 4〉

출가 수행자들에게

　두껍게 얼어붙은 개울이 언제 풀릴까 싶었는데, 청명 한식을 고비로 가장자리부터 얼음이 녹아 다시 흐르기 시작한다. 두어 길 되는 폭포도 얼음 녹은 물을 차갑게 쏟아내고 있다. 한겨울 숨죽이고 지내던 골짜기가 봄기운을 받아 서서히 깨어나고 있다. 아직도 골짜기의 차가운 바람결에 눈발이 섞여 있지만, 남녘의 꽃바람이 이 두메에까지 번져오고 있음이 분명하다.

　그대가 불교의 출가 수행승이 되기 위해 요즘 황악산 직지사에서 종단에서 주관하는 연차적인 소정의 교육을 받는다는 소식을 전해 들었다. 어찌하여 하고많은 인생의 길을 접어두고 하필이면 출가 수행승의 길을 선택했는가? 누가 스님이 되라고 초대라도 했단 말인가?

　불교의 승단에서는 모집광고 같은 게 아예 없다. 불타 석가모니가 생존했던 원시불교 교단에서부터 그런 광고는 있지 않았다. 다른 교단에서는 신학대학을 통해 교역자나 사제직을 모집 양성하지만, 불교의 승가대학은 신학대학과는 성격이 다르다. 기성 승려의 교육기관이지 새로운 승려를 양성하는 곳은 아니다. 동국대학교의 불교대학도 불교 승려를 양성하는 곳이 아니라 일반 학생들을 위한 교육기관이다.

불교의 출가 희망자들은 누가 부르지 않는데도 제 발로 걸어서 찾아든다. 한 생각을 일으켜 부모형제와 친지들을 여의고 살던 집에서 뛰쳐나온 것이다. 생각할수록 희한한 도리라고 하지 않을 수 없다.

한 생각 일으켜 훌쩍 집을 떠나온 일이, 모르긴 해도 몇생을 익히고 길들여 온 그 업력(業力)이 시절인연을 만나 다시 움튼 것이라고 여겨진다. 물론 한때의 호기심이나 결심에서 잠시 기웃거렸다가 제 길이 아님을 알아차리고 슬그머니 물러가는 사람도 적지 않다.

일단 자신이 자발적으로 선택한 길이라면, 더 이상 머뭇거리거나 한눈팔지 말고 그 길로 전력을 기울여 매진해야 한다. 우물을 파더라도 한 우물을 파라는 소리다.

모든 것은 한때다. 그 어디에도 영원한 것은 없다. 모든 것은 변한다. 이 몸은 생(生)·노(老)·병(病)·사(死)하고 어떤 대상이나 여건은 한때 이루어졌다가 이내 무너지고 흩어져 공(空)으로 돌아간다.

그러니 그 한때를 놓치지 말라. 주어진 기회를 잃으면 후회가 쌓인다. 그리고 그 한때에 속지도 말고 지혜롭게 대처하라. 무엇에 빠져들지 말라. 빠져들면 넘어진다. 그것을 딛고 일어서야 한다.

그대도 누군가를 사랑해 본 경험이 있을 것이다. 어떤 대상은 그대가 그리워하며 바라던 한낱 그림자임을 뒤늦게 알아차릴 것이다. 실체가 아닌 그 그림자는 한결같지 않다. 무엇보다도 그토록 들떠 열망하던 그대 자신이 변한다.

그대가 열망하던 것이 환상임을 이내 깨닫게 된다. 그 환상의 그림자를 딛고 일어설 수 있어야 한다. 모든 것이 한때임을 명심하라.

《원각경(圓覺經)》에 이런 구절이 있다.

'지환즉리(知幻則離) 이환즉각(離幻則覺).' 헛것인 줄 알았으면 곧 떠나라. 떠나면 본래의 밝은 그 자리라는 뜻이다.

새로 중이 되려는 그대에게 선참자로서 몇가지 충고의 말을 전하고 싶다.

첫째, 출가 수행자는 늘 깨어 있는 사람이다. 온 세상이 잠들어 있는 때일지라도 불침번처럼 성성하게 깨어 있어야 한다. 깨어 있지 않으면 자신도 모르는 사이에 직업적인 중으로 전락하고 만다.

그 어떤 종파를 물을 것 없이, 세상에는 종교를 한낱 생계의 수단으로 삼고 있는 사이비 수행자가 얼마나 많은지 그대도 익히 알고 있을 것이다.

그대는 무엇을 위해 출가 수행자의 길을 선택했는지 거듭거듭 물으라. 해답은 그 물음 속에 분명히 들어 있다. 그러나 묻지 않고서는 그 해답을 끌어낼 수 없다.

돈을 위해서 수행자가 되었는가, 세속적인 이름을 얻기 위해 집을 버리고 나왔는가? 세상 일에 적용할 수 없어서인가, 혹은 인간적인 갈등을 피해서인가?

돈과 이름은 노력하는 만큼 세상에서도 얼마든지 얻을 수 있다. 그리고 수행자의 도량은 도피처가 될 수 없다. 그 안에서 새롭게 태어나야 한다. 무엇을 위해 삭발하고 먹물옷을 걸치고 수행승이 되었는지 거듭거듭 물으라.

둘째, 출가 수행자는 가난한 사람이다. 가난이란 맑음(淸淨) 그 자체다. 동서고금을 통해서 한결같이 우리가 배우는 교훈은, 수행자는 먼저 가난해야 거기서 구도의 마음을 발할 수 있다는 사실이다.

모든 것이 지천으로 넘치는 요즘 같은 세태에서, 그 넘치는 물건들은 무소유를 표방하는 출가 수행자에게는 커다란 도전거리다.

그걸 어떻게 극복할 것인지, 어떻게 딛고 일어설 것인지는 하나의 과제다.

한 생각 일으켜 집을 떠나올 때 '빈 손'이었음을 항상 상기하라. 가진 것이 많을수록 그만큼 맑은 수도의 세계와는 멀어진다는 사실을 명심하라. 그때그때 자신의 처지를 살펴 지닐 것과 지니지 않을 것을 가려야 한다.

행복의 조건은 필요한 것을 얼마나 많이 가지고 있느냐에 있지 않고, 불필요한 것으로부터 얼마만큼 자유로운가에 있다.

출가 수행자는 세상의 눈으로 볼 때 가난할수록 부자다. 아무것도 갖지 않아 안팎으로 텅 빈 그 속에서 충만감을 누릴 수 있어야 한다.

셋째, 출가 수행자는 홀로 가는 사람이다. 여럿이 함께 어울려서 사는 공동체 안에 있으면서도 숨어 사는 은자처럼 처신해야 한다. 항상 자신의 서 있는 자리에 마음을 모으라. 남의 허물을 보지 말고 자신의 허물을 찾아 고쳐나가야 한다.

소리에 놀라지 않는 사자와 같이
그물에 걸리지 않는 바람과 같이
흙탕물에 더럽히지 않는 연꽃과 같이
무소의 뿔처럼 혼자서 가라.
　　　　　　　─《숫타니파타》

이렇게 사는 것이 출가 수행자의 길이다.

넷째, 출가 수행자는 큰 원을 세운 사람이다. 원(願)과 욕심은 다르다. 욕심은 이기적인 것이지만 원은 이타적인 것이다. 원은 삶의 지표다. 원이 없으면 삶에 생기도 없다. 원이 있으면 어떤 어려운 일도 그 원의 힘으로 능히 극복할 수 있다.

수행자는 자기로부터 시작하여 세상에 도달해야 한다. 자기 자신의 일에만 매이거나 집착하면 그건 종교가 아니다. 우리는 이웃과 세상으로부터 헤아릴 수 없는 은혜를 입으면서 살고 있다. 그 은혜를 수행의 덕으로 갚아야 한다.

자신이 지닌 특성을 묵혀두지 말고 그 특성을 살려서 전체적인 조화를 이루도록 하라. 어떤 모임에서건 자신을 필요로 하는 존재가 되라. 있어도 그만 없어도 그만인 그런 반거충이는 수행자의 대열에 들 수 없다. 큰 원으로써 이웃에 덕의 그늘을 드리우라.

다섯째, 출가 수행자는 늘 새롭게 시작하는 사람이다. 수행자

의 삶은 과거도 없고 미래도 없다. 오로지 현재뿐이다. 우리는
지금 이곳에서 이렇게 산다. 그때 그 자리에서 최선을 다해 최
대한으로 살 뿐이다.

시작은 있어도 끝이 없는 것이 수행자의 길이다. 늘 새롭게
시작함으로써 일상적인 타성에 물들지 않고 신선한 삶을 이룰
수 있다. 수행자에게 '영원한 젊음'이란 바로 이 새로운 시작을
통해 움이 트고 싹이 튼다. 이 새로운 시작을 통해 잎이 피고 꽃
이 피며 마침내 깨달음의 열매를 맺는다.

세월은 그렇다, 오는 것이 아니라 가는 것, 덧없이 잠깐 지나
가는 것이다. 시간을 아껴 쓰라. 시간이란 무엇인가. 그것은 곧
자신에게 주어진 목숨이다. 어물어물하는 사이에 종점에 이르
고 만다. 무가치한 일에 자신의 삶을 낭비하지 말라. 밖으로 한
눈 팔지 말고, 그대 안에서 찾고 일깨우라.

끝으로 당부의 말이 있다. 이 당부는 그대가 출가 수행자로
지내는 동안 퍼내어도 퍼내어도 마르지 않을 넘치는 샘물이 될
것이다.

시시로 물으라.

'나는 누구인가?'라고.

이것은 모든 수행자의 근원적인 물음이다.

'나는 누구인가?'

〈96. 5〉

새들이 떠나간 숲은 적막하다

★
1판 1쇄 —— 1996년 5월 20일
1판 6쇄 —— 1996년 6월 10일

★
지 은 이 —— 법 정
펴 낸 이 —— 김재순
펴 낸 곳 —— 사단법인 샘터사
　　　　　　110 - 510 서울시 종로구 동숭동 1 - 115
　　　　　　전화 763 - 8961~6, 742 - 4929
　　　　　　팩시밀리 741 - 7270
전산사식 —— 홍익기획
인　　쇄 —— 서진인쇄
제　　본 —— 문원제책

★
등 록 일 —— 1972년 6월 24일
등록번호 —— 제 1 - 251
대체계좌 —— 010017 - 31 - 0524116
은행지로 —— 3004566

ISBN　89-464-1046-9